国家社会科学基金“十三五”规划2018年度教育学重大招标课题
“建设教育强国的国际经验与中国路径研究”阶段性研究成果

全球教育治理研究系列

加拿大教育治理研究

A Study of Education Governance in Canada

主 编 周洪宇 副主编 王建梁
汪 丞 路春雷 荣文婷 著

长江出版传媒 | 湖北教育出版社

(鄂)新登字 02 号

图书在版编目(CIP)数据

加拿大教育治理研究/汪丞,路春雷,荣文婷著.
—武汉:湖北教育出版社,2020.6
(全球教育治理研究系列)

ISBN 978-7-5564-2938-7

Ⅰ.①加…
Ⅱ.①汪… ②路… ③荣…
Ⅲ.①教育管理-研究-加拿大
Ⅳ.①G571.16

中国版本图书馆 CIP 数据核字(2020)第 049807 号

加拿大教育治理研究 JIA,NADA JIAOYU ZHILI YANJIU

出品人	方 平	策 划	刘 艺
责任编辑	裴晓雷	责任校对	王艳波
封面设计	牛 红 何亦明	责任督印	张遇春

出版发行	长江出版传媒	430070 武汉市雄楚大道 268 号
	湖北教育出版社	430070 武汉市雄楚大道 268 号
经 销	新 华 书 店	
网 址	http://www.hbedup.com	
印 刷	湖北恒泰印务有限公司	
地 址	武汉市江夏庙山开发区汤逊湖工业园	
开 本	710mm×1000mm 1/16	
印 张	15.25	
字 数	226 千字	
版 次	2020 年 6 月第 1 版	
印 次	2020 年 6 月第 1 次印刷	
书 号	ISBN 978-7-5564-2938-7	
定 价	76.00 元	

总　序

站在人类历史拐点探求全球教育治理之道

当我们把目光做一个转向聚焦，跳出教育，纵观世界，我们会惊奇地发现当今人类历史发展已处在新的拐点处——第四次工业革命正扑面而来，势不可当。这将给人类社会带来前所未有的系统而深刻的变革，也无疑会成为下一个时代教育的起点，并促使教育的变革与发展也随之迎来新的拐点。第四次工业革命的车轮驱动着全球化、新工业化、生态化、智能化和数据化时代滚滚向前，对教育发展变革，尤其是教育治理，带来了前所未有的冲击与挑战。这是全球教育治理以及中国教育治理必须构建的宏观视野。

一、人类历史拐点与教育发展的十字路口

在人类社会发展的历史长河中，技术革新和传播持续推动着人类创造新的世界。从农耕时代到工业时代再到信息时代，人类历史不断从一个阶段迈向另一个阶段。信息时代是人类正在经历的发展阶段，这个阶段无疑只是人类漫漫历史征程中的一个特定时期。未来，人类将走向何方？还可以走多远？

历史上，工业革命是指工业化进程中所发生的重大变革。新的制造工具的应用，推动了工业发生根本性的变革，引起了工业从旧质飞跃到新质，使国民经济的产业结构发生了重大的变化，进而使经济社会各方面出现了崭新面貌，推动了人类社会发展的进程和文明的程度。[①]人类进入工业文明阶段后至今已经发生了三次工业革命。从18世纪第一次工业革命的机械化，到19世纪第二次工业革命的电气化，再到20世纪第三次工业革命的信息化，一次

① 周洪宇. 周洪宇论第三次工业革命[M]. 武汉：湖北教育出版社，2014：215.

次颠覆性的科技革新，带来社会生产力的巨大解放和生活方式的大变革，从根本上改变了人类发展的历史轨迹。

统观前三次工业革命，可以发现它们对世界发展格局都产生了巨大影响。一是都极大地促进了社会生产力的发展，带来了工业布局的新变化。第一次工业革命随一波创新浪潮而来，例如蒸汽机和棉纺机的发明。它伴随着一次历史性剧变，带来许多系统性的变化，如城市化、大众教育和农业产业化等。第二次工业革命的核心是电气化和大规模生产，为世界带来了全新的社会模式和生产方式。第三次工业革命，以电子、信息技术和网络为核心，也被称为数字革命，在过去的七十多年，实现了生产的自动化，世界互联互通，使传统的物理世界彻底颠覆。二是都引起了社会关系的重大变革。第一次工业革命导致近代社会工业无产阶级和资产阶级产生，并开启了大规模的城市化进程。第二次工业革命致使垄断组织出现，并与国家政权结合，使自由资本主义过渡到垄断资本主义。第三次工业革命使国家垄断资本主义强化，第三产业比重上升。三是都对世界格局产生巨大影响。第一次工业革命确立了资本主义对世界的统治，殖民扩张造成东方从属于西方。第二次工业革命最终形成资本主义世界体系、殖民体系，世界成为一个密不可分的整体。第三次工业革命推动了国际经济结构的调整，全球化加速，世界各国经济相互依存，联系日益紧密。相较农耕文明时代而言，工业文明时代的人类更深刻地改变和影响了地球。第一、二次工业革命所创造的财富与统治力所向披靡、无可抵挡。第三次工业革命呈现了信息技术革命、生物技术革命等新形态，表现为新能源、新技术、新材料与互联网的融合、创新和运用。[①]它继续推进及强化了人类对自然的改造和控制力。

进入21世纪，科技推动社会飞速发展，大数据、人工智能、云计算等前沿技术不断取得突破，新技术、新业态、新产业层出不穷。这些因素促使第四次工业革命浪潮汹涌而至，这是一场更大范围、更深层次的科技革命和产业变革，即将深刻改变人类社会的发展进程。“第四次工业革命论”首倡者、世界经济论坛主席克劳斯·施瓦布所著的《第四次工业革命》一书认

---

① 周洪宇.周洪宇论第三次工业革命[M].武汉：湖北教育出版社，2014：218.

为这场革命正以前所未有的态势向我们席卷而来。其发展速度之快、范围之广、程度之深丝毫不逊于前三次工业革命。第四次工业革命的核心是智能化与数据化，它将数字技术、物理技术、生物技术有机融合在一起，即通过技术融合消除数字世界、物理世界和生物世界之间的界限。[①]因此迸发出强大的力量，对我们的经济和社会产生深刻影响。可植入技术、数字化身份、物联网、3D打印、人工智能、区块链、大数据、纳米技术、生物技术、材料科学、能源储存、量子计算等技术变革同步进行，融合形成一个高度灵活、人性化、数字化的产品生产与服务模式。与前三次工业革命不同，本次工业革命呈现出指数级而非线性的发展速度。原因在于我们目前生活在一个万物互联的世界，而且新技术也在不断催生更新、更强大的技术。创新的发展速度和传播速度比以往任何时候都快。这是一场深刻的系统性变革。它不仅从根本上改变了我们的生活、工作以及相互之间的关系，更改变了整个社会和我们的身份。

这些变革让各国、各类组织、人与人之间的利益和命运紧密相连，深度交融。我们认识和理解这次革命需要跨界思维。这次革命在推动生产力水平提高、物质丰富的同时，也将从速度、深度、广度上给个人以及经济、政治、社会和文化的发展带来新的冲击和变化、机遇与挑战。然而，世界经济新旧动能转换尚未完成，南北失衡等深层次、结构性问题还未消除。地缘政治冲突此起彼伏，保护主义和单边主义愈演愈烈。[②]这些问题与第四次工业革命带来的冲击合流，将成为影响世界和平与发展的不稳定因素。这正是我们今天所处的时代，是我们正面临的人类发展的历史拐点。

第四次工业革命和伴随着它的系统性变化，将会比以往任何时候都更加强调合作参与，要求进一步改变协同参与的方式，要求我们共同构想自己将要创造的未来。面对全球发展对沟通、合作越来越多的需求和依赖，每个国家都应该积极推进开放分享。德国政府在《德国2020高技术战略》中提出的

---

① World Economic Forum. The Fourth Industrial Revolution，by Klaus Schwab [EB/OL].[2020-01-14]. http://www. weforum. org/about/the-fourth-industrial-revolution-by-klaus-schwab.

② 习近平. 让美好愿景变为现实——在金砖国家领导人约翰内斯堡会晤大范围会议上的讲话[N]. 人民日报，2018-07-27（3）.

十大未来项目之一——工业4.0，旨在提升制造业的智能化水平，建立具有适应性、资源效率及基因工程学的智慧工厂，在商业流程及价值流程中整合客户及商业伙伴。其技术基础是网络实体系统及物联网。这是发达国家对第四次工业革命的积极回应。

全人类历史拐点的出现，把正在现代化建设道路上奋力前行的东方第一大国——中国再一次推到了历史的十字路口。前两次工业革命的缺席，使中国没有赶上西方的工业化进程，而成为工业化的后发国家。从中华人民共和国成立后的第一个五年计划起，中国在工业基础十分薄弱的条件下，开始了以工业化为核心的现代化征程。经历了从传统的社会主义工业化道路到改革开放后的中国特色社会主义工业化道路的转型，中国工业化取得了巨大的成就，中国已经从农业经济大国转变为工业经济大国。但它的工业化仍然没有完成，工业化进程仍在途中。今天，正当中国即将快速跨入工业化国家行列之际，人们眼前却横出一块“工业文明将就此止步”的警示牌，令中国蓦然站在时代大转型的历史关口。

站在人类历史拐点处，中国该何去何从？作为全球化进程的重要参与者，当前的中国也面临着经济、社会转型等重大问题。中国经济已由高速增长阶段转向高质量发展阶段，正处在转变发展方式、优化经济结构、转换增长动力的攻关期，迫切需要抓住第四次工业革命的机遇，寻找可持续发展的原动力。

放眼全球，人类正面临百年未有之大变局。基于互联网技术的智能化、数据化高度融合的第四次工业革命已经来临。我们不仅需要反思我们的经济、社会和政治体制，还需要反思我们的教育是否能够适应和引领这场深刻的变革，反思教育这把钥匙能否打开一扇可以让我们看到希望和未来的思考之门。

二、全球化新文明时代的教育治理

如果说告别工业化社会、迎接第四次工业革命带来的新文明是人类走出当前困境的必由之路，那么，由此催生的全球化时代则使全球治理成为现实。正在蓬勃发展的全球治理实践给全球教育治理带来了新的动力，进一步推动了全球教育治理的发展。

21世纪，随着全球化、区域一体化进程的持续发展，人类日益成为一个命运共同体。以人工智能、数据化等深度融合为标志的第四次工业革命让这种趋势愈发加速。人工智能及相关技术带来的安全和治理挑战是需要全人类共同面对的问题。同时，人类还面临许多领域的问题，如核威胁、气候变化、环境污染、疾病流行等。这些问题一旦爆发，各国很难独善其身。这就需要各国具备全球视野，协同合作，共同解决这些问题。“人类的政治生活正在发生重大的变革，其中最引人注目的变化之一，便是人类政治过程的重心正在从统治（government）走向治理（governance），从善政（good government）走向善治（good governance），从政府的统治走向没有政府的治理（governance without government），从民族国家的政府统治走向全球治理（global governance）。”①全球治理是国际体系中以主权国家为核心的各个行为体共同合作，通过正式制度和非正式制度安排，协调各自利益和政策，以应对全球化时代人类社会必须面对的各种跨国的全球性挑战，并支持各个国家实现国家治理水平提升的活动。从中国的角度看，全球治理与国家治理是当代中国两大战略考量。日渐崛起的当代中国，经济总量居于世界前列，成为世界经济增长的新引擎，国际社会赋予中国更多责任与希望。中国积极参与全球治理，有助于澄清当下国际社会对中国的质疑与误解，表明当代中国的担当，有助于化解国际社会对中国“参与不足”的指责，表明当代中国维护人类共同利益、推进人类共同进步的理念与追求，有助于赢得国际社会的尊重，从而引领着人类的发展。

教育治理是全球治理的一个重要组成部分，也是国家治理的具体内容。全球治理和国家治理的推进势必促进教育治理的发展。第四次工业革命必将深刻改变人类的学习方式和生活方式，引发人们对于“人”的价值的进一步思考。教育和教育治理的理念、规则、方式也不可避免地要受到影响和冲击。世界银行发布的年度旗舰报告《2018年世界发展报告：学习以实现教育的承诺》(World Development Report 2018：Learning to Realize Education’s

① 俞可平. 全球治理引论[J]. 马克思主义与现实，2002（1）.

Promise)指出，全球教育面临“学习危机”——上学却没学到知识，这不仅是浪费发展机遇，也是对全世界儿童和青少年的巨大不公。造成“学习危机”的一个重要原因就是低效的教育管理和治理。

近年来，全球教育治理的理念正在出现新的变化。2015年年底，联合国教科文组织发布了一份新的研究报告《反思教育：向“全球共同利益”的理念转变？》（Rethinking Education: Towards a Global Common Good？）。这是联合国教科文组织成立七十多年以来，继1972年出版的研究报告《学会生存：教育世界的今天和明天》（Learning to Be：The World of Education Today and Tomorrow，又称《富尔报告》，即Faure Report）和1996年出版的研究报告《教育——财富蕴藏其中》（Learning：The Treasure Within，又称《德洛尔报告》，即Delors Report）之后，又一份非常重要的报告。联合国教科文组织总干事伊琳娜·博科娃在这一报告的《序言》中开门见山地写道：“我们在21世纪需要怎样的教育？在当前社会变革的背景下，教育的宗旨是什么？应如何组织学习？本出版物的思想便是因这些问题有感而发。”她继而写道：“我确信，我们今天需要对教育再次做出高瞻远瞩的思考。”博科娃认为“再没有比教育更加强大的变革力量”。她进而强调“教育促进人权和尊严，消除贫穷，强化可持续性，为所有人建设更美好的未来”，“教育以权利平等和社会正义、尊重文化多样性、国际团结和分担责任为基础”。她最后指出：“我们必须高瞻远瞩，在不断变化的世界中重新审视教育。”这种重新审视的结果就是我们21世纪的教育应该向“全球共同利益”的理念转变。可以断定，这份报告必定像前两份报告那样对世界教育的发展产生重大影响。

随着全球一体化进程加速，全球性教育问题（如教育不平等、“学习危机”等）将持续存在而且有复杂化的趋势。通信技术、信息技术和互联网技术的飞速发展，也让教育领域的许多问题，如信息技术背景下的核心素养、信息技术教育、教育与经济同步发展、教育与创新等，成为具有全球性特质的难题。要解决这些问题，客观上要求全球教育治理这一理念、方式及行动在世界各国教育领域中发挥越来越重要的作用。它要求世界各国站在全球的高度，运用现代治理的理论和理念，以主权国家为主体，充分运用国际政府组织、国际非政府组织、公民社会等的力量，寻求问题的最佳解决方案。教育领域已显现了全球化的负面影响，需要更有效的全球治理。[①]世界主要国家，国际组织如联合国教科文组织、世界银行、经合组织、联合国儿童基金会、二十国集团、全球教育合作组织等，全球知名智库如卡耐基教学促进会、布鲁金斯学会、兰德公司、澳大利亚教育研究委员会等，都是参与全球教育治理的行为主体。它们正通过各种方式介入全球教育领域的治理。全球教育治理是顺应时代发展趋势的一种新型治理理论，如何从参与全球教育治理的诸多行为主体的行动中总结全球教育治理的实践经验、提炼理论，如何运用其推动全球教育的发展，成为当前迫切需要研究的课题。

当前，中国正处于推进国家治理体系与治理能力现代化建设的关键阶段，教育领域也不例外。中国实行改革开放的国策，把自身置于世界的开放体系之中。改革开放推动中国教育取得了举世瞩目的巨大成就，教育同步助力改革开放走向更高水平、更高层次。与此同时，教育也面临着新的更大的机遇与挑战。党的十九大确定了中国发展新的历史方位——中国特色社会主义进入了新时代。新时代的社会主要矛盾发生了变化，教育领域的主要矛盾集中体现为人民对优质教育日益增长的需求与教育发展的不平衡不充分之间的矛盾。2019年2月，中国颁布了《中国教育现代化2035》和《加快推进教育现代化实施方案（2018—2022年）》，明确了未来一段时期中国教育发展的总体思路、战略任务、实施路径与保障措施。《中国教育现代化2035》提出对内要“加快推进教育现代化、建设教育强国，办好人民满意的教育”，对外则是要开创教育对外开放新格局，“积极参与全球教育治理，深度参与国际教育规则、标准、评价体系的研究制定。推进与国际组织及专业机构的教育交流合作。健全对外教育援助机制”。[②]文件方案的出台标志着中国教育现代化走向新时代、新目标和新征程。[③]推进教育现代化、建设

① 卡伦·芒迪. 全球治理与教育变革：跨国与国际教育政策过程研究的重要性[J]. 申超，译. 北京大学教育评论，2011（1）.

② 中共中央、国务院印发《中国教育现代化2035》[N].人民日报，2019-02-04（1）.

③ 周洪宇，刘大伟. 中国教育现代化走向新时代新目标新征程[N]. 中国教育报，2019-04-01（1）.

教育强国和参与全球教育治理势必对教育治理的理念、体系、制度、内容、方法等提出新的要求。当前，中国已置身于第四次工业革命主导的全球化、智能化、数据化、信息化、生态化时代，教育治理理念也将升级换代。第四次工业革命这一全人类共同面临的巨大变革，同样对不断深化改革、扩大开放的中国产生影响，也对中国的教育治理提出全方位挑战。对于当今的中国而言，建立现代教育治理体系、完善学校内部治理结构、推进教育治理体系与教育治理能力的现代化，不仅是重要的，而且是十分紧迫的时代任务。2019年10月召开的中共十九届四中全会通过了《中共中央关于坚持和完善中国特色社会主义制度、推进国家治理体系和治理能力现代化若干重大议题的决定》，提出要把我国制度优势更好地转化为国家治理效能，具体在教育领域，要“发挥网络教育和人工智能优势，创新教育和学习方式，加快发展面向每个人、适合每个人、更加开放灵活的教育体系，建设学习型社会”。十九届四中全会关于教育的论述及时地回应了第四次工业革命给教育带来的机遇和挑战，为国家教育现代化指明了方向。同时，参与全球教育治理亦是中国由教育大国走向教育强国的必由之路。中国由教育大国向教育强国迈进的征程中，在努力实现本国教育现代化的同时，秉持共商共建共享的全球治理观，积极参与全球教育治理，为人类社会贡献中国特色的教育智慧、教育治理方案和力量，既是中国的使命，亦是担当，更是走向教育强国、负责任大国的必然选择。[①]研究国家教育治理及全球教育治理的理论、实践、经验及教训，成为中国教育学术界的当务之急。

三、研究全球教育治理是中国教育学术界的当务之急

作为当代中国怀抱着理想、洋溢着激情、时刻关注着中国乃至人类命运、富有社会责任感和历史使命感的学术研究者，我们有义务也有责任从事教育治理包括全球教育治理的研究工作。作为当下中国主要民间教育智库之一的长江教育研究院及高校教育智库——华中师范大学国家教育治理研究

① 周洪宇，付睿. 参与全球教育治理：从教育大国走向教育强国的必由之路[J]. 世界教育信息，2018（3）.

院的重要成员，我们有义务也有责任从事教育治理包括全球教育治理的研究工作。我们的研究原则是“全球视野，中国本位，问题导向，专业研究”，这与我们智库的定位与目标“立足华中，影响全国，走向世界”，研究风格“全球视野，中国特色，专业能力，实践导向”，以及基本宗旨“民众立场，建设态度，专业视野”等，都是一致的。我们希望通过开展全球教育治理研究，“出思想，出人才，出产品，出效益”，真正发挥学术研究者的作用，推动中国的教育改革和发展，推进中国的教育治理体系与治理能力现代化进程，乃至促进全球教育治理理念、结构与体系的变革。

为此，我们以长江教育研究院、华中师范大学国家教育治理研究院的专家学者为主，同时邀请国内外知名高校的一批国别教育研究专家参与，组织撰写了这套“全球教育治理研究系列”。这套丛书的编写目的，就是要在全球化及第四次工业革命的背景下，探讨全球教育治理的理念、经验教训和趋势，进而讨论中国教育治理的发展道路。丛书涉及三个层面的视角，即超国家层面、国家层面、次国家层面。超国家层面主要研究联合国相关部门、国际组织、大型跨国公司等，分析其对全球教育治理进行研究的成果、形成的研究报告和政策是怎样影响世界各国的。国家层面研究各国在全球教育治理的背景下是如何根据本国国情进行本国国家教育治理的。次国家层面更加中观和微观地审视一个国家各级行政区划内部的教育治理，甚至细化研究一类教育类型的治理或者一所学校的治理。丛书围绕上述三个层面开展研究，力图完整清晰地展示全球教育治理的全貌及其基本特征，为教育研究者、教育工作者提供一个全面深入了解全球教育治理的窗口。

几年前，我在组织编写“教育智库与教育治理研究丛书”（共14册，湖北教育出版社2016年出版）的同时，就已经设想接着要向两头延伸，继续组织编写“全球教育治理研究系列”和另一套“全球教育智库研究丛书”，最终形成“教育智库与教育治理研究”的“三部曲”。为此，2016年编写出版第一套研究丛书后就以第一套丛书的部分作者为基础，本着五湖四海、众志成城的基本原则，在全国物色合适作者，在综合考虑研究能力与研究专长的基础上，最终确定了本丛书各册的写作者。与此同时，由湖北教育出版社牵头积极申报国家出版基金资助项目，“全球教育治理研究系列”成功获批

2017年度国家出版基金资助立项，使后续工作有了良好的开局。

“全球教育治理研究系列”共10册，具体如下：

1.《全球教育治理研究导论》（华中师范大学教授、博士生导师周洪宇，华中师范大学副教授付睿著）

2.《中国教育治理研究》（华中师范大学教授、博士生导师周洪宇，湖北大学教务处副处长、博士后李中伟，华中农业大学教授陈新忠著）

3.《美国教育治理研究》（华中师范大学教授戴伟芬，湖北幼儿师范高等专科学校学前教育系副主任李娜等著）

4.《英国教育治理研究》（浙江大学教授阚阅著）

5.《德国教育治理研究》（华中师范大学副教授岳伟著）

6.《日本教育治理研究》（湖北大学教授赵霞著）

7.《加拿大教育治理研究》（中南民族大学教授汪丞，加拿大布鲁克大学教授、博士生导师路春雷，加拿大布鲁克大学博士后荣文婷著）

8.《俄罗斯教育治理研究》（辽宁师范大学副教授乔桂娟著）

9.《印度教育治理研究》（华中师范大学教授、博士生导师王建梁著）

10.《南非教育治理研究》（华中师范大学副教授李先军著）

“全球教育治理研究系列”有总有分，总分结合，以分为主，由点到面，兼顾发达国家和欠发达国家，覆盖面尽量广一些。其中，《全球教育治理研究导论》主要从超国家层面研究全球教育治理的基本理论，以及重要的国际组织、知名智库、机构参与全球教育治理的理论及其实践，并对中国参与全球教育治理的情况进行梳理分析，试图从整体上建构全球教育治理的一般理论体系，为中国及其他行为主体参与全球教育治理提供理论和实践基础。其他各册以国家层面为主，同时兼顾次国家层面，对全球重要国家的国家教育治理理论及经验进行研究，指出对中国进行国家教育治理及参与全球教育治理的可借鉴之处及启示。

受湖北教育出版社委托，全套图书由我担任主编，提出研究思路，规划整体布局，拟定研究大纲，草拟写作体例，统审系列书稿。比较教育专家王建梁教授担任副主编，协助我联络作者，审改初稿，处理日常事务。我们希望未来在此基础上再组织一套以教育治理不同方面为重点的研究系列，与此套丛书相辅相成，相得益彰。在此，我代表丛书编委会向丛书的各位作者及编辑人员表达诚挚的敬意，向对此套丛书编写出版工作作出指导与提供支持的各界人士表示感谢。由于教育治理研究，尤其是全球教育治理研究，在国内才刚刚起步，基本上没有什么可供参考的论著，完全是靠我们自己的摸索，此套丛书不成熟之处在所难免，还请各位读者不吝指教。

周洪宇

2020年5月1日

目 录

第一章　加拿大教育治理的源起与形成

加拿大是一个由原住民和移民组成的多民族、多宗教、多元文化的国家。加拿大建国历史虽然很短（1867年建国），但发展速度却非常迅猛。作为一个人口只有3600多万的后起资本主义国家，加拿大凭借其极为丰富的自然资源、完整的工业体系，一跃成为世界上最发达的工业国之一，国内生产总值长期保持在世界前列。同时，加拿大几乎是一切重要国际组织的成员国，甚至是创始成员国，如加拿大是联合国和北大西洋公约组织的创始成员国，是七国集团的重要成员国。加拿大拥有完备的社会福利系统，连续多年被评为全球生活质量最高、最适合人类居住的国家之一，连续多年被评为世界第二综合指标最好的国家。

加拿大是世界上第一个在国家层面通过多元文化法的国家，也是全世界实施多元文化政策最为成功的国家之一。加拿大国家文化的包容性和融合性，使其具有温良而不激进、融合而不走极端的特性。“加拿大是一个富裕而平和的国度，其独特的地理环境、政治体制和历史文化传统，铸就了加拿大人特有的不好张扬和善于妥协的个性。”[①]加拿大这种民族文化的特性，与中华文化中“和而不同”的传统价值观高度契合。因此，从某种意义上讲，在实现中华民族伟大复兴、中国通向现代发达国家的历史进程中，加拿大是全球范围内最具有参考价值的国家之一。

加拿大建国尽管只有150多年，却已站在世界最发达国家的前沿，这与其对教育的高度重视是密不可分的。加拿大拥有世界公认的完善的教育体系，具有世界一流的大学、中学、小学和学前教育，其高等教育入学率位居世界首位，是人均教育资源占有量最丰富的发达国家之一，其教育水平和科

① 格兰·琼斯．加拿大高等教育——不同体系与不同视角［M］．扩展版．林荣日，译．福州：福建教育出版社，2007.

技创新能力一直保持在世界前列，是名副其实的世界教育强国。

加拿大现有10个省和3个区，各省区人口和面积差别巨大（见表1–1）。各省区的教育制度深受其历史、地理、人口和自然资源等因素的影响。[①]早期的法国和英国殖民者来到加拿大，建立了教育制度。当时天主教（Catholicism）和新教（Protestantism）等宗教的影响力特别强大，就是在当代加拿大教育环境中仍然十分明显，如当代加拿大的公立教育系统中仍有宗教学校，实行双语制度。与一些西方国家的教育治理体制不同，加拿大没有设立国家层面的教育部，联邦政府主管和资助原住民（Indigenous or Aboriginal people）教育，宗教性学校由于历史的原因仍然存在于一些省区的公立教育系统中。

表1–1　加拿大10个省和3个地区人口[②]和面积[③]一览表（2017年）

省 / 区	人口（千人）	面积（平方千米）	占全国面积百分比
安大略省	14193.4	1076395	10.8%
魁北克省	8394.0	1542056	15.4%
不列颠哥伦比亚省	4817.2	944735	9.5%
艾伯塔省	4286.1	661848	6.6%
马尼托巴省	1338.1	647797	6.5%
萨斯喀彻温省	1163.9	651036	6.5%
新斯科舍省	953.9	55284	0.6%
新不伦瑞克省	759.7	72908	0.7%

① MacKay, Brenda, and Michael W. Firmin. The Historical Development of Private Education in Canada. Education Research and Perspectives, 2008, 35（2）: 57–72.

② Population estimates on July 1st, by age and sex http://www.statcan.gc.ca/tables–tableaux/sum–som/l01/cst01/demo02a–eng.htm.

③ http://www.statcan.gc.ca/tables–tableaux/sum–som/l01/cst01/phys01–eng.htm.

续表

省／区	人口（千人）	面积（平方千米）	占全国面积百分比
纽芬兰－拉布拉多省	528.8	405212	4.1%
爱德华王子岛省	152.0	5660	0.1%
西北地区	44.5	1346106	13.5%
育空地区	38.5	482443	4.8%
努纳武特地区	38.0	2093190	20.9%

第一节　殖民地时期教育治理的肇始

在15世纪末大批欧洲人到来之前，在美洲大陆（包括现在的加拿大）的原住民已经有着数千年的发展历史，他们一直过着自给自足的生活。“加拿大”一词即来源于原住民语言，意为“村庄”或“定居点”。[①] 自15世纪末16世纪初起，大批欧洲殖民者纷至沓来，纷纷在美洲大陆建立一块块殖民地。在未真正成为国家前，加拿大各地公共教育的创建无一例外地被打上了其宗主国的烙印，深受法英两国教育模式的影响。从殖民地到自治领地的历史进程以及受国内外各种综合因素的影响，使加拿大教育发展与治理的肇始别具特质。

一、法属殖民时期教育治理概况（1500—1763）

15世纪末16世纪初，欧洲人在美洲大陆的探险和开拓不断升温。西欧各国的探险家、商人、传教士在与加拿大原住民的冲突与交往中开展探险

① Origin of the Name “Canada” ［EB/OL］. https://www. canada. ca/en/canadian-heritage/services/origin-name-canada. html.

和拓荒活动。法国人较早在加拿大建立起殖民地，称为“新法兰西”（New France）。由于当时法国的教育等社会福利事业都是由法国教会负责，因而对法属北美殖民地的教育等责任也均由教会承担。[①]17世纪初，法属北美殖民地的教育发展开始缓慢起步。

最初，来到北美大陆的法国传教士的首要任务是改变原住民，而教育是传播福音运动中的一个重要工具。随着加拿大逐渐成为法国的殖民地，牧师们越来越把注意力转向对法国定居者子女的教育上。这一时期，传教士建立了许多小学校（小学）、耶稣会男生学院和贸易学校。1760年以前，因为有宗教传教指导、学徒培训和各种提高识字率的教学机会，因此那时的正规学校并不是加拿大教育的重要来源。[②]

在法国统治加拿大期间，教育融入了居民的日常生活之中。虽然法国政府支持天主教会承担教授宗教知识、数学、历史、自然科学和法语的责任，但家庭仍是当时社会组织的基本单位，也是儿童学习的主要场所。新法兰西由于人口很少而且分散，所以宗教教育通常是在家庭进行，在某些情况下还进行阅读和写作指导。在一些地区，教区牧师建立了小学，教授宗教教义和其他学科。但是，在17世纪和18世纪新法兰西的劳动密集型经济中，家庭依赖参与生产活动的子女所做的经济贡献。孩子们从其他家庭成员那里学习园艺、纺纱和土地清理等技能，年轻男性通过学徒制接受各种行业的培训。新法兰西大多数人（特别是在农村地区）不会读写。在17世纪初，新法兰西大约四分之一的定居者能识字；但到了17世纪、18世纪之交，对生存问题的关注使得识字率大为降低（如7个人中只有1个人会写自己的名字）。

在新法兰西的乡镇，教会仍是提供教育的主要机构，如耶稣会（Jesuits）、改革派教会（Récollets）、于尔絮勒修女会（Ursulines）、巴黎圣母会（Congregation of Notre Dame）和其他宗教机构，都能对居民提供教义问答、阅读、写作和算术的初级指导。对于可能成为牧师或进入某行业的年轻

① History of Education in Canada. [EB/OL]. http://www. thecanadianencyclopedia. ca/en/article/history-of-education/.

② Roger Magnuson. Education in New France[M]. Montreal: McGill-Queen's University Press, 1992.

人来说，则可以接受更高水平的教育。到了17世纪中叶，耶稣会学院（1635年成立）开设了古典研究、语法和神学课程。在17世纪60年代，拉瓦尔主教（1623—1708）创立了魁北克神学院（后来成为拉瓦尔大学）。那时，对女性的正式教学领域是相当有限的，通常不超出宗教教义和生活技能（如针线活）的范围。然而，由于巴黎圣母会姐妹们的努力（包括担任巡回旅行教师），她们在农村和城镇建立了一些学校，使一些女孩子有机会接受正规教育。

新法兰西只有少数殖民者的子女能接受学校式教育。天主教传教士在正式教育中发挥了重要作用。改革派教会希望通过使原住民儿童接受天主教和法国习俗教育来逐渐削弱原住民的传统文化和信仰体系。耶稣会也开始实施了一个雄心勃勃的计划，试图将原住民同化于法兰西文化，并汇编翻译了原住民语言，建立了各种学校。其他团体（如于尔絮勒修女会）则把原住民女孩作为主要教育对象。然而，这些天主教教会的宣教工作对原住民社会影响甚微。原住民仍然是在自己日常活动中进行学习。

到了18世纪，殖民地的教育水平出现了下降的情况，主要原因是：首先，教会职员不足，不能满足日益增长的人口对教育的需求；其次，在加拿大出生的法国人人数大为增加，他们有着不同的价值观和各种优先事项；最后，学习文字对加拿大人的吸引力较小，因为那时的加拿大人更加注重如开垦边疆这样的经济生活。①

二、英属加拿大时期教育治理发展概况（18世纪中期—19世纪中期）

1763年2月10日签署的《巴黎条约》，结束了法国、英国和西班牙等国在世界各地（特别是在北美）之间长达7年的“征服”战争（The Conquest，1756—1763），这标志着在北美的几个欧洲主要国家之间历经多年的殖民争霸战以英国的全面胜利而告终。在战争期间，英国征服了加拿大的法国殖民地，从此法属加拿大殖民地易主大不列颠。英国当局征服了加拿大的法属殖

① Roger Magnuson. Education in New France [M]. Montreal: McGill-Queen's University Press, 1992.

民地之后，教育成为当局所关心的重要议题之一。这是因为教育与宗教紧密相连。在魁北克省，教育起到强化罗马天主教信仰的作用。在18世纪末19世纪初期，家庭仍然是开展教育的主要场所。英国当局在征服加拿大的法属殖民地之后的最初几年里，非常担心法国势力在殖民地的存在，一再试图协助建立不受宗教当局控制的学校。但法国天主教会破坏了这些努力。更重要的是，当地社区认为教育与家庭（而不是教育与学校）有关系。于是，英国政府把教育视为促进殖民地民众对其新教的文化认同、推广英语和英国习俗的一种方式。英国殖民当局开始重视发展教育。从18世纪60年代到19世纪40年代，英国政府开始积极地管理加拿大殖民地教育，允许和鼓励多种学校体制和多种教育机构共存发展，使殖民地的公民教育和世俗教育开始缓慢发展。

（一）下加拿大教育治理（1763—1840）

1763年10月7日，英国颁布的《皇家宣言》（Royal Proclamation）将新法兰西命名为“魁北克省”。[①]此后，英国政府为了分而治之，颁布了《1791年宪法》（Constitutional Act，1791），[②]把原魁北克地区划分为以英裔居民为主的上加拿大（Upper Canada，在圣劳伦斯河上游地区，即现在的安大略省南部地区）和以法裔居民为主的下加拿大（Lower Canada，在圣劳伦斯河下游地区，即现在的魁北克省南部地区）。下加拿大和上加拿大的治理体制包括：省督（由执行委员会向他提供咨询），执行委员会，作为立法委员会的上议院、下议院。政策由执行委员会或行政部门执行，但不对选举产生的下议会负责，而是对英皇负责，实际上对殖民当局负责。[③]这是殖民地走向加拿大联邦迈出的第一步，为加拿大向现代国家转型奠定了基础。

下加拿大的教育治理发展历程大致经历了殖民当局集权管理尝试期、殖民当局与教会和地方分权管理推广期两个历史阶段。

---

① Lower Canada. [EB/OL]. https://www.bac-lac.gc.ca/eng/discover/politics-government/canadian-confederation/Pages/lower-canada.aspx.

② Constitutional Act，1791. [EB/OL]. https://www.thecanadianencyclopedia.ca/en/article/constitutional-act-1791/.

③ Crown. [EB/OL]. http://www.thecanadianencyclopedia.ca/en/article/crown/.

1. 殖民当局集权管理尝试期（1801—1823）

为了加强对加拿大教育的控制，1801年下加拿大议会通过了《1801年法案》，成立了“皇家学习提升协会”（Royal Institution for the Advancement of Learning），负责为该殖民地构建一个中央政府支持的免费的公共教育系统，以便提高下加拿大英裔的教育水平和帮助法裔等族群融合成一个统一的英国新教徒社会。该法案的主要内容如下：首先，法案授予了总督在处理殖民地教育事务方面的权力。总督有权任命董事会来管理教育事务，并为其控制下的学校制定规章制度。此外，总督还可以任命专员和当地居民负责建设和监督学校，并负责所有教师的执照管理工作，颁发政府令以支付他们的薪水。其次，该法案明确规定要为各乡村和教区建立一所或多所非教会管辖的小学，为县一级行政区域提供中等学校以及一所学院或大学。[①]该法案为下加拿大创建了一个中央政府支持的教育系统。

当时的殖民地政府企图取代教会成为掌管教育的主要力量，但教会仍然想继续保持其在教育领域中的领导地位和影响力。詹姆斯•麦吉尔（James McGill，1744—1813，麦吉尔大学创始人、苏格兰裔商人、蒙特利尔慈善家）的去世改变了这一局面。由于皇家学习提升协会很难满足詹姆斯 • 麦吉尔的遗赠要求（要求在他去世后的10年内用他的遗产建立一所以他的名字命名的学院或大学[②]），总督瑞驰曼德公爵（Duke of Richmond）于1819年12月4日任命组建了由茫滕主教（Bishop Mountain）为理事长的理事会。第一届理事会由殖民当局管理者，立法机构代表以及上、下加拿大司法部门的代表组成。

理事会试图把皇家学习提升协会办成一个在下加拿大有效的官方教育系统。它颁布了一系列比较公平和自由的规章制度，允许天主教和新教的牧师在各自的教区选择统一的教科书，牧师们被邀请并被授权检查各自教派学校并对学生访谈调查。此外，在法语地区，被任命的教师必须是法裔天主教徒。当地居民也可以通过皇家学习提升协会的秘书向英国皇家机构提供报

---

① Real G. Boulianne. The Correspondence of the Royal Institution for the Advancement of Learning in the McGill University Archives. [EB/OL]. p75–58. http://fontanus. mcgill. ca/article/viewFile/62/70.

② Meet James McGill. [EB/OL]. https://www. mcgill. ca/about/history/meet–james–mcgill.

告。从1820年开始，皇家学习提升协会借助成形的集中管理开始扩张，1818年有35所政府资助的学校，1824年达到41所，1829年达到84所。这些学校都由皇家学习提升协会进行监管。

《1801年法案》虽然在一定程度上推动了下加拿大教育的发展，但原本期望建立由皇家学习提升协会统一管理教育事务的计划由于法裔天主教徒的反对而中途搁浅，创建中央集权教育制度的尝试也因此以失败告终。在19世纪的前20多年里，下加拿大的教育一直在黑暗的低谷中徘徊。

到1820年，下加拿大的教育形成了皇家学习提升协会、天主教和议会三方角逐的状态。皇家学习提升协会建立的学校系统最终失败，原因主要有以下三个方面：一是加拿大的罗马天主教会担心政府的介入会导致其丧失对教育的控制权，因而坚决反对皇家学习提升协会插手教育，害怕这个由英国殖民政府及圣公会（Anglican）所掌控的协会将通过学校教育把法裔民众英国化和新教化（这当然是英国殖民当局一个明确的目标），进而威胁到法裔的语言、宗教和文化，最终威胁到罗马天主教在法裔占多数的下加拿大的最高权利和地位；二是皇家学习提升协会的工作缺乏英皇的支持（例如英皇没有提供已许诺的授地资助）；三是下加拿大议会每年都要为通过更适合大多数法裔和天主教人口的立法进行斗争。①

2. 殖民当局、教会和地方分权管理推广期（1824—1840）

1824年，天主教终于获得议会的多数并通过了《1824年费布瑞克法案》（Fabriques Act of 1824）。费布瑞克指一组管理教区内世俗事务的教会成员。这一法案使教会能够控制其所建立的学校。费布瑞克成员全权负责学校的管理，教会收入的四分之一成为学校的运营经费。②这满足了天主教统治集团的要求（由于教会有权掌控教育而使得教会的权利受到了保护），也为下加拿大和加拿大东部地区的教派所有制的学校系统的构建铺平了道路。一方面，法案允许各教区公会拥有一定的资产以用于各教区学校的创建和运营，并将教会四分之一的收入用于学校的运营；另一方面，法案规定各教区

① Rackay, B, & Firmin, M. W. The Historical Development of Private Education in Canada [J]. Education Research and Perspectives, 2008, 35（2）: 62.

② Act Respecting Fabriques. [EB/OL]. http://legisquébec. gouv. qc. ca/en/ShowDoc/cs/F-1.

公会全权负责学校的管理工作，自行决定建校、课程设置和教师任免等事务。这样，该法案将原来统一掌握在皇家学习提升协会手中的学校管理权下放到了各教区公会。

由于绝大多数法裔拒绝参加政府的学校系统，殖民当局采取了一些措施来改善这种情况。早在1821年皇家学习提升协会刚开始实际运作后不久，总督戴尔哈尔西勋爵（Governor General Lord Dalhousie）与天主教会协商并最终达成协议，即成立两个皇家学习提升协会的独立委员会，一个由天主教会的主教负责，另一个由英国新教教会的主教负责。这就是《辛迪可思法案》（Syndics Act），于1828年3月14日在下加拿大议会获得通过。在魁北克省，这种教育治理系统从19世纪中期一直沿用到1964年。该法案为下加拿大居民提供了一个替代性教育系统，并为其提供更多的资助，从而结束了从1814年以来的教育纷争，终于使议会而不是殖民政府或教会直接来治理公共教育。《辛迪可思法案》的意义在于取消了皇家学习提升协会在公共教育领域的必要性。从1829年起，皇家学习提升协会管理的学校数量开始下降，从最高峰1829年的84所，到1831年下降为62所，到1844年仅有3所，到1846年不再有小学。实际上，从1837年之后，皇家学习提升协会就将其工作重点主要放到了其在蒙特利尔的中学、魁北克城和麦吉尔大学。

纵观1763—1840年英属下加拿大时期的教育治理发展状况，呈现出两个明显的发展趋势：第一，教会垄断教育的状况逐步被打破，国家开始积极介入教育领域。法属加拿大时期，教育一直由教会垄断。自1763年起，政府在初等教育事务中承担了越来越多的责任。特别是在1800年以后，政府通过颁布一系列政策法令，以建立中央集权制或地方性教育管理机制。1828年之后，英属殖民地政府开始为学校定期提供教育资助，这与早期法属加拿大时期政府不定期、不定量的教育补贴相比，是不小的进步。第二，教育管理逐步走向地方分权。英属加拿大的前30年间，一直缺少教育领导机构，因此，议会多次推出建立中央集权制教育治理制度的提案。但由于天主教神职人员及所办学校的强烈抵制，致使1824—1840年间的法案逐渐倾向于实行地方分权的学校管理制度，以确保加拿大学校的稳步发展。

这一时期，尽管下加拿大的公共教育已经萌芽，但下加拿大教育治理仍然存在着诸多不尽如人意的地方，例如，缺少一个行之有效的中央协调和治理机构，地方校董会管理不善，教师资历及水平不足等。但政府对学校体制多样、多种教育机构并存的现象持包容态度。

（二）上加拿大的教育治理（18世纪中期—19世纪初期）

从殖民地早期开始，上加拿大就一直以英裔人口为主。因此，在教育上，这一区域继承了英国的许多教育传统。从19世纪初开始，上加拿大的教育就一改教会唱独角戏的局面，国家在教育管理中的作用日益彰显。

1.《1807年学区法案》

1763—1812年间，由于当时的魁北克政府不愿动用公共资金创建学校，而英裔加拿大人比法裔加拿大人更加重视教育的发展，于是英裔移民便自筹经费建立私立学校。然而，那时大多数英裔移民并不富裕，加上殖民地早期各种条件不便及师资短缺，致使上加拿大教育也很不发达。直到上加拿大议会通过了《1807年学区法案》（The District School Act of 1807）之后，教育发展才渐有改观。该法案批准在上加拿大用公共资金在每一个管理区为所有居民建立公立学校系统。这是加拿大教育史上第一个规定用公共资金资助教育的法案。虽然该法案不是当年通过的第一个法案，但却是第一个被新闻报纸公布的法案，这充分显示了其重要性，而且该法案当时还没有受到大规模的反对。《1807年学区法案》是加拿大在创建公立学校制度的道路上迈出的重要一步，也是国家干预上加拿大教育的开端。

然而，公立学校的开办并不成功。由于许多家庭离公立学校距离较远，当时也不像现在一样有校车接送，所以只有住在区中心、离学校近的的孩子才能入校就读。私立学校费用高，而且教育质量不稳定。因此，很多平民家长把孩子送入免费的美国学校就读。可是，有人担心上加拿大人接受美国学校教育或在英属殖民的学校里使用有共和思想的美国教师和教材，可能会从根本上影响上加拿大的保（英）皇性政治。只有政府能为全省普通民众建立廉价、良好的学校才能保证社会的统一、经济的繁荣和民众良好的素养。于是，社会各界开始在政治、社会和伦理等方面进行广泛讨论，探索建立一个集中的、通用的、强制的、税赋资助的国家性学校教育系统。在19世纪早期，学校教育的概念在社会领袖中更为流行。那时，政治家、教士和教育家就教育融资、管理和参与等问题进行了广泛辩论。最初只有改革家和媒体为大众呐喊，而1812—1824年英美在加拿大的战争使加拿大人第一次产生了团结一致的国家身份认同感，而且大批英裔保皇移民从美国涌入加拿大，使得保守派的精英们开始认识到对民众进行保守和保皇身份教育的重要性。[①]这样，保守派和改革派罕见地在教育政策上达成了一致。

2.《1816年公共学校法案》

1816年3月，在上加拿大，《1816年公共学校法案》[②]在酝酿多年后终于得到议会的通过。该法案是建立（普通或初级）公立学校的第一个立法，是加拿大在推进普通大众教育方面的重大进步，其影响力是深远和持久的。该法案的颁布标志着自此以后在上加拿大，国家有责任保证普通大众的受教育权，政府要负责为所有国民提供教育。为此，政府向全省每个区（共10个区）提供6000英镑的固定年度资助。根据该法案，任何一群定居者如果能找到至少20名学生就可以开办一所学校。各区的教育董事会则负责监管学校的运转和分配省议会的拨款。该法案特别要求所有教师必须是英属地出生或进行（对英皇的）忠诚宣誓。[③]该法案授予地方极大的教育自主权和决定权，使"人民"处于公立学校建设的中心，[④]让当地人民选举出来的董事审查学校教师的品格和能力，并为学校制定规章制度。董事必须向由省督任命的各区教育委员会或学区董事会负责并报告自己制定的规章制度、教师的选择、教材的使用等细节，然后才能得到政府的资助。

随着《1816年公共学校法案》的颁布，地方公共学校开始在上加拿大各地迅速兴办起来。起初，公共学校办学条件大都十分简陋，随便一间公共礼拜堂、会堂大厅、教堂甚至老酒馆都可充作教室。此后，上加拿大各区公共学校才逐渐有了专门的校舍，但都是参照最简陋的拓荒民居的样式，采用粗

---

① War of 1812. [EB/OL]. http://www. thecanadianencyclopedia. ca/en/article/war-of-1812/.

② The Common School Act of 1816. [EB/OL]. https://books. google. ca/books?id=Se_KtC2gazoC&pg=PA6&lpg=PA6&dq=the+Act+of+1816+upper+canada&source=bl&ots=PrIy0mDOhB&sig=d4c2xh7g9aJeMVMCQQo3E2c2wmI&hl=en&sa=X&ved=0ahUKEwia_t2Z-LzZAhUDy2MKHdbqAhEQ6AEIZDAG#v=onepage&q=1807&f=false p6.

③ Di Mascio, A. The Idea of Popular Schooling in Upper Canada: Print Culture, Public Discourse, and the Demand for Education [M]. Montreal & Kingston, Canada: McGill-Queen's University Press. 2012: 71.

④ Di Mascio, A. The Idea of Popular Schooling in Upper Canada: Print Culture, Public Discourse, and the Demand for Education [M]. Montreal & Kingston, Canada: McGill-Queen's University Press. 2012: 160.

制的原木修建而成，房檐低矮，屋舍面积不大。由于那时加拿大民众的普通教育水平很低，学校环境较为恶劣，一般学校的房子大约六七米长、三四米宽，玻璃窗非常小（因为玻璃贵），长凳是松木板，桌子有时候是用斧头削平的原木。教室里烟雾弥漫，火炉不能暖和整个房间，用那时一位老教师的话说：校舍很冷、黑暗、凄凉。教师的学识很低，也没有自我提高的机会。书籍很少，没有多少人能读书和买书。学校教学方法仍然遵循旧制，采用个别教学而非集体教学的方式，有时仅要求学生死记硬背。学校没有统一的教材。但从1816年起，校区（教育董事会）被授权购买和分发课本。1824年的法案把对学校教师进行审查和认证的责任转移到了各个校区（教育董事会）。

《1816年公共学校法案》实施后确实产生了一些积极的效果，如政府资助的学校数量有所增加，许多家庭让孩子上学的想法成为现实，公共教育发展取得了不小的进步，特别是在学校治理模式方面颇有建树。1816年，上加拿大通过立法为学校设定了一个治理模式，即由本地选出的学校董事代表地方对学校事务进行管控。[①]该立法在很多方面借鉴了美国的经验。直到今天，这种教育治理模式在加拿大全国大部分地区仍普遍使用。然而，在该法案的执行过程中也存在着许多问题：第一，省政府的财政资金不能满足日益增长、快速发展的公立学校的需求，甚至由于资金不足导致一些学校不得不关门；[②]第二，由于政府对学校补助的数量有限，教师的工资较低，直接影响了学校教育质量的提升；第三，许多学校认为穷人的孩子不适合上学而不接受他们；第四，尽管有各种规章制度，但很多学校执行状况较差。因此，要求政府加强教育治理的呼声非常强烈。[③]正如上加拿大中心学校关于英式国家教育系统的第一个年度（1820—1821）报告（the First Annual Report of Upper Canada Central School on the British National System of Education for the Year 1820/1821）指出，上加拿大对发展公立学校教育有着强烈的需求，并

---

① School Systems.［EB/OL］. http://www. thecanadianencyclopedia. ca/en/article/school-systems/.

② Di Mascio, A. The Idea of Popular Schooling in Upper Canada: Print Culture, Public Discourse, and the Demand for Education［M］. Montreal & Kingston, Canada: McGill-Queen's University Press. 2012: 78.

③ Di Mascio, A. The Idea of Popular Schooling in Upper Canada: Print Culture, Public Discourse, and the Demand for Education［M］. Montreal & Kingston, Canada: McGill-Queen's University Press. 2012: 74.

提出教育必须对新一代儿童灌输有用的知识和良好的指导原则，认为英式国家学校不能只是为精英儿童设计。[①]但是，《1816年公共学校法案》之后的几个法案也没有解决这些问题，甚至使许多问题变得更糟。1819年7月12日，省议会通过的《学区修正案》（District School Amendment Bill）是《1807年学区法案》和《1816年公共学校法案》之间的一个折中方案。该法案提出，为每个校区的10名有希望的穷人孩子提供免费教育，但要求校区董事每年必须向省督报告学校教育发展状况，而且对所有新教师的资助降低为不超过50英镑。1820年，上加拿大议会又通过《1820年公共学校法案》（The Common School Act of 1820）作为修正案。该修正案大幅度降低了对学校和教师的资助水平，政府资助从每年6000英镑降低到2500英镑。而且要求各教育董事会必须把盈余经费交回政府。虽然对居民申请普通学校资金的要求维持不变，但此时学校扩张的速度已达到顶峰，并因为受到了政府资助减少的影响而开始下降。[②]1824年议会又通过了《1824年公共学校法案》，规定成立了省教育委员会（General Board of Education），确保《1824年公共学校法案》的有效实施，以消除省议会议员对执行该法案的模棱两可的想法，强调在上加拿大继续为全体居民提供有价值的学校教育，为各地星期天学校（Sunday School）每年提供总数为150英镑的资助。该法案还第一次从立法层面上提到了对原住民的教育，省教育委员会有权在发给教师工资前对其进行考试。当然，这些法案都引起许多争论。省级法案执行者的精英们知道大众对公立学校的兴趣和对当地的控制力，而精英们不能从上面塑造公立学校系统，但他们能限制政府对公立学校的资助并能采取措施在上加拿大建立英式的国家学校系统。[③]

---

① Di Mascio, A. The Idea of Popular Schooling in Upper Canada: Print Culture, Public Discourse, and the Demand for Education [M]. Montreal & Kingston, Canada: McGill-Queen's University Press. 2012: 77-79.

② Di Mascio, A. The Idea of Popular Schooling in Upper Canada: Print Culture, Public Discourse, and the Demand for Education [M]. Montreal & Kingston, Canada: McGill-Queen's University Press. 2012: 77.

③ Di Mascio, A. The Idea of Popular Schooling in Upper Canada: Print Culture, Public Discourse, and the Demand for Education [M]. Montreal & Kingston, Canada: McGill-Queen's University Press. 2012: 84-85.

3. 加拿大公共教育制度的奠基人埃格顿·瑞尔森的贡献

到19世纪30年代，上加拿大形成两种对立的教育发展模式，集中反映了两派政治势力为争夺殖民地的教育治理领导权而进行的斗争。一派是以多伦多第一位英国圣公会主教约翰·斯庄（John Strachan，1778—1867）和教育委员精英为代表的保守派。他们认为公共教育要根植于圣公会，要接受英国教会（Church of England）的领导。尽管这一派得到了一些人的支持，但对大多数居民（包括许多保守派）而言，这一派的主张没有多大的吸引力。另一派则是以多伦多市第一任市长威廉姆·麦肯齐（William Mackenzie，1795—1861）为代表的激进改革派。他们倡导学校教育应该面向所有居民开放，采用欧洲精英式的学校教育模式不如采用更为平民化的美国学校教育模式，通过学校教育加强人民的力量。这两种模式反映了上加拿大的政治对立，影响了整个上加拿大政治治理的未来走向，并把全省教育发展带到了一个十字路口。教育成为这场斗争的中心主题。[①]

就在两个对立派将要把上加拿大带到政治灾难边缘的关键时刻，加拿大公共教育制度的奠基人埃格顿·瑞尔森（Egerton Ryerson，1803—1882）提出了对殖民地治理的第三种观点（独特的加拿大视角）：仍然与英国相连，维持宪法基本不变，但是坚持殖民地的自我治理，抛弃英国对殖民地宪法产生影响的某些方面（如英国教会的统治）。而且，他还感到下加拿大共和思想意识的增长可能造成失去下加拿大（共和化或成为美国的一部分）的后果，所以他敦促英国议会考虑合并上、下加拿大，建立一个国家教育系统。自愿加入英帝国的人数正在减少，所以在英国的北美殖民地需要建立这样一个全国系统以维持和加强与英国的联系。如果国家主义兴起，应该将其放在大英帝国的框架内推进，否则独立、共和后的下加拿大将直接威胁到已经有共和思想、已经不稳定的上加拿大。作为一个"加拿大人"，埃格顿·瑞尔森倡导英国传统（与英国宪法的联系），同时指出殖民地区域当地人身份认同的发展问题，这在自我治理的需要和通过一个分享的宪法传统取得政治稳

① Di Mascio, A. The Idea of Popular Schooling in Upper Canada: Print Culture, Public Discourse, and the Demand for Education [M]. Montreal & Kingston, Canada: McGill-Queen's University Press. 2012: 162-163.

定的需要之间取得了平衡。加拿大人是一种不同的英国人，他们需要用不同的办法解决他们的社会和政治问题。英国宪法在加拿大的实施应该反映加拿大的特点。他认为学校应该促进加拿大人与英国宪法的联系，但同时给予有关加拿大身份的新思想和在殖民地自我治理理念发展的空间。作为加拿大人的学校，应该是坚定地以加拿大儿童的发展状况为中心（而不是以家长的状况为中心）而建立、发展，并将形成一个比历史上任何时期都复杂的教育模式。因此，上加拿大的教育发展不像英帝国其他地方，其统治者在19世纪中期建立学校的目的不是为了以殖民为主题，而是为了继承和合作。事实上，他的理念反映了当时许多上、下加拿大人的想法。埃格顿·瑞尔森的第三种模式既不是保守派精英所希望的保持殖民地阶级分离，也不是激进的改革派所希望的推翻政治秩序、使上加拿大实现共和。[①]可见，上加拿大公立学校体系的形成是政治、宗教、社会等对教育和居民需求所进行的长期复杂的相互影响和博弈的结果。

总之，18世纪末19世纪初，上加拿大公立学校体系的建设是一个艰苦卓绝的过程，众多普通民众以非正式的方式参与教育立法进程，这对官方正式学校体系的建设有着直接的影响，这一进程对19世纪中期的政策辩论框架的建立，以及对之后多年的学校教育发展也产生了深远影响。其中，《1807年学区法案》，特别是《1816年公共学校法案》对加拿大公立学校教育的发展产生了根本性、持久性的影响。之后的立法和变革使得上加拿大的公立学校教育发展上下起伏，学校教育在几种力量的对抗交织中不断发展，这些对抗集中体现在对以下几个问题的论争上：公立学校教育的目的（培育英属殖民地居民—培养独立的加拿大居民）、公立学校教育服务对象（上层阶级—全体居民）、公立学校教育治理权力（中央集权—地方权力）。

直到19世纪30年代，上加拿大的学校教育仍然不是以公立教育为主，大多数儿童是在家里通过私人家教（或家庭成员）或通过社区接受非正式的教育。

---

① Di Mascio, A. The Idea of Popular Schooling in Upper Canada: Print Culture, Public Discourse, and the Demand for Education [M]. Montreal & Kingston, Canada: McGill-Queen's University Press. 2012: 168-171.

到19世纪40年代，由于官方教育工作者和部分家长的努力，使加拿大的现代学校制度基本建立。这一时期，加拿大各地的学校体系非常相似。

加拿大学校体系的一般相似性源于19世纪中期教育领导人的雄心（历史学家把他们描述为“学校促进者”）。只要有一定的物质条件，许多父母都愿意送孩子上学。教育领导者雄心计划的一致性并不令人惊讶，因为他们之间不仅相互拜读对方的作品，而且经常互相联系、合作，如安大略省的教育领军人物埃格顿·瑞尔森与魁北克省的让－巴布蒂斯特·麦野（Jean-Baptiste Meilleur，1796—1878）以及不列颠哥伦比亚省的约翰·杰瑟普（John Jessop，1829—1901）。而且，这些学校推动者的活动也有一定的国际性。例如，埃格顿·瑞尔森于1844年和1845年访问了20多个国家，而正是在这期间他提出了建立公立学校体系的建议。

图1-1　加拿大公共教育的奠基人埃格顿·瑞尔森（1803—1882）肖像

教育领导者或学校推动者认为，大众教育可以给儿童灌输合适的思想和教授规范的行为模式。在他们看来，大众教育的目的主要不在于获得知识；学校系统应该旨在解决各种各样的问题，比如犯罪、贫穷、懒散、流浪等。教育工作者将这些潜在的和实际的问题的产生归结为三个主要原因：①大量的移民的影响；②从农业社会向工业资本主义社会的转型；③国家的形成（如公民行使政治权力）。

第二节　自治领时期教育治理体系的酝酿与先声

19世纪40年代，随着英国工业革命完成后经济迅猛发展，资产阶级新贵逐渐执掌英国国家政权，早年英国王室对加拿大殖民地的保护性关税政策也渐渐被工业资本家所提倡的自由贸易所取代。1854年，英属北美殖民地与美国在华盛顿签订了为期10年的互惠贸易协定（10年期满后又延续了2年，由于美国贸易保护的原因而于1866年结束）。自此，加拿大各殖民地开始改变在政治和经济上完全依赖英国的局面，逐步跻身北美大陆经济体系。①

随着工业化、城市化、铁路时代的来临，英属加拿大逐步从农商社会向工业社会转型，经济日趋繁荣与自主给加拿大社会发展带来了意义深远的变革。由于19世纪30年代大范围的经济危机、急速恶化的农业危机导致的饥荒、快速增加的英裔移民数量和他们所带入的霍乱、政治体制内部的权力斗争、英法族裔历史恩怨等造成了1837年和1838年的下加拿大法裔民众的武装叛乱。②同时，由于民众对政治变革的要求（建立一个廉洁、负责任的政府）、经济危机、金融系统的问题等，以威廉姆•麦肯齐（苏格兰裔）为领导的改革派在上加拿大于1837年也进行了武装叛乱。殖民地民众要求改革议会、取消寡头统治集团的特权地位的呼声日益高涨。

---

① Provinces and Territories. [EB/OL]. https://www. collectionscanada. gc. ca/confederation/ 023001-3010. 42-e. html.

② Rebellion in Lower Canada. [EB/OL]. https://www. thecanadianencyclopedia. ca/en/article/ rebellion-in-lower-canada/.

一、加拿大自治领的建立

英属北美殖民地总督约翰·兰姆顿（John Lambton），即德拉姆勋爵（Lord Durham，1792—1840），于1839年向英国政府递交了著名的《德拉姆报告》（Durham Report），提议英国政府允许英属北美殖民地建立“负责任的政府”（responsible government），划分大英帝国和其殖民地地方事务的处理权限以及上、下加拿大省的联合。[①]1841年，英国通过《联盟法》（Act of Union）将上、下加拿大合并为一个持续了26年（1841—1867）的英法裔合作试验——加拿大联合省（Province of Canada）。此时的加拿大联合省虽然名为一省，但实际上仍然分为两大区域：东加拿大（原下加拿大，1867年成为现在的魁北克省）和西加拿大（原上加拿大，1867年成为现在的安大略省）。

詹姆斯·布鲁斯（James Bruce，1811—1863），即埃尔金第八伯爵（8th Earl of Elgin），1846年被任命为加拿大总督，1847年1月他上任后支持建立“负责任的政府”作为解决加拿大政治纷争的最佳方案，委任在1848年省大选中获胜的改革派建立第一个真正的负责任的政府。[②]“负责任的政府”是指对人民负责（而不是对君主或某一个统治者负责）的政府。在加拿大，负责任的政府通常被描述为一个得到（由人民选举产生的）议会的支持（而不是君主支持）的行政机构或内阁。它起源于19世纪30年代的加拿大，成为加拿大作为一个联邦的重要组成部分，也是加拿大不用革命而达到独立的重要方法。[③]

加拿大建立“负责任的政府”之后，英属北美殖民地实行“负责任的政府”成为大势所趋。1848年新斯科舍省、1851年爱德华王子岛省、1854年新不伦瑞克省、1855年纽芬兰-拉布拉多省先后建立了“负责任的政府”。“负责任的政府”的建立，标志着总督在殖民地权力至上，英国通过总督对

---

① Durham Report. [EB/OL]. https://www.thecanadianencyclopedia.ca/en/article/durham-report/.

② James Bruce, 8th Earl of Elgin. [EB/OL]. http://www.thecanadianencyclopedia.ca/en/article/james-bruce-8th-earl-of-elgin/.

③ Responsible Government [EB/OL]. http://www.thecanadianencyclopedia.ca/en/article/responsible-government/.

殖民地在政治、经济和军事上直接统治的时代结束，传统的总督直接统治变为殖民地自治。英属北美殖民地在争取实现成为一个独立国家的道路上迈进了一大步。

进入19世纪60年代，在加拿大建立联邦制国家被逐步提上了议事日程，其促成因素主要集中在以下几个方面：①政治问题。由于建立了“负责任的政府”的加拿大各地仍然处于英国殖民当局的管辖之下，而且各殖民地各自为政，加拿大省政府运行不畅。另外，美国内战（the Civil War，1861—1865）中的暴力和混乱也让英属北美殖民地的许多人震惊，认为这场战争的部分原因是由于美国中央政府弱小的结果，这也激发了他们需要建立强大的中央政府的想法。②经济问题。为了使各省经济发展良好，殖民地需要将货物出售给其他市场，但当时市场很小。一个解决方案是将所有的殖民地聚集在一起，这样就可以更轻松地将货物在彼此间进行销售。此外，由于英国在美国内战期间支持美国南方，导致了美国在内战结束后的1866年废除了与英国北美殖民地的互惠条约，但这却激发了将加拿大建成为一个联邦的信念。③军事问题。由于美国为争取独立与英国发生过战争（美国独立战争，the American War of Independence，1775—1783），英国在北美与美国的关系从未稳定过。美国内战结束后，许多美国人想要拿下加拿大，一些美国政客也赞成吞并鲁珀特土地（Rupert's Land，面积占现在加拿大领土的三分之一）。1867年美国购买阿拉斯加后，美国的扩张主义的面孔就更加清楚了。与此同时，英国不想再支付保卫其殖民地的费用，而鼓励北美各英属殖民地团结起来成为一个自治国家，这样美国攻击加拿大的可能性就可以大为降低。因此，对美国的恐惧激发了加拿大人将加拿大建成联邦的需求。[①]

1864年10月，来自英属北美各殖民地的33位代表聚集于魁北克市三周，商讨并决定建立联邦事宜。在会议上通过了一个有72项条款的决议案（The 72 Resolutions），即“魁北克决议”（Québec Resolutions）。[②]迫于种种压

---

① Confederation.［EB/OL］. http://www.thecanadianencyclopedia.ca/en/article/confederation/.

② The Québec Resolutions，October，1864（The 72 Resolutions）.［EB/OL］. Documents https://www.collectionscanada.gc.ca/confederation/023001-7104-e.html.

力，同时也是出于自身利益的考虑，英国议会最终接受了魁北克决议，并以《英属北美法案》（British North America Act，现称为《宪法法案》）的形式在英国议会上、下两院得到通过，于1867年7月1日生效。根据该法案，魁北克省（原下加拿大）、安大略省（原上加拿大）、新不伦瑞克省和新斯科舍省共同组成统一的联邦制国家——“加拿大自治领”（Dominion of Canada），定都渥太华。[①]自治领第一届政府总理为约翰·麦克唐纳（John Macdonald，1815—1891，任期1867—1873和1878—1891）。[②]1870年，加拿大自治领以巨资和部分土地为代价从英国手中取得西部、西北部的土地所有权，其余省区先后加入联邦：马尼托巴省（1870）、不列颠哥伦比亚省（1871）、爱德华王子岛省（1873）、西北地区（1870）、育空地区（1898）、艾伯塔省（1905）、萨斯喀彻温省（1905）、纽芬兰-拉布拉多省（1949）、努纳武特地区（1999）。自治领的建立，虽然并不意味着加拿大的最终统一和独立，却标志着英属北美殖民地时代的结束，加拿大统一和独立的民族国家的开始，具有划时代的意义。

二、19世纪中叶自治领教育治理发展概况

在19世纪中叶的安大略省，以农村人口为主（只有较小的商业城市）。然而，大规模的移民和国家形成的重要性在当地已经是非常明显了。在1837年对政府的武装叛乱中，英国的北美殖民地中部的许多乡村领导人为追求政治变革而拿起武器，他们支持这样的观点：需要学校教育来塑造新一代公民。

安大略省的学校发起人经常反对用美国的教师或教科书。因此，他们借鉴了爱尔兰学校的经验，认为学校可以容纳新教徒和天主教徒。

在魁北克省，叛乱事件的影响比在安大略省更为明显。教育领导人心中对政治的关切尤其突出。然而，鉴于当时天主教会的领导地位，教育性国家的建设相对落后了，世俗和宗教领袖还在辩论权力和责任分工的问题。魁北克省在1868年成立了第一个公共教育厅，但在天主教会的压力下于1875年

---

① Confederation. [EB/OL]. http://www.thecanadianencyclopedia.ca/en/article/confederation/.

② John Macdonald. [EB/OL]. http://www.thecanadianencyclopedia.ca/en/article/john-macdonald/.

被迫取消，因为当时的人们认为只有天主教会才有治理教育的能力。此后很长一段时间，魁北克省是加拿大唯一没有设立教育厅的省份。

（一）西海岸的教育发展

在西海岸，移民是影响大众学校运动的主要因素，这与东海岸的情况大不相同。在不列颠哥伦比亚省这个以英国人后裔为主的地区，大批亚洲移民的到来引发了不列颠哥伦比亚省作为“白人省份”对经济竞争的担忧和对未来的恐惧。在反亚洲人的骚乱和排斥亚洲人联盟等组织的压力下，该省多次通过立法限制亚洲移民（主要针对中国人和日本人）。[①]

与其他地方相比，加拿大西海岸的教育发展呈现出不同的气象。其中一个值得注意的现象就是出现了考试的趋势，特别是20世纪初的第一次标准化的“智力测验”。相比安大略省和魁北克省，不列颠哥伦比亚省的教育工作者把“科学”测试作为对学生进行分类的重要方法。该省领导人把注意力集中在亚洲学生身上，并根据每个学生的血统仔细研究考试的结果。亚裔学生取得的极高的分数震惊了当地教育官员，并启发他们不仅要根据不同的移民背景来解释考试的结果，而且还要为了该省的英裔人口的教育“进步”继续开展测试。

（二）宗教教育与少数民族语言教育

在加拿大教育的发展历程中，很多教育冲突和争议都涉及宗教和语言问题。加拿大学校教育的建立是受官方监督，并迫使社区遵守硬性规定的、标准化的正规教育，但这并不符合加拿大多元化社会的实际需求。例如，宗教团体并不总是同意学校开设无教派的基督教课程。他们的抗议导致魁北克省天主教和新教学校系统的发展受阻，这为安大略等省的独立学校以及完全以教派为基础的纽芬兰－拉布拉多省学校系统的发展做了准备，并在1867年颁

① Bruce Ryder. Racism and the Constitution: The Constitutional Fate of British Columbia Anti-Asian Immigration Legislation, 1884—1909. Osgoode Hall Law Journal. Volume 29, Number 3 (Fall 1991) :56. http: //digitalcommons. osgoode. yorku. ca/cgi/viewcontent. cgi?article=1746&context=ohlj.

布的《宪法法案》（Constitution Act）中得到法律保障。[①]该《宪法法案》最初被称为“英属北美法案”，是英国议会于1867年3月29日颁布的。该法案规定把加拿大成块的殖民地合并为一个新的自治联邦（所以1867年就成为加拿大的建国年；而7月1日最初被称为“主权日”，后改为加拿大日或国庆节）。这项法案不仅规定了各省自主并集中统一管理教育，而且还确定了加入联邦时在各省建立的教派学校的合法性。事实上，这一法案有关教育的条款是长达一个多世纪加拿大不同社会群体冲突和妥协的结果。

加拿大教育矛盾突出表现在少数族裔语言教育持续发生的冲突上。大多数争议是关于魁北克省以外地区的法裔，但语言教育的问题已经影响到魁北克的英裔以及其他族裔的语言教学。这些冲突反映了这样的事实：在标准化公立学校的扩张中，政策制定者和家长之间存在着对抗性的教育期盼或愿景。

（三）接受公共教育的动机和模式

在19世纪，孩子们越来越多地被送到学校上学，而且上学时间变长。农业、商业和工业资本主义的发展加剧了人们对经济上不安全的认识。越来越多的人意识到：虽然社会可以创造巨大的财富，但也可能会很快失去。对高薪工作或成功企业的不安全感，在计划生育孩子的父母心中也越来越强烈。因此，减少抚养孩子的数量，增加教育投入就成为当时加拿大社会应对这种不安全感的通行办法。到了19世纪中叶，加拿大英属殖民地的许多家长实行避孕措施，试图少生少养儿童并争取较好生活质量。到19世纪末期，加拿大各省（魁北克省除外）通过强制入学政策时，只有少数家长没有送孩子上学。

当然，也有一些人抵制学校的发展，尤其是那些不愿意支付额外税收的人，还有那些不认可当地教师的人，以及那些希望保持正规宗教教育的人。在城市里，督学把逃学的孩子（尤其是来自工人阶级家庭和具有移民背景的

① Woods, D. S.（1936）. History of Education in Canada. Review of Educational Research, 6（4）: 377–382. http://www. thecanadianencyclopedia. ca/en/article/history–of–education/.

孩子）集中起来，送到“产业”学校就读。但是，这些人所抵制的一般集中在大众教育的形式和成本上，而不是大众教育本身。因此，接受由宗教团体资助的教区学校这一妥协方案解决了一些难题。在实行立法之前，加拿大适龄儿童入学率大体上已经达到强制性法律所要求的水平。

与学校倡导者强调儿童品格形成、价值观的塑造、政治和社会态度以及良好行为的培养不同，许多家长支持学校教育是因为他们希望自己的孩子能学会阅读、写作和算术。很多家长认为，上学会改变孩子的命运，这主要与学术培训的价值有关。有趣的是，家长对这一学术培训的价值感知不一定与子女达到任何特定的学术水平相联，很多家长送子女上学是和家庭优先考虑的事项有关。例如，在工业工作机会较多的地方，男性青少年的上学率下降，他们中的很多人因为家庭的需要而去工作了。

同样，儿童到校的出勤率也呈现出季节性变化。特别是在农村地区，家庭劳动力的需求是首要的。在孩子成长的任何阶段，都没有从学校到工作的有序过渡。相反，许多儿童在工作和上学之间不断变化，而且在大多数情况下，他们最后的离校与获得文凭没有很大的关系。

（四）法裔教育发展滞后

法裔加拿大人（主要集中在魁北克省）接受学校教育的程度普遍较低。尽管他们在19世纪中叶开始实行避孕措施，但其受教育程度却远低于其他任何一个族裔。总的来说，大多数法裔在1850年之后至20世纪中叶之前并没有像其他群体那样少生养孩子。虽然越来越多法裔孩子开始上学，但相比加拿大其他族裔的平均水平要低得多。到20世纪初，法裔的识字率仍远低于加拿大的平均水平。法裔独特的家庭生育策略是许多因素造成的，其中一个重要因素是童工对家庭经济的持续重要性。比起其他群体来说，法裔继续通过家庭成员的劳动来寻求生存和安全。这一状况不仅在农村地区（包括魁北克省和安大略省）持续发展，而且在农村和城镇的雇佣劳动环境中都很明显。这种状况一直持续到第二次世界大战之后的一段时期，学校和社会之间新的关系才在法裔中产生。

三、公共教育制度在安大略省率先创立

加拿大公共教育制度初创于安大略省。安大略省在加拿大公共教育方面的杰出贡献主要体现在以下方面：

（一）《1841 年公共学校法》和《1843 年教育法案》

在1841年上、下加拿大合并为加拿大联合省之后，鉴于新联合殖民地在这两个地区（东加拿大和西加拿大，1867年分成现在的魁北克省和安大略省）的官员都急于完成改造各自人口的政治和文化特征的任务，于是，教育立法就成为新组建的加拿大政府重点考虑的问题之一。《1841年公共学校法》（Common School Act of 1841）使加拿大中央行政机构第一次设立了由总督任命的教育总监职位，负责监管这两个地区的基础教育的发展。两年后，这一职位被废除。法裔政治家们不接受强制同化政策。因此，政府对东加拿大和西加拿大各任命了一名助理监督。《1843年教育法案》（Education Act of 1843）规定设立加拿大西部教育总监的职位（埃格顿·瑞尔森担任第一任总监），并赋予政府官员分配普通学校基金、收集和报告各地教育组织的信息、指导其他教育官员提高公立学校的组织和治理水平的责任。1841年的教育立法还规定，地方财产评估应与殖民地政府的贡献相匹配。筹集教育资金的责任从地方选出的董事身上，转到由更广泛的选举产生出来的乡镇委员会身上。由于各地市级政府举措不力，导致1843年废除了《1841年公共学校法》，恢复了董事会制度。董事会负责维护校舍、计算和收取学校费用、雇用教师、选择教科书和监督学习课程。然而，他们并不是单独行事，因为还有新创建的县和校区主管参与教育治理工作。县长负责审查和认证所有未来的教师并重新审查执业教师。此外，县长还必须至少每年访问所有学校一次，向董事和教师介绍学校的运作情况，并向省教育总监提交年度报告。[①]

1841年和1843年的教育立法都没有彻底改变当地教育自我管理的实际

① Dawn C. Wallin. Understanding Canadian Schools [M]. http://homepage. usask. ca/~dcw130/chaptertwo. html.

权力格局，而地方教育自我管理与当地财产状况密切相关。但是，这些立法也取得了一些积极的成果，如通过确立“文书工作原理”（the paperwork principle），要求省级教育当局必须提供书面报告的做法，充分显示了立法规范对现代教育管理体制的发展有重要意义。这种教育治理的新发展在地方和省级管辖权以及非专业和专业权力之间的关系平衡方面具有重要意义。

（二）《1846年公共学校法》[①]

如果说1841年和1843年的教育立法完全保留了上加拿大地方权力分散的学校体系，那么1846年由保守党控制的立法机构引入并于1850年由改革者修订的《1846年公共学校法》，则促成了这种地方权力集中化管理结构的改革。在这里，必须介绍加拿大公共教育发展的关键人物埃格顿·瑞尔森。

埃格顿·瑞尔森是安大略省公共教育的缔造者、加拿大公共教育制度的奠基人。1844年10月，埃格顿·瑞尔森就任西加拿大（Canada West，即原来的上加拿大、现在的安大略省）教育总监一职，自此直到1876年退休的30多年时间里，埃格顿·瑞尔森一直致力于安大略省的公共教育制度的创建工作。1845和1846年，埃格顿·瑞尔森到欧洲国家不同的学校进行系统调研，在此基础上撰写了《上加拿大公共小学系统报告（1846年）》。该报告中许多关于提高教育质量的建议被最初的两个《公共学校法》所采纳。埃格顿·瑞尔森认为，贫穷不应该是教育的障碍，西加拿大应该有一个免费的强制性公立教育系统，学校应该教授基督教的道德规范，以便提升个人和帮助社会进步。他倡导的新教育体系由校长负责监督，并制定共同标准，他还建议成立一个有效的学校检查系统来维持这些标准。他推荐整个教育系统使用标准教科书，并建立一个教育资源库，以合理的价格向学校提供教科书和教育资料。他创立了《教育杂志》（Journal of Education），旨在帮助教师保持知识更新。埃格顿·瑞尔森还是安大略省第一个师范学院（1847年成立）的创始人之一，这也是多伦多市

---

① An Act for the Better Establishment and Maintenance of Common Schools in Upper Canada [23rd May, 1846] [EB/OL]. http://www. archives. gov. on. ca/en/explore/online/education/common-school-act-01. aspx.

第一所教师学院，后来发展成为多伦多师范学院和著名的多伦多大学安大略省教育研究所（Ontario Institute for Studies in Education）。[①]安大略省根据这些原则建立了一个新的中小学系统，最终制定了1871年《普通学校法》，该法案确立了免费和义务教育原则。

《1846年公共学校法》虽然在实施地域上仅限于西加拿大，但它在加拿大的教育发展史上却是一部具有深远历史意义的重要法规，标志着加拿大公共学校新时代的来临。由于它是埃格顿·瑞尔森改革学校系统的第一次尝试，所以也被称为"1846年埃格顿·瑞尔森第一法案"，全称是"为上加拿大更好地建立和维护普通学校的法案"（An Act for the Better Establishment and Maintenance of Common Schools in Upper Canada）。该法案确立了学校管理、课程和标准化教科书、教学标准、学校建筑设计和维护以及学生年龄等原则，为后来的公立学校立法奠定了基础。该法案的另一个重要贡献是关于师范学校和师范学校师资培养的问题，要求建立省级师范学校。[②]该法案使西加拿大（1867年成为现在的安大略省）各城镇通过提高税率以资助公立学校。根据该法案的规定，新设立的省教育委员会向教育总监提供建议；教育总监不是向立法机关负责，而是向省督委员会负责。这意味着埃格顿·瑞尔森虽然不是当选的官员，但作为总监，直接向政府内阁负责，间接地向（民选的）立法机关负责。他除了有收集和传播信息的责任之外，还有权制定任何必要的改善学校教育的规定，以及在忽视或破坏这些规定的情况下扣留拨款的权力。

---

① Egerton Ryerson [EB/OL]. http://www. thecanadianencyclopedia. ca/en/article/egerton-ryerson/.

② 1846 Common Schools Act. [EB/OL]. http://www. 1845rr1945. ca/explore/assets/ao_03_i1.

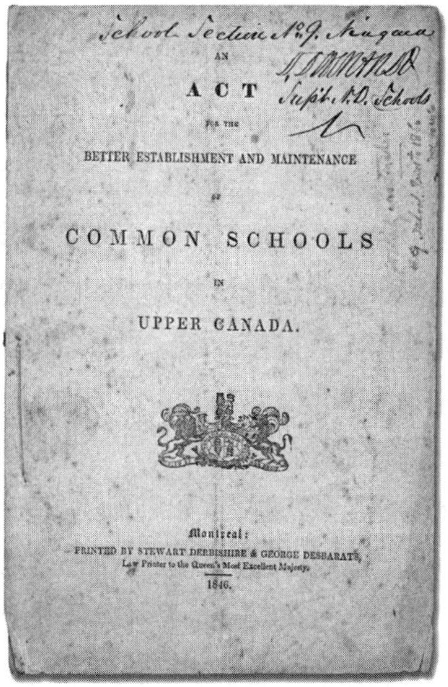

图1-2　《1846年公共学校法》封面照片

具体来讲，该法案共分10个部分，其主要内容如下：①规定由省督任命省教育总监，并规定总监的责任和福利。②明确总监的责任。首先，在每年4月15日或之前，按照每个区的人口比例，把教育款项分配到上加拿大各普通学校；其次，总监还要准备必要的文件和规章制度、处理投诉、依法搜集和向上加拿大人民传播有关教育信息；再次，总监要使用所有法律手段阻止学校使用不合适或不正确的书籍，为所有学校提供和推荐使用统一的和被认可的教材，推动学校图书馆的建立。在每年8月1日或之前，向省督提交的年度工作报告中，总监必须阐述上加拿大三类学校（师范学校、示范学校、公立中小学）的实际状况，说明财务状况和信息来源，改进性建议和提高计划等，以便省立法机构参考。③规定省教育董事会（Board of Education）的组成原则和职责。由省督任命的省教育董事会不应超过7人（包括省教育总监）。首先，省教育董事会要采取一切必要措施建立和发展上加拿大的师范学校，制定管理这些学校的规章制度，规定学生入学条件，选择该类学校的建设地点，确定教职工的数量和报酬等；其次，省教育董事会要研究、推荐或否决各方交来的有关教育书籍和计划，对使用被否决书籍的学校将不下拨任何政府款项；再次，省教育董事会要协助省教育总监并为其提供咨询、意见和建议。该法案其他部分主要涉及一些细节性操作，如省教育董事会开会要求（时间、地点、法定人数），师范学校的建立细节（如规章制度、校舍的购买和装修、教师工资），各校区董事会对本校区总监的任命及其工资要求，税赋和拨款的具体使用，学校在各校区的合理布局，校舍的购买等。可见，地方仍然有较大的教育治理权。

（三）《1850年公共学校法案》[①]

《1850年公共学校法案》是建立在以前相关法案基础上，并成为之后20年（一直到1871年）促进加拿大教育大发展的基础性法规。[②]该法案进一步授权各城镇学区董事会通过征财产税为学校筹集资金，使学区董事会权力得到加强，以便使他们能够更充分地管理学校业务，确保学校场地安全，建造和装修建筑并管理学校账户。学区董事会每年召开四次正式会议，对教师进行考试和发放教师执照。此外，董事还要利用自己的影响力建立学校图书馆，促进教育事业的发展。[③]该法案修改了1846年教育立法的一些集中权力部分，并根据改革派思想重新确立了选举自治原则，阐明了当地董事的权力，并在一定程度上从政治层面强化了中央机构的教育控制权，教育总监和教育委员会的权力基本上保持不变。然而，尽管有这些让步，中央和地方当局之间的权力分配还是大大偏向于中央。这个治理体系在安大略省并未一直保持下来，也没有在全国其他省份推行。尽管如此，该法案涉及民主参与、职业权威和系统效率等多方面的公共教育治理结构的争论在21世纪仍然

---

① Understanding Canadian Schools. [EB/OL]. https://www.preceden.com/timelines/45913-understanding-canadian-schools.

② Radical Reform-Education and Society 1845—1945. [EB/OL]. http://www.virtualmuseum.ca/edu/ViewLoitDa.do；jsessionid=2CE580EDFCE15317AE8A3A7905D6A6F5?method=preview=EN&id=26214.

③ 1850 The Common School Act. [EB/OL]. http://www.1845rr1945.ca/timeline/themes/educational_reform/the_common_school_act.

继续引起社会各界的关注。[①]

（四）《1871 年法案》[②]

1871年，安大略省在加拿大通过了第一部义务教育法，开始实施免费义务公立学校教育。大多数省份紧随其后实行此项制度。到19世纪90年代，加拿大大部分地区推行了强制性的免费义务教育。免费的公立学校为解决当时的主要社会和经济问题提供了良方。改革者认为，更好的教育将会使社会变得更美好，因为儿童将学习各种技能，以备将来成为优秀的工作人员和优秀公民。

安大略省要求以英文或法文为天主教徒和新教徒等提供教育。虽然有些宗教学校或私立学校收取入学费，但公立学校从一开始就通过政府所征得的税赋给学生提供免费义务教育。根据当时的义务教育法，父母必须让7—12岁的孩子每年至少上学4个月，否则将受到罚款的处罚。在农村家庭，儿童为家庭劳动的责任影响了入学率，即使在1871年安大略省通过了义务教育法，孩子们也只能被法律所迫上半天学，其他时间则在家中帮助父母劳作。也因为如此，加拿大学校制定了世界上最长的暑假，允许孩子们在农场为家人工作。由于儿童的劳动有助于家庭生存环境的改善，因此许多父母不愿意送孩子上学。还有一些人反对义务教育，因为义务教育不符合他们的语言或宗教信仰。1891年的立法将儿童接受义务教育的年龄提高到8—14岁。新法更为明确地规定了对于不送孩子完成义务教育的父母的惩罚，要求雇主不能雇用处在义务教育年龄段的孩子。但是，与其他许多义务教育法律一样，许多例外被允许，并且当局未能严格执行，尤其是在农村地区。

虽然安大略省的学生在1871年以后期望在单一教育系统内获得标准化的教育，但实际上，贫穷、种族、性别、阶级和地理等因素在一定程度上限制了他们接受教育的愿望的实现。尽管存在种种不平等，许多英裔、法裔和新移民经常会发现免费上学有很多好处，符合他们在宗教、语言和文化等

---

① Dawn C. Wallin. Understanding Canadian Schools［M］. http://homepage. usask. ca/~dcw130/chaptertwo. html.

② Compulsory Schooling in Ontario：1871.［EB/0L］. http://marcialalonde. weebly. com/uploads/9/3/8/2/9382401/ontario_schooling. pdf.

方面的一些期望。特别对于许多移民来说，教育为他们在那个不安全和不断变化的时代提供了更好的和更保险的谋生手段，有助于把人们从体力劳动和贫穷的生活中解放出来。许多家庭农场所有者将教育视为了解社会政治和经济体系的关键路途。到19世纪90年代，大多数人开始希望这种免费的义务教育能够改善他们的孩子的生活，并为建设更加公正和公平的加拿大做出贡献。虽然加拿大各地还没有真正的民主（大多数人仍然不被允许参加投票选举），但民主权利和责任的观念正在成为一个重要的社会话题。教育逐渐教会人们如何成为更好的公民，如何维护自己的权利，而这正是埃格顿·瑞尔森等改革者在安大略省建立义务教育系统所孜孜以求的目标。

由于这一时期西加拿大的教育发展明显快于东加拿大，因此，在很大程度上，西加拿大的教育发展极大地影响着加拿大其他省份的教育决策和变革。

第三节　自治领时期教育治理体系的初创

1867年加拿大自治领成立后，在国家积极干预的治理理念指导下，加拿大政府逐步建立了一整套公共福利制度，主要包括儿童社会福利、公立教育、医疗保险、就业保险、退休金计划、社会福利住房、公共社会服务、老年人社会福利等。[①]高福利的社会治理体系使加拿大日益成为世界上最适合人类居住的国家之一。随着国家综合实力不断壮大，加拿大人逐渐认识到，国家强盛离不开发达的教育。同时，国家强大的综合实力又是加拿大公共教育发展的必要条件。

自19世纪40年代起，英国政府对加拿大教育的影响开始逐渐减弱。此间，公共教育制度在安大略省的确立和发展，以及埃格顿·瑞尔森等改革派的公共教育实践与思想的传播，对19世纪六七十年代加拿大自治领各地的教育发展产生了巨大的激励与推动作用，建立公共教育制度成为各地区教育发展的大势所趋。

---

① Welfare State.［EB/OL］. http://www. thecanadianencyclopedia. ca/en/article/welfare-state/.

19世纪末20世纪初，受国内各种因素的推动、国外各种新观念的输入以及欧美国家教育制度的影响，加拿大自治领各地陆续完成了公共教育体制的创建工作。

一、联邦政府的教育治理体系

1867年的《英属北美法案》第93条规定了加拿大教育治理的框架，授权各省立法机构制定各省有关教育的法律。该法案规定，加拿大的教育事业为地方事业，教育管理由各省级政府负责，各级教育立法和学校设立的审批由各省级立法机关负责。①因此，从宪法意义上讲，加拿大联邦政府不直接管理各省的教育事务，各省教育部门不归联邦政府管辖。虽然加拿大的三个地区（育空地区、西北地区和努纳武特地区）与各省的宪法地位不同，并且在许多方面受到联邦政府更直接的管理；然而，联邦政府也已将这三个地区的教育、健康、社会服务、司法和市政府的管理责任下放给地区政府。所以，这三个地区有近似于10个省份的地位。②但这并不意味着联邦政府对各省区的教育完全撒手不管，联邦政府对教育的干预主要表现在以下几方面：

第一，宪法规定了联邦政府对各省教育拥有干预权。《宪法法案》第93条规定，各省拥有教育控制权，但各省不能侵犯任何人在本省享有法律规定的任何权利或某些特权群体利益。特别是当发生宗教教派之间、教派与非教派之间与教育有关的严重问题时，联邦政府有权制定和执行与宪法相应的法律（这种权力至今还从未被使用过）。③

第二，联邦政府负责国家军事基地和监狱人员的教育和培训事务。此

---

① Ki Su Kim. What The Legislature Is Not To Do About Schools. [EB/OL]. http://www. mun. ca/educ/faculty/mwatch/vol1/kim. html.

② Territorial Government in Canada. [EB/OL]. http://www. thecanadianencyclopedia. ca/en/article/territorial-government/.

③ British North America Act, 1867: Document . [EB/OL]. http://www. thecanadianencyclopedia. ca/en/article/british-north-america-act-1867-document/.

外，联邦政府也为原住民区域的学校提供服务。[①]

第三，联邦与各省区合作，以财政资助方式直接和间接参与教育的基础建设。间接参与包括向各省以“加拿大健康和社会转移”（Canada Health and Social Transfer）基金的方式提供高等教育资金和税收转移。通过加拿大遗产部（Department of Canadian Heritage）为少数族裔语言教育和加拿大第二种官方语言（英语或法语）教育提供资金。直接参与包括对学生的资助（贷款、赠款和税收措施），以及直接支持中学后教育的各个方面，特别是学术研究（通过联邦合同和基金委员会）。联邦的原住民和北方事务部也资助原住民学生接受高等教育。

第四，联邦政府在1940年收购了失业保险的管辖权，为其在人力资源培训方面发挥作用提供了宪法基础，因此，联邦政府、地方政府与众多的社会组织合作，对各年龄段（从学前到老年）的加拿大人所需要的生活和工作技能（包括读写技能、数学技能）开展多种形式的培训。[②]这对加拿大在较短时间内成为世界上少数几个经济最发达的国家起到了重要作用。

此外，1967年成立了加拿大教育厅厅长理事会（The Council of Minister of Education，Canada），由13个省级教育部门负责人组成，在多伦多设有秘书处。其目的包括与联邦政府和各种全国性教育组织进行咨询和合作、政策讨论、在共同关心的领域开展各种项目、代表各省区参加国际教育事务。作为一个政府间组织，加拿大教育厅厅长理事会在泛加拿大地区和国际教育领域发挥了领导作用，并协助各省和地区行使对教育的专属管辖权。[③]

由此可见，加拿大联邦虽未设置统管全国教育的政府机构——联邦教育部，但联邦政府对教育发展并非完全撒手不管。实际上，加拿大联邦政府仍然通过相关法律和多种合作方式对各省区的教育事业拥有一定的干预权，并

① The Council of Ministers of Education（2001）. The development of education in Canada. Retrieved from p. 6. https://www. cmec. ca/Publications/Lists/Publications/Attachments/34/ice46dev-ca. en. pdf.

② Jack Stilborn. National Standards and Social Programs:What The Federal Government Can Do. [EB/OL]. https://lop. parl. ca/content/lop/researchpublications/bp379-e. htm#A. %20Education.

③ Council of Ministers of Education, Canada. [EB/OL]. https://www. cmec. ca/11/About_Us. html.

对各省区的教育发展产生重大影响。

二、省政府与地方部门的教育治理体系①

1867年《英属北美法案》和1982年的《加拿大宪法》都规定，各省议会作为省级立法机构，是各省唯一负责教育立法的部门，各省政府教育部门负责执行，这从法律上确立了各省相对独立的教育治理体系。

各省教育厅负责制定和执行相关教育法令、法规，负责管理辖区内学校事务，如确立学校的管理机构，制定学校的拨款政策和标准，研制教学大纲，建立学术水平和教育质量测评标准和评估体系，审批新课程和教材等。

加拿大各省教育治理体系包含三个层次：省级教育治理机构、中间教育治理机构（学区董事会）以及学校。

省级教育治理机构作为教育管理中枢部门，往往决定了教育系统的发展方向和优先发展方面，并通过授予下级教育管理机构一定的权力、物质和财政资源，对中间教育治理机构和学校两级进行管控。即使学校是各学区董事会的下属机构，省级教育行政管理部门也会以多种方式影响其运作，例如颁布有关培训和授予学校工作人员任期的准则。历史上，省级教育管理部门参与课程的方式各不相同，一般倾向于概述课程的总体目标、制定学生发展规范、制定学生评估标准等。在某些情况下，省政府还推行统一的学区董事会计划。此外，省级教育部门还制定了向学生提供其他教育服务的政策和规范，特别是为有特殊需求的学生提供特殊教育专业服务。在大多数情况下，省级教育行政管理部门会在某些领域对所有学生进行强制性考试，以作为颁发毕业证书的必要条件来实施后验控制。总之，省级教育行政机构对教育的治理主要体现在教育立法，制定课程、年度教学计划和各种规范上。虽然省级教育行政机构下放给两级机构（学区董事会和学校）许多权力，但这并不意味着省级教育行政机构放弃在教育事务上的权威，省

① Claude Lessard, André Brassard. Education Governance in Canada: Trends and Significance [J]. http://www2. crifpe. ca/html/chaires/lessard/pdf/AERAgouvernanceang3. pdf.

级立法机关往往通过制定详尽的法规使地方教育治理权力的实施符合规范。[①]

学区董事会（School Board）作为中间治理机构，是一个被授予法定地位的非政府组织法人团体，在许多省份是一个分权化实体（decentralized entity）。学区董事会由本区人民选出的董事（trustee）或专员（commissioner）组成，行使法律所授予的权力，包括审议权、决定权、征税权。学区董事会负责制订和实施年度教育计划、雇用和提升教师和管理人员、制定当地学校的发展政策、修建学校和购买各种教育用品、监督和管理学校系统的运行、获得必要的财务资源、提出新的重大基建项目、协助各科课程省级教学大纲的实施。董事会的一项主要职责就是根据上级规定确保辖区内的所有学生有权在教育方面获得服务。[②]从历史上看，董事会的征税权是非常重要的，因为它将教育融资的最重财务负担放在当地财产所有者的身上（学校税是财产税）。随着时间的推移，大多数省级政府承担了更大部分的财务责任，但它也通过确定税收水平和税收可涵盖的各种支出类别，限制了学区董事会的征税权力。原则上，学区董事会税收融资的使用和分配有一定的回旋余地。但是，学区董事会必须遵循所有省里设定的相关的法律和规则，因此其机动性并不大。还有一些情况是中央当局提供专门用于执行政策、购买设备或某类学生的预算金额，学区董事会不能将其挪为他用。加拿大的学区董事会一般通过建立与教务和商务有关的各种委员会（如政策委员会、财政委员会、计划委员会、审计委员会、家长委员会、学生委员会）来进行操作，并由所雇用的专业人员具体负责日常运营管理。这些专业人员一般包括管理主任（也是学区董事会的董事）和负责各部门的主管（如人事、财务、后勤、课程、小学、中学、特教），他们是拿年薪（不像学区董事会的董事只拿少量酬金），但必须达到省里规定的有关专业标准。学区董事会在加拿大和美国普遍存在，而在其他西方发达国家并非如此。[③]

---

① The Council of Ministers of Education (2001). The Development of Education in Canada. Retrieved from p. 6. https://www.cmec.ca/Publications/Lists/Publications/Attachments/34/ice46dev-ca.en.pdf.

② Canadian Education System. [EB/OL]. http://cdnsba.org/education-in-canada/all-about.

③ School Boards. [EB/OL]. https://www.thecanadianencyclopedia.ca/en/article/school-boards.

学校作为教育基层管理的一级，无论是小学、中学、成人学习中心，还是专业培训中心，其使命都是向有权获得这些权利的人提供具体的教育服务。学校由学区董事会创建，必须在学区董事会的管理框架下工作，具体工作包括：校舍的维护、年度预算的制订与执行、学生入学和分班、学生档案管理、课本和教学资料遴选、学校安全、教师管理（分班、监督、协助、向学区董事会推荐升降或解雇）。[①]在一些省份，学校可以拥有自己的资金（如捐款）。加拿大各地大多数学校都设有法律强制或自愿建立的学校咨询委员会（school council）、家庭-学校协会（home and school association）或家长-教师协会（parent-teacher association）。这些协会的成员以家长为主，其目标是提高学校的办学效率，以便为学生提供更高质量的教育，具体工作包括为学校或学区提供建议和意见，促进学校与家长、社区的沟通等。[②]

加拿大所有省份都有这种三级教育治理体系结构框架。随着历史的演变，每个管理层级相互影响，并经历集权和分权的循环往复。各省在各级管理层的权重关系呈现出动态变化，但总是处于三方政治博弈之中，有时是零和博弈，有时还有扩张的可能。在加拿大，当出现集权化或分权化问题时，必须明确所涉及的政治游戏的级别和类型，例如，是否将中心权力下放到学区董事会？学区董事会是否将中心权力下放到学校？是否增加管理层级的责任而不改变其他层面的责任？对这些问题的回答使我们能够更准确地描述加拿大这一时期教育治理的特定配置。

为了系统呈现加拿大教育治理的全貌，本书将分别从基础教育、职业教育、高等教育、教师教育及原住民教育五个部分阐释加拿大教育治理的演变历程及当前的教育治理体系，在此基础上，探寻加拿大教育治理的特点，力图为推进我国教育治理的现代化进程提供参考和借鉴。

---

① Who's Responsible for Your Child's Education?. [EB/OL]. http://www.edu.gov.on.ca/eng/document/brochure/whosresp.html.

② School Councils. [EB/OL]. https://www.canada.ca/en/revenue-agency/services/charities-giving/charities/policies-guidance/policy-statement-013-school-councils.html.

第二章　加拿大基础教育治理

第一次世界大战结束后，英国国力遭到极大的削弱，日渐走向衰落。随着英国各自治领经济快速发展，实力得到迅速提升，自治领离心力加强，分离运动加速。英国开始难以驾驭比本土大一百多倍的庞大殖民帝国。原有的维系英国与各自治领关系的法律已不适应现实发展的需要。1931年12月11日，英国议会正式通过《巴尔福宣言》（Balfour Declaration），后以《威斯敏斯特法案》（The Statutes of Westminster）颁布，该法案正式规定了英国与各自治领的关系。该法案规定，英国与各自治领都是英帝国内的自治共同体，地位平等，在内政和外交事务等方面互不从属（除了在那些自愿选择继续服从英国的地区之外）。[①]由此，英帝国转化成了英联邦。原英国自治领加拿大、澳大利亚、新西兰和南非均为英联邦内自由、平等的成员（但仍不是独立国家），它们与英国一起组成英联邦，共奉英王为国家元首。尽管自治领主权仍属英皇，但毕竟在政治上获得了平等法律地位。从此，自治领可以修改和废除过去帝国议会通过的任何法案，自治领颁布的任何法律无须经英国议会批准。加拿大成为英联邦成员之后，其内政外交正式脱离了从属于英国的关系，取得了独立的自治权。第二次世界大战爆发后，加拿大于1939年9月10日正式对德宣战。加拿大实力增强以及第二次世界大战期间为世界反法西斯事业做出的贡献，使其国际声誉和国际地位显著提升。19世纪下半叶至20世纪60年代，加拿大国家综合实力迅速壮大，为教育事业的快速发展提供了坚实的基础。

---

① Statute of Westminster, 1931. [EB/OL]. http://www.legislation.gov.uk/ukpga/1931/4/pdfs/ukpga19310004_en.pdf.

第一节　基础教育治理的发展历程

19世纪末，加拿大各领地基本上能为儿童提供公共基础教育。至1867年，加拿大各地的公立学校大都已向民众开放，并实行免费教育。然而，那时公立学校大多数校舍狭小，设施简陋，师资奇缺，整体办学条件相当落后，教育质量堪忧，与拓荒时代相比，并没有明显改善。由于加拿大各省教育部门对公立学校的管理政策存在差异，加上各地经济实力和自然条件千差万别，致使各地公立学校的发展呈现出很不平衡的状态。

图 2-1　1905 年左右加拿大中西部大草原上柯勒律治学校照片

（萨斯喀彻温省档案局供图）

一、基础教育治理体系的发展与改革(19世纪末—20世纪60年代)

20世纪30年代，世界资本主义经济大危机给加拿大的经济发展带来了灾难性的冲击，随之而来的经济大萧条以及失业人口剧增等一系列社会现实问题，迫使加拿大政府采用凯恩斯的国家干预理论。加拿大人逐渐认识到，国家强盛需要发达的教育来支撑。于是，在借鉴欧美各国先进的教育理念和实践经验的基础上，加拿大政府逐步制定了一整套包括教育福利制度在内的社会公共福利制度，使这一时期加拿大教育事业等获得了快速发展。基于所有加拿大儿童都值得公众支持的理念（津贴的发放与家庭收入无关），加拿大于1945年实施了被称为“加拿大第一个全民福利计划”（Canada's First Universal Welfare Program）的《家庭津贴法》（Family Allowance Act），对16岁以下儿童的家庭按月发放津贴（从20世纪80年代开始逐渐仅发放给中低收入家庭），[①]这在一定程度上帮助了家庭抚养儿童、促进了基础教育的普及。这一时期，加拿大各省基础教育治理根据教育事业的发展需要进行了一些相应的变革。

加拿大作为联邦制国家，联邦政府不设统一管理全国教育事务的教育部。1867年的加拿大《英属北美法案》从法律上赋予各省对辖区内的教育立法权和管理权，一直延续至今。由于不设联邦一级的教育部，教育事务由各省区教育厅（the Minister of Education）负责。各省之间的教育交流和合作由各省教育厅厅长组成的教育厅厅长理事会协调负责。

（一）省教育厅高级官员职责的分配与变迁

加拿大各省教育厅厅长负责所在省份的学校教育治理工作，同时还配备1名教育厅副厅长或另配1名教育总管协助其工作。（在加拿大13个省区中，每个省区仅有1名副厅长，唯一的例外是新不伦瑞克省有2名副厅长，这主要是由于该省实行双语教学的缘故。）早期各省教育主管是加拿大学校教育治理体系中的高级官员，向省政府和立法机关负责。埃格顿·瑞尔森任上加拿大及后来的安大略省教育主管时（任职时间为1844—1876年），[②]其工作范围不仅包括对其所在部门进行管理，还包括制定教育政策方针。当时，加

① Family Allowance. [EB/OL]. http://www. thecanadianencyclopedia. ca/en/article/family-allowance/.

② Egerton Ryerson. [EB/OL]. http://www. thecanadianencyclopedia. ca/en/article/egerton-ryerson/.

拿大各省并没有所谓专司以上职责的教育厅厅长一职。

1967年，仅有艾伯塔省、不列颠哥伦比亚省仍保留省教育主管一职，而即便在这两个省份，省教育主管也仅是教育厅副厅长的助理，负责该省学校教育的常规监管工作。

至20世纪60年代，加拿大已有包括萨斯喀彻温省、魁北克省、爱德华王子岛省、纽芬兰-拉布拉多省4个省建立了教育理事会（Council of Education），其职能就是为所在省的教育厅厅长出谋划策，在民众与教育部门之间扮演联络员的角色。

各省教育厅还设有多位理事（Director），专门负责分管某些特定教育事务工作，诸如课程、测验考试、教师教育、授课、商业原理课程和业务实习教育、职业培训、成人教育、函授课程，以及其他专门服务。部分省份还专设一名督导各区教育主管工作的总督导（Chief Inspector）以及一名负责教师资格认证的书记官。

（二）省教育厅管理机构逐步分权延伸

20世纪60年代，魁北克省、安大略省和新不伦瑞克省三省开始重组教育行政管理部门。在魁北克省，1963年至1966年间，家长委员会编制了一份长篇报告，反映了20世纪60年代当地社会的新价值观：教育不再是奢侈品，接受教育是一种权利。家长委员会的许多建议被政府采纳并实施。政府也希望每个人都有相同的受教育机会，并从教育中受益。省政府更加重视实施免费教育和建设新学校。为了实现这些目标，政府全面接管了教育工作，并开始对其进行世俗化改革。1964年，魁北克省成立了省教育厅，对学区董事会也进行了重组，将这些机构从原来的1500个降低到64个（55个天主教学区董事会，9个新教学区董事会）。[①]

1964年，安大略省教育厅厅长威廉姆·戴维斯（William Davis，1929年出生，1962—1971年任安大略省教育厅厅长，1971—1985年任第18任安大略省省长）加大了教育投资（1962年至1971年增加了454%），建立了许多新学校，并将学校中心化，以满足学生的教育需求。他把低效的学区从3676

---

① Education in Québec, before and after the Parent Reform［EB/OL］. http://collections. musee-mccord. qc. ca/scripts/explore. php?Lang=1&tableid=11&elementid=107_true&contentlong.

个压缩到192个。他要求学生每天坐校车上学，使农村学校得到巩固。他强调学校之间应该合作而不是竞争的新理念在公立学校扎了根。[①]他对省教育厅成功地进行了变革，并使全省教育治理自埃格顿·瑞尔森时代之后发生了最为巨大的变化。他将该省中小学的教育监管整合为一体，并专设一位教育督办统一负责辖区内的中、小学两个阶段的教育管理工作。这一时期，安大略省开始对教育部门的集权管理进行渐进式改革，集中表现为将整个安大略省调整为若干个"小安大略省"，在各地设置地区教育督办，下设若干督察协助其工作。这样，获得充分授权的地区教育督办就可以更加迅捷有效地处理所辖地区的教育事务，而不再像以前那样凡事诉诸安大略省立法委员会。

1967年，新不伦瑞克省政府改革了教育体系，使教育资金管理成为省级政府的权力而不是县的责任。从1967年开始，全省范围内推行税收和薪金标准化，并将学校经费作为省级政府的财政责任。此外，建设新的综合学校，这些学校提供普通教育课程、职业培训课程以及商业和家庭科学课程，使学生可以接受学术教育或职业培训。学生可以选择工作或继续在技术学院、学院或大学接受教育。在此期间，新不伦瑞克省学校的入学人数几乎翻了一番。[②]由于新不伦瑞克省是加拿大唯一的完全英法双语教学的省份，从1964年起省教育厅也分为英法两大部门，由每个部门分工负责监督和评估由各自组织开办的学校及课程。

（三）省教育厅管理职能逐步分权化改革

加拿大公共教育初建时，各省教育厅在公共教育学校监管、课程与教材以及考试测评三个方面实行高度集权式管理。20世纪中期，为了应对各地教育事业发展的需要，各省教育厅在这些方面的管理逐渐呈现出分权化改革的趋势。

在课程设置方面，各省教育厅倾向于仅保留对课程关键因素的集权管理，并负责与大学以及省级机构组织之间的协商谈判。在解释或调整课程方面，地方政府被赋予了相当大的自由裁量权。如安大略省，地方可在规定书

① Bill Davis . [EB/OL]. http://www. thecanadianencyclopedia. ca/en/article/bill-davis/.

② Provincial Archives of New Brunswick. Education:the Early Years（1784—1871）[EB/OL] http://archives. gnb. ca/Exhibits/archivalportfolio/TextViewer. aspx?culture=en-CA&myFile=Education-1.

目中自行选择教材。新不伦瑞克省课程与研究理事则在1967年承诺实行地方与学校分权管理课程。与此同时，加拿大其他各省教育厅在课程设置方面，开始逐步扩大地方教师委员会的权力，允许学校董事会和任课教师对课程进行灵活调整。

在考试测评方面，各省倾向于逐步取消全省统一的联考制度。在20世纪30年代之前，加拿大各省只有通过教育厅考试的人才能顺利升级或是升入中学，直至考入大学。由于存在考试竞争的压力，各省教育厅每年6月举办的联考一直是每一位加拿大在校学生的噩梦，许多教师也视之为痛苦的煎熬，并都认为："这是国家对课程管理的最后插手，也是对良好标准、优质教学，以及积极求学的致命一击。"从20世纪30年代起，为了缓解民众特别是学生的应试压力和焦虑感，加拿大各省教育厅逐步放权，改由各学校及任课教师自行决定学生升级和升学。1918年，不列颠哥伦比亚省开始允许市区小学推荐一定比例学生直升中学。之后，随着推免生数量及学校不断增多，该省于1938年取消了省级联考制度。1937年，不列颠哥伦比亚省还引入了由某些重点中学推荐学生直升大学的制度。安大略省则在1926年开始实行推荐学生直升中学制度，并逐级推行。1950年，安大略省只有大学入学考试实行联考。至1966年，安大略省大学入学考试也被取消了。艾伯塔省于1930年取消了八年级学生参加的教育厅联考，此后不久，取消了除大学升学考试之外的所有联考。

在学校监管方面，各省也倾向于实行分权管理制度。加拿大各省学校监管的改革起步于20世纪20年代。19世纪末，在加拿大实现城市化之前，学校监管工作完全是在省教育督察的集权管理之下进行的。各省教育巡察地域广泛，工作繁重。随着城市化进程不断加快以及远郊学区学校规模扩大，拥有较大学校体系的地方部门渐渐被允许自行指派所辖市区或自治区的教育督察或区教育主管。这样，地区级教育督导就能更为有效地督导各校教师完成教学工作。小学与中学也不再因为监管所属分人的缘故而被人为地分割开来。区教育主管及其工作人员甚至可以对一名学生从幼儿园到大学考试的学业发展进行追踪考察。这一时期，各省对教育主管的职业资格标准的要求也随之提高。至20世纪60年代，加拿大大多数省份都要求区教育主管具有教育学士以上学位。

（四）地方学区合并与扩大

加拿大早期学区规模一般偏小，通常就只有一所简陋的小校舍，在地方推选出来的学校董事会的管理下，勉强维持。实践证明，这些学区规模过小，使效率低下、人浮于事（学区董事与教师的比例大约是3∶1），行政管理成本高，且不少学区董事的素质与管理能力低下。与此相对应，这一时期学校多是设施简陋、规模过小的“小红房学校”（litter red schoolhouse）。20世纪初，学校规模过小逐渐受到加拿大人越来越多的诟病，由两个或多个学区联合组建的联合学校（consolidate schools）开始受到欢迎。1902年，纽芬兰－拉布拉多省在教育法案中制定了鼓励兴建联合学校的专门条款。1900年在爱德华王子岛省和1903年在新斯科舍省，分别率先创建了农村联合学校。自治领统计局1930年的调查数据显示，在“一室学校”（single-room school）学习的同龄人，与在合并学区（consolidate district）就读的14岁学生相比，学业上至少落后一年。

图2-2　罗伯特·哈里斯（Robert Harris）的油画

这个场景展示了20世纪初爱德华王子岛省一个一间屋教室的学校，由一名教师在教不同年龄的孩子（联邦中心美术馆供图CAGH-72）。

20世纪30年代之前，加拿大西部省份曾多次试图通过合并学区来扩大学区。如1905年，不列颠哥伦比亚省就批准了扩大学区。然而，当时社会对此反应并不强烈。直到20世纪20年代，随着公路建设的飞速发展，校车可以接送学生到离家较远的学校上学，合并学区以及扩充地方教育管理部门才渐渐诉诸实施。加拿大西部省份合并、扩大地方教育管理部门的改革浪潮迅速蔓延到了全国。

1942年，由加拿大各省教育厅主要行政官员与纽芬兰－拉布拉多教育协会（Canada and Newfoundland Education Association）专门成立了一个调查委员会，责成其“调查加拿大最主要最根本的教育需求”。在调查委员会的报告中，最主要的提议之一就是“建立更大的教育管理单位，从而为农村社区的孩子提供更多的教育机会”。地方教育管理部门的扩大，被称为20世纪四五十年代加拿大教育发展最为重大的成就之一。

进入20世纪，加拿大各市级政府的经费开支不断增大，而以往经费的主要来源——不动产税却相对匮乏。与省级政府和联邦政府相比，地方政府缺乏充足的税收来源，故而在公共事业建设方面往往捉襟见肘。因此，省政府向地方政府拨款的数额逐年增加，这种拨款分有条件拨款和无条件拨款两类。除省政府拨款外，联邦政府同样也会向地方政府予以拨款支持，只是数额相对较少。从整体来看，1867—1967年，加拿大公立学校的教育经费大多是由省政府和地方平均承担，部分省份的省政府甚至承担了50%以上的教育经费。1967年，几乎所有省份的教育经费支出达到了各省财务预算的三分之一。与此同时，各省加大了教育经费总额，涨幅都在25%左右（所增长的经费大多源于联邦政府的拨款）。表2–1则反映了1950—1967年的部分年份里，联邦政府、省政府、地方以及其他来源所承担的平均教育经费百分比。

表 2-1　1950—1967 年部分年份联邦政府、省政府、地方及其他来源平均教育经费投入百分比一览表

年度	联邦政府	省政府	地方	小计	其他
1950	4.7	39.4	45.4	89.5	10.5
1955	6.9	41.3	41.4	89.6	10.4
1959	8.1	41.5	39.5	89.1	10.9
1960	7.8	42.7	38.3	88.8	11.2
1961	8.3	44.2	35.8	88.3	11.7
1962	14.9	43.6	31.1	89.6	10.4
1963	11.7	44.2	32.5	88.4	11.6
1964	10	46	31.6	87.6	12.4
1965	10.8	46.7	30.5	88	12
1966	13	47.8	27.8	88.6	11.4
1967	12.5	51.7	26.1	90.3	9.7

资料来源：http：//www.statcan.ca/english/freepub/11-516-XIE/sectionw/W47 60.csv，Oct. 3，2006.

由于加拿大各省区花在每个在校学生身上的人均教育经费存在着明显差异，要实现加拿大人的教育机会均等，人们只能寄希望于联邦政府向各省区的公共教育提供更多的资金支持。而对公共教育管理部门进行精简和调整，以减少公共教育资金投入，提升教育效率，就成为了加拿大各省基础教育治理改革的必然趋势。

1. 艾伯塔省教育治理体系改革

1927年，艾伯塔省教育厅厅长佩任·贝克（Perren Baker）曾推出一项深具前瞻性的提案——将艾伯塔省150个学区重组为20个“校域”（Large School Unit）。而此前，佩任·贝克就开始做机构重组的研究，并在1927年

10月得出了这样的结论：艾伯塔省的教育需要改革是因为要解决两个问题，一是需要有足够的学校，二是需要有足够的教师。这项提案直到1935年才得到立法委员会的批准。正是佩任·贝克的教育创新，将艾伯塔省的教育发展推向了领头羊的地位。1928年，艾伯塔省的特纳谷地（Turner Valley）发现石油，石油工人纷至沓来，导致附近学区学生人满为患。于是，由5个学区合并而成的第一个"校域"在艾伯塔省仓促形成。随着20世纪30年代世界经济大萧条席卷而来，数以百计的众多小规模学区因无力支付教师薪水，而不得不选择通过合并学区来缓解学校办学经费困难的情况。学区合并重组事宜开始提上议事日程，"校域运动"步伐顿时变得紧迫起来。1935年，艾伯塔省"校域"得到官方正式认可。1937年，艾伯塔省教育厅厅长下令将原来774个农村学区（rural school district）合并为11个"校域"。1939年，该省的大"校域"已经达到了56个。随后，艾伯塔省颁布《1950年县法案》（County Act of 1950），该省开始着手推行一种新型地方教育管理制度：成立郡县，设立县委员会，并赋予县委员会相当于"校域"董事会的权责，由其负责管理该县的教育事务。至1965年，该省共建立了28个郡县，县级教育管理在该省农村乃至城市教育中占据首要地位。

2. 不列颠哥伦比亚省的教育治理体系改革

20世纪30年代爆发的世界经济危机，使不列颠哥伦比亚省规模过小的学区财政困难加剧，严重影响了学校的正常运转，因此，这些学区希望将棘手的学校管理权上交至省教育厅。1934年，该省开始在三个地区进行学区合并和管理改革实验。1944年11月27日，该省政府责成不列颠哥伦比亚大学教育学教员马克斯韦尔·卡梅伦（Maxwell A. Cameron）博士负责调研学区的资源、职责以及学校体制的管理与资金筹集等情况，并提出相关建设性意见。一年后，《卡梅伦报告》（Cameron Report）提出，建议对该省学区进行大幅度的重组，并重新将该省划分为大的区域性的新区域，即将全省的800个学区改编为74个教育管理单位。[①]1946年，不列颠哥伦比亚省全面采

① Cameron Report on Educational Finance [EB/OL]. https://www2. viu. ca/homeroom/content/topics/People/maxcam. htm#cam.

纳了卡梅伦的建议，迅速启动学区合并工作。这项改革，在保证农村学生平等享有受教育机会方面起到了重要作用。

3. 安大略省学区治理体系改革

早在19世纪60年代，埃格顿·瑞尔森就曾提出，安大略省应建立规模更大的市级地方教育行政部门，对地方教育实施更为有效的管理。彼时安大略省地方政府担心此项改革会增加地方教育税赋负担而推迟改革，使安大略省的学区改革滞后了一个世纪。到1950年，安大略省共建成了536个市级学区和市级教育行政管理部门，用以取代原来的3465个小规模农村学区。1964年，安大略省政府规定，市级学区为标准的地方教育行政管理单位。1967年，安大略省省长约翰·罗巴茨（John Robarts）宣布，安大略省将于1969年1月取消1500个学区董事会，以整合该省100个县级或县级区的学区董事会的教育管理工作。

4. 大西洋沿海省份的教育治理体系改革

与其他省份相比，加拿大大西洋沿海省份在这场教育治理体系改革过程中，启动较为滞后，改革步伐也相对较小。如新斯科舍省与新不伦瑞克省在20世纪40年代仅成立了财政和税收县级董事会，学校管理仍由规模偏小的学区负责。纽芬兰－拉布拉多省到1943年才批准同意组建“联合学校”。至1964年，该省一共组建了43所“联合学校”。1967年，纽芬兰教育与青少年专门委员会向省教育厅提出，将该省230个学区整合为35个教育管理单位。[①]此项提议在经过一番激烈的讨论后得到了省教育厅的采纳。爱德华王子岛省至1967年才缓慢启动学区合并工作。这场合并是将全省小学区合并成50个大学区。1967年，新不伦瑞克省出台《学校法案》（School Act），授权该省教育厅厅长将全省422个学区整合缩减为33个大学区。

二、从“垄断”到“竞争”（20世纪70年代—20世纪末）

19世纪末至20世纪60年代，加拿大基础教育在借鉴欧美各国先进的教

① Jenny Higgins. 1968 Royal Commission on Education and Youth [EB/OL]. http://www.heritage.nf.ca/articles/society/royal-commission-education-1968.php.

育理念与实践经验的基础上，开展了一系列变革，使加拿大基础教育经历了从初具形态到迅速腾飞的快速发展历程。20世纪60年代被加拿大人誉为基础教育发展的黄金时代。在充足的公共教育经费的支持下，加拿大的基础教育迅速发展成为了免费、平等、全民的公共教育，公共教育督导机制严格，特殊教育从早期与普通学校教育隔离走向融合，回归主流。

自20世纪20年代至60年代，加拿大初等教育无论是课程，还是教学方法、教学组织模式，甚至在学校建筑格局上，都焕发了极强的活力，呈现出了不少新气象。进入20世纪60年代，初等教育加强了对儿童个体差异的关注。学校课程开始由以儿童为中心向以科目为中心转化，学习结构模式回归传统的分科学习。小学提前引入原中学阶段才开设的课程。尊重个性，重视人的发展潜能，是这一时期加拿大基础教育治理体制改革后呈现的一大亮点。

在中学教育发展方面，到20世纪30年代，加拿大各省主要通过延长公立小学教育年限，即在八年制小学的基础上，增设九、十年级的“继续学校”以开展中等教育。随着中等教育的普及，中学教育从精英教育发展到普遍共享的公共教育。此后，初级中学逐步设立，并最终发展为六年制公立中学。

自20世纪70年代，加拿大基础教育进入了一个兴盛与危机交织的新的历史时期，基础教育治理发生了一系列变革。

（一）政府垄断下的基础教育治理体制的危机

与殖民地时期教会独揽教育大权相比，加拿大公共教育体制自创建之初，就一直是由政府掌控。20世纪60年代末至20世纪90年代，面对社会快速发展对教育的需求，加拿大政府垄断公共教育的体制弊端，如学校管理不善，创新力、竞争力欠缺，教育质量低下等诸多问题日益突出。

20世纪七八十年代，世界发达国家掀起了一场行政改革浪潮。在这股浪潮的影响下，加拿大人对传统教育行政管理实践进行了深刻的反思。

第一，政府垄断教育，排斥市场体制，不利于社会教育资源的充分整合和推进学校民主管理。一方面，在教育投资和教育资源配置上，加拿大教育长期单纯依靠政府财政拨款，排斥市场体制，社会力量和民间资本难以介入教育事务，难以满足社会民众对教育多元化的需求。另一方面，政府垄断教育治理大权，学生、家长、社区人士等学校利益相关方基本上被排斥在学校决策和管理圈之外，学校校长和教师也仅是机械执行政府的行政指令，在学校决策上并没有多少发言权，这不利于推进学校的民主管理，影响学校、社区和家庭教育资源的整合，难以形成教育合力。

第二，教育行政科层制弊端丛生，降低了学校的运行效率。首先，科层制治理体系引发公立学校组织结构层级化，造成学校管理机构臃肿繁杂，行政人员过多，管理僵化，限制了学校发展所需的专业性指导和办学的自主性，抑制了学校教育工作质量和效率的提升。其次，由于缺乏竞争和利益驱动，加上政府本身官僚组织的低效性、信息不对称和政府能力有限等因素，政府并不能通过“有形的手”将基础教育资源配置达到最优，导致了公共基础教育运作低效。

第三，标准化的行政管理机制，难以顾及学校及学生的个体差异。在政府垄断教育事务的治理机制下，出于管理便利的考虑，加拿大各级教育行政管理当局往往会采用统一的“标准化”管理模式来治理学校。这必然会引发学校运营上的“千篇一律”和学校发展的“千校一面”，难以形成个性和特色。学校由此也难以针对学生的个体差异而因材施教。

第四，公立学校的创新性与活力不足，教育质量偏低。在彼时加拿大的公共教育体制中，公立学校直接在上级行政部门的统一管控之下，学校只需（能）完全依据政府部门的计划、政策、指令来机械地开展工作，而不用关心由于学生择校所带来的同业者竞争压力，学校也没有改革创新的积极性、主动性和责任感，致使学校的创新和应变能力缺乏，如中学普及后，呈现出诸如课程设置僵化、内容狭窄枯燥，对普通民众缺乏吸引力等弊端，教育成效偏低，令社会各界忧心忡忡。

（二）基础教育治理体系的重建

至20世纪90年代，积弊日深的加拿大基础教育治理体制如何走出困境，已成为加拿大教育发展亟待破解的问题。随着发达国家一系列新的社会治理理念诸如公共选择理论、新公共管理理论、新自由主义理论等兴起并传播至加拿大，加拿大人逐步接受了这些理念，并作为公共基础教育治理体制改革的理论基础。“更小的政府，更好的服务，更广泛的社会参与，更公平和更有效的教育”，是加拿大民众对公共教育发展提出的共同要求。因此，对政府垄断下的公共教育治理体制进行改革，已是大势所趋。到20世纪90年代，加拿大公共教育治理体制改革的大幕终于拉开。1993年11月，以克雷蒂安为首的自由党政府上台后，对二战后以来逐步形成的基础教育管理体系进行了“结构性改革”。改革的基本思路是：试图通过市场化、民营化的形式，引入竞争机制，打破沿袭多年的政府垄断公共教育而发展活力不够的局面，以提升教育发展成效。在运营模式上打破国家对基础教育的垄断，重新确定政府与市场在基础教育供应中的政策和界限。改革了单纯依赖政府财政拨款，政府独揽基础教育的投资、经营和管理权的治理格局。在管理层面，由政府对教育的垄断转向引入市场竞争机制，鼓励多种办学形式并存，打破公、私立学校之间的壁垒，保证家长的择校权。该项改革，刺激了学校办学的积极性，促进了学校类型向多样化发展，增加了学校制度的灵活性，促进了学校教育质量的提升。

1. 校本管理改革的推行

校本管理，是指公立学校以学校为本位或以学校为基础的分散决策权的管理模式。在这个模式中，管理决策从更大的、更集中的权威（如学区）转移到更小的、紧邻学校的单位（如教师、家长和管理人员）。校本管理改革的核心是强调教育管理重心下移，要求教育行政部门给予学校更大的办学自主权，使学校可以根据自身的发展需要确定发展目标和方向，成为实施自我管理，促进自主发展的主体，从而提升公立学校的适应性、责任感和有效性。该管理模式源于20世纪60年代中后期澳大利亚学校与社区合作的学校管理模式，其实质是一种以权力下放为中心的分散决策学校管理模式。

校本管理模式共有4种：行政控制型、专业控制型、社区控制型以及平衡控制型。在加拿大，除专业控制型之外，另外3种校本管理模式都有付诸实践的记录。

（1）行政控制型

加拿大艾伯塔省的埃德蒙顿公立学校学区是该国最早尝试实行校本管理的地区。1976年，埃德蒙顿公立学校学区开始小规模地推行行政控制型校本管理的实验，该实验是根据各公立学校实际情况实施校本财政预算，增加校长在学校财政、人事和课程领域的决策权。从1976年到1979年，共有7所学校参加该项实验。到1980年，学区内所有学校都推行这种管理模式。①实验表明，通过校本财政预算以及扩大校长的决策权，使埃德蒙顿学区将更多的教育资源用在了学生身上。因此，该模式在提高公立学校的适应性、责任感和有效性方面成效显著。1994年，艾伯塔省根据埃德蒙顿公立学校学区的成功经验开始在该省更大范围内实施校本管理。此后，加拿大其他各省开始借鉴艾伯塔省的校本管理经验，陆续下放财政权力，推行分权式的公共教育治理体系，加强学校的地方化管理与督导，强调发挥学校基层管理人员和教师的积极性。

（2）社区控制型

1996年，新不伦瑞克省采取社区控制型校本管理模式。该省学区董事会被废除，所有的教育雇员都成为了该省的雇员。新的教育治理系统包括两个省级教育委员会（一个法语，一个英语）、18个地区家长咨询委员会以及当地的学校家长咨询委员会。该模式由选举产生的家长理事会取代学区董事会来管理学校。②改革者认为，学校课程应该直接反映家长与社区的价值和偏好，而校长和教师并不一定能够代表家长和社区的利益。如果家长和社区掌握学校课程、预算、人事等方面的决策权，就可以提升学校的适应性。因此，在该省的公立学校中，家长和社区成员占据家长理事会的多数。家长理事会拥有很大的决策权和监督权，代表学区居民或学生家长积极参与学校的教育治理工作。同时，各公立学校的家长理事会选派代表参加省教育委员会。从拨款体制来看，政府拨款数是按各校学生数额为基数确定的。因此，学校在校生人数与政府拨款直接相关。为了吸引生源，辖区内各学校不得不相互竞争，努力提高教育质量，以争取更多经费配额。这给学校管理者带来了前所未有的市场竞争压力。

---

① A Preliminary Inquiry into School-Based Management［EB/OL］. https://files. eric. ed. gov/fulltext/ED284331. pdf.

② Understanding Canadian Schools：An Introduction to Educational Administration. p.42.

从根本上讲，社区控制型校本管理模式是以市场为导向，强调社区的教育需要和学生的需求，对激发学校教育效能的提升有一定的积极作用，但这种校本管理模式对家长和社区眼前需求的重视超过了对学生的长远发展的观照，难免出现偏向。尽管如此，注重建立学校和社区之间的紧密关系，至今仍是加拿大教育的重要特征之一。如在安大略省教育厅的网页上就有这样一句话："集学校和社会之力培养一个儿童。"这一精神体现在学校的办学宗旨和实际运作中。

（3）平衡控制型

在总结和借鉴以上两种管理模式实践经验的基础上，加拿大其他许多省份逐渐开始实行一种新的平衡控制型校本管理模式。该模式充分利用校长、教师等专业人员做好关键决策，同时也兼顾家长和社区的需求。与社区控制型校本管理模式仅强调家长、社区在学校管理中的决策权不同，平衡控制型校本管理模式坚持在家长参与学校管理的同时，学校教职工也应对家长和社区的需要做出回应。因此，该模式特别重视学校董事会中教职工、家长及社区代表成员比例的平衡，以确保相关各方在参与学校治理上决策权力的平衡。

在学校管理实践中，一方面，为了保证和提升学校决策的专业性和学术性，近年来加拿大各省教育厅、各学区董事会聘请由企业雇主代表、资深专业人士、课程设置专家、有关学科领域的教授和研究人员组成学区董事会，每年定期开展学校治理问题专项研究，如举行课程专家评估会议，开展学校课程设置审核研究，并及时加以调整，保持学校课程设置的适应性。另一方面，各公立学校与学生家长和社区建立起密切的合作伙伴关系：一是成立家长咨询委员会。学校每项改革、决策都要征求家长咨询委员会的意见；二是学校与社区实现资源共享，如社区停车场、冰球场、阅览室等公共设施可供学校免费使用，而学校跑道、球场、图书馆、机房等设施，也免费对社区开放；三是安大略省还要求每名学生在中学阶段必须参加40小时以上的社区义务劳动，才能获得高中毕业证。

2."选择学校运动"的兴起

从20世纪80年代中期起，美国中小学悄然兴起了一场在公立学校系统引入市场竞争机制，打破传统的就近入学方式，给家长和学生自由选择学校权力的“选择学校运动”。20世纪90年代，加拿大各省陆续开始借鉴美国的“选择学校运动”进行改革，影响较大的有艾伯塔省特许学校。此外，加拿大其他省份如安大略省、马尼托巴省、不列颠哥伦比亚省、魁北克省等还比较成功地实施了另外一些学校选择方案。“选择学校运动”的兴起，使中小学学生选择学校的范围扩大，既可以选择在公立学校、私立学校或教会学校就读，也可以参加一些诸如家庭教育或混合教育计划、远程教育计划等，由此而引入的竞争机制无疑给公立学校带来了巨大的竞争压力。

（1）特许学校

特许学校源于美国的“选择学校运动”。特许学校是由赞助商创办和管理的、以成果为基础的一种特殊的公立学校，也被称作“公办私营学校”，主要负责幼儿园、小学和初中阶段的教育。特许学校在政府相关法律许可下，根据学校与当地学校董事会或省之间的合同，将公立学校的办学权授予一些教师或其他个人、组织，如学院、文化机构、社会团体、企业、家长团体、教师、个人或其他机构，由这些非政府组织或个人开办和经营公立学校，政府资助学费，私人运营管理，学生免费入学。特许学校是经省政府立法通过，特别允许教师、家长、教育专业团体或其他非营利机构等私人经营、政府负担经费的学校。经核准的特许学校像其他公立学校一样，必须接收所有学生，不得有任何限制，所需经费也依据学生人数的多少由政府支出。

特许学校与政府之间是一种契约关系，学校必须在契约规定期间（通常3—5年）保证达成双方认可的经营目标，这种目标通常是以改进学校教学现状为主。因此，多数特许学校属于教育革新的实验学校。在契约期间，这类学校虽然由政府负担教育经费，但却交给私人经营，除了必须达到双方预定的教育成效之外，一般不受例行性教育行政规定的约束和限制，成为特别许可的学校，所以称之为“特许学校”。美国的特许学校一方面具备公立学校公平、公正、低学费的优点，另一方面又有私立学校重视经营绩效的优点，同时也可以激发各种创新的教育实验，并且可以通过竞争压力，刺激一般公立学校提升学校经营及教学质量。

1994年5月25日，艾伯塔省政府通过了创建特许学校的相关立法，宣称特许学校是对“公共教育体系的有益补充”，能进一步“完善地方的公共教育服务”，同时也“为加拿大其他地区公立学校的发展提供成功的变革经验”。艾伯塔省是加拿大第一个也是到目前为止唯一开设特许学校的省份。在此立法的授权下，艾伯塔省政府计划在该省开设15所特许学校。至1999年，实际开设了12所特许学校。2014—2015年度，有13所特许学校运作，共有9123名学生注册就读。[①]相比公立学校而言，特许学校享有更大的自治权，一般不受当地学区对一般公立学校管理条款的约束。绝大部分特许学校直接向省教育厅负责。因此，特许学校在学校经营、人事及财政方面，特别是在教育改革试验方面享有相当大的自主权。

特许学校的教师同样必须具有教师资格证书，但不参加艾伯塔省教师协会。特许学校不隶属于任何宗教派别，不收取学费，不以营利为目的，对所有入校学生一视同仁，为学生提供了公立学校范围内的更多的自主择校机会。特许学校由省教育厅厅长签发为期3—5年的“特许状”后才能开办。非营利组织与教育厅厅长之间要签订协议，这些协议明确了学校发展的预期目标。学校根据这些协议进行运作，而不受预期目标之外的教育行政制约。特许状到期后，将由专门的校外评估小组对特许学校加以审核，检查其是否严格遵守法律法规，履行办学宗旨，是否深受家长及社区的欢迎和支持。在此基础上，确定是否与该特许学校续签特许状，这在一定程度上保证了特许学校的教育质量。总之，特许学校增加了学生获得高质量教育的机会，打破了私立学校对高质量教育的垄断，为艾伯塔省的公共教育注入了新活力。

尽管艾伯塔省允许开办特许学校并获得了一定的成功，但加拿大民众对这项教育革新仍然存在诸多疑虑。首先，鼓励在公立学校之外进行选择，一旦公立学校的优秀学生和师资发生流失，公共教育是否会前功尽弃，政府对此有何积极有效的措施？其次，学校选择中也包括教会学校，这是否会造成社会经济地位、宗教以及文化背景不同的学生相互隔离，从而导致更大程度的偏狭观念和精英主义？最后，公共教育体制改革旨在消除政府对公共教育

---

① Charter Schools [EB/OL]. http://www.thecanadianencyclopedia.ca/en/article/charter-schools/.

的垄断，由更多的社会团体、企业及个人来承办公共教育，公共教育的各种特性由此会面临挑战，公共教育是否会最终走向消亡？

（2）家庭教育计划和混合教育计划

家庭教育计划，是指加拿大政府尊重部分学生家长由于某些特殊原因选择安排孩子在家中由家长负责学习课程的讲授与教育监管的一种教育形式。当前，更多加拿大人相信，相对于学校教育，家庭教育是众多可供选择的教育方式之一，因为只有父母才真正了解孩子的兴趣所在，他们因此更能量身定做适合自己子女的个性化的学习方式，以最大限度地促进学生取得成功。家庭教育的家长和教师更注重让孩子按自己喜欢的学习方式学习感兴趣的知识。在他们看来，与其让孩子把时间浪费在他们不感兴趣的科目上，不如让孩子花时间去学习感兴趣的东西。[①]参与家庭教育计划的家长必须与公立学校董事会或质量合格的私立学校建立密切的伙伴关系，定期接受督导，以确保教育质量，保障儿童的受教育权。

家庭教育地位的合法性已得到加拿大大多数省份的认可，具有了合法地位。如1990年《安大略省教育法案》（Ontario Education Act）第21款第2条明确指出："如果儿童可以在家中或者其他地方接受良好的教育，就可以免于到校学习。"《安大略省教育法案》还明确规定，法律允许家长在家施教，且无需教学资格证；实施家庭学校教育的家庭无需到任何管理部门进行登记；无需学校委员会官员对在家上学的儿童进行访问或评价；家长进行家庭教育的方法无需获得认可。在家上学受到了越来越多的大学的认可，这些大学愿意给在家上学的学生提供可选择的、适合他们的入学考试、面试等录取政策。至2002年，已有包括多伦多大学、麦吉尔大学等24所加拿大大学出台了专门针对这部分学生的相关录取政策（与在校学生不同）。随着家庭教育合法地位的不断提升，家庭教育日益呈现多样化的趋势。除了原有的新教和自由团体外，又出现了以罗马天主教、非洲中心等特殊教育方式为主的团体参与其中。[②]此外，家长也可选择"混合教育计划"，即在家庭教育计

① A. Bruce Arai. Reasons for Home Schooling in Canada [J]. Canadian Journal of Education / Revue canadienne de l'éducation, Vol. 25, No. 3 (2000), pp. 204–217.

② 胡军，刘万岑. 加拿大基础教育 [M]. 上海：同济大学出版社，2015：27.

划之外，同步实施学校内教育计划，由公立学校或私立学校的教师负责对学生的课程加以讲解和评估。

（3）虚拟远程教育计划

虚拟远程教育计划，是指由网络设计者设立、由公立或私立学校教师监管和主导的在线课程教学资源，使学生通过网络在家同样可以得到教师的指导和解答。网上虚拟远程教育计划为加拿大中小学学生提供了另外一种学校选择途径。

20世纪八九十年代，西方诸国在公共教育领域中的改革重点都集中在改革政府垄断公共教育的体制上。各国制定了一系列市场化、民营化措施来改造公共教育体制，旨在重构国家与教育、政府与学校之间的关系。在这一过程中，加拿大的公共教育治理体制改革的重点聚焦于各省的三级教育管理体系、校本管理以及“选择学校运动”，把更多的教育机会带给普通民众。公共教育的市场化、民营化改革使加拿大公立学校日趋重视学习者的需求，使学习者享有更多的学习自主权与选择权。20世纪90年代以来，加拿大公共教育治理体制改革在给该国的教育发展带来一些活力的同时，也对传统的公共教育造成了一定的冲击，带来了一系列亟待解决的问题。

三、从“竞争”到“平衡治理”（21世纪初至今）

自20世纪70年代以来，加拿大联邦和地方政府投入了大量的财力与物力来推动基础教育改革，希望通过改革摒除原教育体制中僵化、活力不足的部分，消除教育质量不高等弊端，提高公立学校的办学效率与教育质量，推动加拿大基础教育持续、稳步、健康发展。应该说，改革取得了明显的成效，基础教育发展的活力增强，质量得到了稳步提升。在21世纪初，在经济合作与发展组织多次举行的国际15岁学生学业水平评估中，加拿大学生在阅读、数学、科学三大评估项目上一直名列世界前茅。尽管加拿大各省的教育制度并不统一，但都将培养具有一定知识和实际工作技能的劳动服务型人才置于首位，而不再将升入高等学校作为教育的终极目标，这是各省在基础教育的培养目标上的一致追求。毋庸置疑，加拿大基础教育治理改革也是一把双刃剑，在取得成绩的同时，也给基础教育发展带来诸多问题，甚至危机。

（一）基础教育治理改革所面临的问题与危机

为了满足社会发展和民众的需求，避免将公立教育最终变成一项针对穷人的低劣服务，提高公立学校的教育质量，一直是加拿大社会民众关注的焦点，更是加拿大公立学校长期努力的方向之一。为此，加拿大公立学校在调整教育目标、推行课程改革、改进教学方法等方面一直进行努力，使整体教育质量逐年上升。尽管如此，加拿大公立学校改革绩效与社会民众的期望值和满意度还是相差较远。进入20世纪90年代，关于公立学校教育质量的辩论仍然十分激烈。加拿大社会民众对公立学校的批评主要集中在以下两个方面：一是学生基础文化学习成绩平平；二是学生就业准备培训不足。1992年，加拿大经济委员会发表了一份《学无止境：加拿大的教育与培训》（A Lot to Learn: Education and Training in Canada）的报告，报告认为：公立学校的辍学率偏高，有三分之一的中学生中途退学，或打工，或待在家里；青少年的平均文化水平不乐观，基础知识和技能较差；各省学生的学业成绩相差较大；各地学生的学习机会存在不平等现象；不同学区之间公立学校的教学质量差距较大；在一些较差的社区学校，存在着学生吸毒、离家出走、卖淫等问题；私立学校的发展给公立学校带来巨大的竞争压力。[①]20世纪90年代以后，由政府包办的公立教育的垄断体制被打破，学生和家长可以自愿选择公立、私立或者教会学校就读。2005年9月，经济合作与发展组织的调查报告显示，加拿大私立学校学生基本文化水平，尤其是数学成绩明显优于公立学校的学生。而加拿大统计局的数据显示，私立学校并不是富裕家庭子女的专利，29%的私立学校在校生来自年收入5万加元以下的家庭。而且，目前这个比例有不断增长的趋势。

对绝大多数加拿大人来说，接受教育是获取平等发展机会的捷径，是打开成功大门的一把钥匙。一旦高成就的学生与资源都集中于某些领域，要实现公共教育的平等性将会面临严峻的挑战。

---

① Economic Council of Canada. Canadian Vocational Journal Vol. 27, Iss. 4,（Spring 1992）: 11–16. https://search. proquest. com/docview/205250436/E5E62840DA434442PQ/2?accountid=9744.

从20世纪90年代开始，加拿大各省教育部门在学校质量评估等方面进行了一系列改革，并取得了明显的成效。例如，安大略省于1996年成立了教育质量与责任办公室，专门负责开发、组织学生的学业成绩评估，同时为有关部门提供最为准确的教育信息。学生成绩仅对家长公开，其目的在于通过加强家校联系，及时发现并解决学生学习中存在的问题。但这些改革举措对改善民众对公立学校批评方面则收效甚微。由此，公立学校的教职工身陷批评与指责之中，面对着难以得到民众理解的压力与困境。

进入21世纪，加拿大公众对教育提出了更高的要求。据有关调查显示，加拿大民众普遍对现有公共教育体系不满意。究其原因，并不是加拿大公共教育体系本身的退化，而是民众对教育的期望值随着时代的进步和社会发展较以前有大幅的提升。无论是在理论层面上，还是实际运作过程中，加拿大公共教育在不断发展变革的同时，也陷入了无法有效证明其自身价值的困境。

1. 基础教育治理体制市场化改革所引发的价值理论的纷争

20世纪90年代，为了打破政府对公共教育体系的绝对垄断，重构政府与学校的关系，加拿大政府对公共教育进行了一场市场化、民营化的改革，旨在提高公共教育的活力与效率，进而提升公共教育质量。毋庸否认，以市场为导向的教育改革，能给学校培植一种竞争和绩效意识，增强教育制度的灵活性和教育服务的多样性，增强教育发展的活力，提升教育发展成效。但由于市场化的经济目标背离基础教育的基本职能和宗旨，使这种基础教育管理体制改革容易模糊甚至抛弃公共教育基本的价值取向，引发了加拿大社会民众对其改革理论本身价值的极大争议。

第一，市场化的商业理念侵蚀了公共教育固有的公益性价值。市场化、民营化改革，旨在形成一种新的教育资源分配方式。尽管强调尊重学习者的选择权，但也给教育活动贴上了商品化的标签，从而给公共教育的发展带来诸多弊端：①教育的市场化导向会过分强调消费者个人的选择权，而容易忽视社会群体的整体利益；②市场化改革会使学校过于关注家长和学生的短期需求，更多地专注于那些具有商业价值和市场效应的可视教育目标，如学业成绩、升学率等，而容易忽视教育对个人和社会发展所具有的潜在基本价值，使教育这一复杂的社会活动商品化、功利化。

第二，教育改革的市场导向，会造成优质资源大量集聚于少数学校，为少数人专享，造成学校之间教育质量差距拉大，无法保证公共教育的起点公平，违背了基础教育公益性的目标和教育改革的初衷，引起社会民众的不满。

第三，市场化改革会使公共教育的非牟利性质面临考验。免费是公共教育的根本特征之一。公共教育非营利性的价值基础决定了它应当主要通过公共选择机制而不是市场机制来实现其功能。否则，基础教育就易沦为商业营利性领域。

2. 地方分权制的教育治理组织架构，对国家的宏观调控形成了挑战

加拿大是发达国家中唯一不设国家教育部并实行教育分权的国家。加拿大的教育事业为地方事业。根据加拿大宪法，各省具有对各级各类教育的立法权、管理权。因此，各级各类教育发展事务主要由各省区教育部门和地方学区设的学区董事会负责管理和协调。省教育厅一般负责颁布全省教育发展政策法令、核拨教育经费、管理本省从学前教育至高等教育的各类教育事务、负责教育督导评估等。省教育厅下设学区董事会。学区的领导机构是由学区居民选举产生的学区董事会而非政府部门，学区董事会主要负责研制本学区的教育政策，选聘学区董事等。学区董事会根据《学区法》等法规管理学校。对于学校管理，地方政府只负责按税收比例核拨教育经费，不参与具体事务的管理。

20世纪90年代以来，随着基础教育治理改革的推进，联邦政府越来越频繁地参与基础教育治理，通过政府有关机构和部门建立和实施了更多的联邦基础教育项目。因此，联邦政府在基础教育治理中参与力度越来越大，作用也日显重要。但组织架构上的分权制治理模式，使联邦政府对基础教育发展的宏观控制和引导的作用力度难以到位。

（1）公共教育学制的多样化，对教育治理模式提出了挑战

加拿大实行10年义务教育（6—16岁）。大部分省份及地区的学校教育是从学前教育开始，学前教育招收4—5岁自愿入园的儿童，小学入学年龄一般为6岁。多数省区的中小学阶段学制为12年。一般幼儿园和小学阶段为

1—8年，中学阶段为9—12年，一直延续到12年级中学毕业（魁北克省中等教育以11年级结束），中学毕业后可升入社区学院或大学。

然而，加拿大系移民国家，多民族、多元文化背景，各省教育管理实行地方分权制，使加拿大并没有建立统一的教育制度，各省学制也不统一。有些省主要受法国教育的影响，有的则受英、美两国学制的影响，还有些地区则全盘照搬别国的教育制度，如维多利亚岛的教育制度几乎是英格兰的翻版。总体来看，各省对中小学年级的划分有所不同（参见表2-2）。目前，有五个省主要实行一种学制模式，另有五个省主要实行两种学制模式。除爱德华王子岛省等三个完全一样外，其他各省都不一样。通常，将学校初等教育划分为幼儿园到6年级（“K6”），接着是7年级到9年级（初中），然后10年级到12年级（高中）。加拿大各省对中小学年级的划分也有所不同。其中，8个省区将学前班到6年级定为初等教育阶段，7—12年级为中等教育阶段。有些省区如安大略省、魁北克省、育空地区在中学阶段，没有初中与高中之分，统称为“中等教育”。

因此，严格意义上讲，加拿大实际上有13种教育制度，10个省和3个地区的教育制度各有特点。学制多样化影响了基础教育治理改革的目标指向和教育质量的整体提升。

表2-2 加拿大各地公立中小学学制划分情况一览表

省／区	初等教育		中等教育	
	学前教育	小学	初中	高中
纽芬兰－拉布拉多省	1年	1—6年级	7—9年级	10—12年级
爱德华王子岛省	1年	1—6年级	7—9年级	10—12年级
新斯科舍省	1年	1—6年级	7—9年级	10—12年级
新不伦瑞克省—英语	1年	1—5年级	6—8年级	9—12年级
新不伦瑞克省—法语	1年	1—8年级	9—12年级（不分初、高中）	

续表

省 / 区	初等教育		中等教育	
	学前教育	小学	初中	高中
魁北克省	1 或 2 年	1—6 年级	7—11 年级（不分初、高中）	
安大略省	1 或 2 年	1—8 年级	9—12 年级（不分初、高中）	
马尼托巴省	1 或 2 年	1—8 年级	9—12 年级（不分初、高中）	
萨斯喀彻温省	1 或 3 年	1—5 年级	6—9 年级	10—12 年级
艾伯塔省	1 或 3 年	1—6 年级	7—9 年级	10—12 年级
不列颠哥伦比亚省	1 年	1—7 年级	8—12 年级（不分初、高中）	
育空地区	1 年	1—7 年级	8—12 年级（不分初、高中）	
西北地区	1 年	1—6 年级	7—9 年级	10—12 年级
努纳武特地区	1 年	1—6 年级	7—9 年级	10—12 年级

（资料来源：Statistics Canada and Council of Ministers of Education，Canada，Education Indicators in Canada：Report of the Pan-Canadian Education Indicators Program 2003，Toronto，Ontario：Canadian Education Statistics Council，2003，p.172.）

由于加拿大全国没有统一的基础教育制度，学制也不统一，因此，加拿大基础教育的治理模式，实际是一种通过学制的多样化的整合和集成的运作过程。学制的多样化使教学内容、课程设置无法力求适合整个社会和个人发展的需要。如在基础教育治理体制改革进程中，有些省对自然科学重视不够，而是过于强调记忆性学习，对学生独立思考能力培养不足；有些省则引入了美国的新科学课程，不断加深课程难度；特别是各省基本取消了全省学生统一考试后，形式各异的教育模式使教育质量的提升受到诸多挑战。正如加拿大经济委员会（Economic Council of Canada）于1992年发表的《学无止境：加拿大的教育与培训》报告指出：由于学制不同，各省学生学业成绩相差较大，各地学生在学习机会上存在着不平等现象。由于种种原因，中学毕业率很低，社会民众普遍认为，基础教育课程内容过深，教育过于严格，致使太多学生对学业失去信心和兴趣，学校应该更加自由。为了给学生提供更多的灵活性和选择性，各省都进行了基础教育课程及教法改革。然而，实践证明，由于教育模式的千姿百态，学生的学业成就并没有因为改革而得到提高，相反，有的省份甚至出现了教学质量滑坡的现象。为此，近年来加拿大的基础教育管理改革目标指向，一直处于被批评与指责之中，这一挑战如不能得到妥善解决，无疑会对基础教育改革的进程产生消极影响。

（2）公共教育治理的经费控制难以保证学校之间的均衡发展

在加拿大基础教育治理体系中，教育经费核拨既是保证基础教育系统稳定运行，又是刺激公共基础教育不断改革，提升教育质量的一个重要运行机制。加拿大教育经费的调控权集中在联邦和省两级政府。其中，联邦政府主要是运用经济杠杆，即通过转移支付等方式设立目标专款，对各类教育进行资助和宏观调控，引导其贯彻国家意志。如联邦政府有关部门负责开办印第安人和因纽特人原住民公立学校，负责对现役军人及子女、在海外工作人员的子女、联邦监狱的犯人提供教育以及双语教育（英语和法语）拨付教育专款，这些联邦政府的拨款承担了政府保证教育底线公平的责任，具有明显的指向性和引导性特征。

经费核拨是加拿大政府对基础教育进行宏观调控的重要方式。教育拨款专项计算法，是加拿大大多数省份从1990年度起采用的经费核定方式。这种方法就是各省教育厅确定政府每年对每名学生的拨款数额（城镇学生与农村学生经费数额标准相同），然后将预计数额按照拨款分配系统[①]确定的公式分配给各个学区。但因分配经费的最终权力掌握在国家当局和行政官员手中，为了贯彻政府的意志，官员在执行过程中，一般会将国家政策转变为经费分配的标准，这不仅不能保证基础教育标准的一致性，也无助于省级政府对公共基础教育实施宏观调控，难以保持各地、各校基础教育均衡发展，最终影

① 所谓“拨款分配系统”，是指每个学区的学生数与该学区的“拨款系数”，其中，拨款系数主要与学区教师数量和工资总额相关。

响了联邦政府基础教育治理改革的成效。

（3）基础教育管理体系中的学校办学自主权并没有真正落实

20世纪90年代，由于实行分权制领导，加拿大教育部门格外强调政府的宏观管理和调控。政府在改革过程中频繁地通过立法和向学校提供资助等途径，加强对基础教育的影响和控制。同时，为了提升学校的办学效率，不惜引入市场机制。但在打破政府对基础教育体系的垄断条件下，未能重构政府与学校的关系，没有明晰政府、公民和社会之间教育服务提供中的责任及相关运行机制，没有改变以政府为中心的单向度的基础教育治理格局。特别是在加强政府对学校的支持、协调和控制的同时，没有给予学校以充分的办学自主权。基础教育面临着国家通过立法、拨款、政策、规划等方式的越来越多的宏观控制，市场机制中竞争的压力、民营化和社会参与浪潮的冲击，以及新教育技术革命的挑战。然而，许多学校在改革过程中未能获得更大的自主决策的空间，难以优化学校资源配置，提高学校运行效率。

（二）当前基础教育治理危机的应对

当前，加拿大中小学教育已发展成为免费、平等、全民的公共教育。但加拿大基础教育治理改革实践中存在诸多问题，如公共服务与市场竞争机制的矛盾，管理职能与教育资源合理配置的矛盾，管理决策与政策执行效率之间的矛盾等。面对诸多挑战，加拿大政府积极进行教育治理结构改革，确保政府与市场的作用在改革中的力量平衡。

在基础教育治理中，为减少政府对教育的过度行政干预，加拿大政府引入市场竞争机制，推动了公共教育市场化、民营化改革。但当非政府组织进入公共教育领域时，由于经济目的而背离公共教育的宗旨，公共教育的基本价值取向有被模糊甚至抛弃的风险。与自由选择、竞争和多样化相比，现在加拿大民众更加注重社会公平。因此，当下的教育改革要有助于实现社会公平，促进种族间的融合，并要在教育质量上达到优质。[①]于是，在不降低教育效率和质量的情况下使基础教育更公平，成为加拿大基础教育治理改革的

① Feintuck, Mike. The Public Interest in Regulation [M]. N. Y: Oxford University Press, 2004: 248.

基本取向。在这一改革取向的引导下，加拿大政府开始积极寻求对策。

第一，确立更公平的价值取向作为基础教育治理体制改革的主旋律。在确保教育效率和质量的前提下，强化政府对教育公平性和公益性的干预能力，促进基础教育更加公平，是新世纪以来加拿大教育治理改革的一条基本思路，也是政府职能转变的主要着力点。为保证更公平的教育能落到实处，在增加对基础教育拨款的同时，政府通过教育立法的手段，在法律层面上保障基础教育的公益性与教育领域的社会公平。同时，政府调整了原有改革政策和制度中不尽合理的部分，以公平性来满足每个求学者个人的兴趣和需要，以公益性来满足作为“民族整体”的加拿大社会的需要和期望。

第二，政府职能定位上由管理变为服务。加拿大人逐步认识到，基础教育治理中政府的良好职能的发挥，有助于实现社会公共利益的最大化，主要在于服务，本质在于确保和扩大教育的公共性和社会性。在基础教育治理中，政府的职责是服务而非掌舵，应该是以一种通过充当基础教育资源的管家、基础教育组织的保护者、公民权利和民主对话的促进者以及社区参与的催化剂来为公共教育服务。因此，加拿大强化了政府在维持公立中小学教育的公益性问题上的责任，改变了将承载着重要社会功能的基础教育放在市场上竞争的做法，并将公民享受平等的基础教育作为未来改革中政府最基本的教育责任。

第三，强化政府对教育公平的监控能力。为了落实教育公平，加拿大政府强化了对教育公平的监控能力。政府通过资金支持、教育立法等手段，以基础教育内部和外部环境的适切性为标准，强化了对所有基础教育机构的教学、科研活动等的监管，确保基础教育领域的公平竞争和信息开放，并作为政府对基础教育治理改革控制的着力点。

第四，在学校治理上，面对多元诉求，学校运作机制从政府维持与市场引导的相互分离走向交叉合作。如许多省份积极推行以社区为基础的合作教育，并在主动适应环境的基础上加大了教育治理的创新力度，不同程度地将学校运行机制与市场有机结合。同时，为建立公正有序的教育市场，规范学校间的竞争，特别提出了保护教育领域弱势群体的新方案，确保为全体社会成员提供免费的中小学公共教育。[①]

第二节　基础教育治理体系

1867年的《英属北美法案》和1982年的《加拿大宪法》都规定，联邦政府不设全国统一的教育行政管理机构，教育由各省负责。《英属北美法案》第93条赋予省政府制定教育法律的专属管辖权。加拿大没有联邦教育部，省级政府直接负责资助、立法、规范和协调教育工作。省教育法的一些渊源是：教育法规、教育条例、部委指导方针和政策；政策、程序、协议和附则；普通法或判例法。法律规定，各省享有相对独立的教育立法权和管理权。[②]具体而言，各省议会负责教育立法，省政府教育厅负责执行。为了开展省际教育交流与合作，1967年加拿大设立了由各省教育厅厅长组成的政府间组织——加拿大教育厅厅长理事会。该理事会常设办事机构，定期与联邦政府、国务部和财政部等机构协调全国性的教育发展计划，提交全国性的教育评估报告（如泛加拿大评估项目），以及开展省际、国际教育合作和交流。加拿大教育厅厅长理事会的作用主要表现为：讨论政策问题的论坛；在共同感兴趣的领域开展活动、项目和倡议的机制；一种与联邦政府协商和合作的手段；一个代表各省和地区教育利益的工具。加拿大教育厅厅长理事会在泛加拿大和国际教育领域发挥领导作用，并协助加拿大各省区行使对教育的专属管辖权。[③]到了20世纪90年代，加拿大教育治理体系进行了改革。

---

① 蒋园园．加拿大基础教育管理深度变革取得的突破和未来的走势［J］．当代教育科学，2011（1）：53-54.

② Section 93 of the Constitution Act,1867.［EB/OL］. http://www. thecanadianencyclopedia. ca/en/article/children-education-and-the-law/.

③ Organization Profile. Council of Ministers of Education, Canada .［EB/OL］. https://www. newswire. ca/news/council-of-ministers-of-education-canada.

一、联邦政府进一步强化了在教育治理中的权限与职责

虽然加拿大宪法规定，教育由各省负责，但加拿大联邦政府对教育并非放手不管，而是通过以下四种方式对各省的教育发展状况进行宏观引导。

方式一，出台教育法规政策。联邦政府通过相关立法和制定部门法规对加拿大教育发展进行宏观引导，从法律上保障全体国民享有均等的受教育机会。这些法律涉及语言、宗教、原住民教育、文化遗产、人力资源开发等诸多领城。

方式二，实施教育财政转移支付。根据1972年《联邦与省财政安排法》（Federal-Provincial Fiscal Arrangements Act），加拿大联邦政府及一些与人力资源、经济发展相关的部门如人力资源部等，从各自的部门预算中以财政转移支付的方式向各省划拨教育经费。①

方式三，划拨教育专项拨款。首先，是对特定教育人群的专项教育拨款。如原住民教育专款、双语教育（英语和法语）专款、贫困地区义务教育专款、在押犯人教育专款、社区教育均衡拨款、对部分跨省界的人们提供教育专款等。这些教育专款，承担了联邦政府保证教育公平的责任，具有明显的指向性和引导性特征。其次，划拨科研专项拨款。联邦政府每年向“社会科学和人文科学研究委员会”等科研机构拨付大量的科研经费，以培养大学及其他科研机构的高层次科研人员。中小学一些课程改革项目也可申请到联邦政府相关科研经费资助。②

方式四，联邦政府还可以通过与各省的财政关系和制定与教育间接相关的政策，对全国的教育发展发挥间接的引导作用。

二、各省基础教育三级治理体系进一步完善

按宪法规定，加拿大的基础教育是由各省负责。省政府对教育的管理主要是通过立法、拨款等方式来实现的。各省教育治理体系为联邦宪法指导下

---

① Federal-Provincial Fiscal Arrangements Act, 1972. [EB/OL]. http://laws-lois. justice. gc. ca/eng/acts/F-8. 2/page-1. html.

② 胡军，刘万岑. 加拿大基础教育 [M]. 上海：同济大学出版社，2015：12-13.

的由省教育厅、学区董事会、学校的分级管理体制。需要指出的是，在这三级管理体系中，只有省教育厅属于政府序列，其他两级是自主管理的非政府机构。

1. 省教育厅

加拿大联邦政府虽然没有设置主管全国教育事务的教育部，但各省区均设有教育厅。各省区的教育体制、结构和培养目标大体相同，但由于历史原因，不同省份的教育治理体制也存在一定的差异。如有的省设立教育厅，有的省设立教育与文化厅，还有的省设立教育与培训厅。

省教育厅主要负责确定本省的教育目标、制定教育法律规章制度、分配教育经费、建立课程体系、设置学业成绩标准（制定课程指南和评估标准）、培训教师、审定教师资格、提供教育资源等，以对本省内教育实施管理和监控。

省教育厅厅长一般是当选的立法机构成员，并由该省级政府领导人任命。省教育厅厅长负责实施教育法，并根据需要提出修改有关教育法案的建议。一般情况下，省教育厅厅长通常将制定政策和日常管理权交给副厅长，由其负责主持教育厅的日常工作，诸如执行规章制度，保持教育政策的连续性，并向厅长提出工作建议。

副厅长属于高级公务员，负责教育厅各部门的日常运作。这里应该指出，在加拿大政府的运作模式里，政府部门的副职一般都是由独立的、无明显政治党派倾向的公务员担任，在正职（一把手）的指导下开展工作，以保证各政府部门的公共服务的中立性、连续性、有效性、稳定性和专业性。① 这样，副厅长一般不会因为（执政党轮替）厅长的变化而变化。政府各部门不会因为不同党派的轮替执政而任命各部门正职负责人，避免出现因为新的部门负责人不熟悉本部门的工作，而使公共服务突然出现巨大问题或重大的政策和执行动荡的情况，从而保持部门工作的连续性。

省教育厅一般分设若干个部门，分别负责管理不同的教育事务。以安

① Government of Canada Publications［EB/OL］. http://publications. gc. ca/collections/Collection/GomeryII/ResearchStudies1/CISPAA_Vol1_7. pdf.

大略省为例，在每学年，有超过1900人在省教育厅工作。省教育厅下设12个部门，分别是：资本和商业支持处（Capital & Business Support），通信部（Communications Branch，副厅长办公室的一部分），社区服务集群处（Community Services Cluster），企业管理与服务处（Corporate Management and Services），早教与儿童保健处（Early Years & Child Care），教育公平秘书处（Education Equity Secretariat），教育劳动与财政处（Education Labour and Finance），法语教学和成绩处（French Language Teaching，Learning and Achievement），原住民教育与幸福处（Indigenous Education & Well Being），学生成绩处（Student Achievement），学生支持和现场服务处（Student Support & Field Services），系统规划、研究与创新处（System Planning，Research & Innovation），[①]安大略省教育厅还负责督导省内辖属的教育领域内的委员会、董事会，以及教育管理机构，例如，特殊教育厅长咨询委员会（Minister's Advisory Council on Special Education）、课程委员会（Curriculum Council）、教育质量与责任办公室（Education Quality and Accountability Office）、安大略语言教育指导委员会（Languages of Instruction Commission of Ontario）、省学校管理局/省学校署（Provincial Schools Authority）、安大略法语教育联络处（Ontario French-Language Educational Communications Authority）、安大略教育联络处（Ontario Educational Communications Authority）等。[②]此外，省教育厅还负有对省级学校的兼职员工和教师教学进行督导之责。

安大略省教育厅官员认为，充满活力的社区和繁荣的社会是建立在强大的教育体系的基础上的。安大略省教育厅将通过集中实施《实现卓越，重塑安大略省教育愿景》中提出的四个关键目标，以保持和提高安大略省作为世界教育领导者的声誉。实现卓越，是建立在三个优先事项之上的：提高学生成绩，缩小学生成绩的差距，以及增强公众对公共资助教育的信心。实现卓越，包含但不限于这些目标，并要达到更深更广的目标，提高对教育系统以及学生潜力的期望。安大略省教育厅最新的教育目标有四项：①成就卓越。

①② Organization Chart [EB/OL]. http://www.edu.gov.on.ca/eng/about/whoweare.html.

所有年龄段的学生都将获得高水平的学业成绩，获得有价值的技能，并表现出良好的公民意识。教育工作者将在工作中不断得到支持，并将被公认为世界上最好的教育者之一。②确保公平。所有学生从出生开始，就得到启迪，以发挥他们的全部潜能，获得丰富的学习经验，并持续到成年。③增进福祉。所有学生将得到发展，以增强他们的心理和身体健康，积极的自我意识和归属感，以及做出积极选择的技能。④增强公众信心。安大略省人民将继续相信一个公共资助的教育系统，这有助于培养新一代自信、有能力和有爱心的公民。[①]

近年来，为了进一步提高教育治理的效率，加拿大各省和省际教育部门之间开展了广泛的合作，如联合采购、共享交通工具、共同举办教师培训等。此外，还注重加强各地区在教学大纲制定上的合作，如西部的不列颠哥伦比亚省、艾伯塔省、萨斯喀彻温省和马尼托巴省四省与育空地区、西北地区共同制定了数学和语言艺术教学大纲。新不伦瑞克省、新斯科舍省、爱德华王子岛省和纽芬兰–拉布拉多省联合制定了从幼儿园到十二年级的语言、艺术、数学和社会学习等课程的教学大纲。

2. 学区董事会

加拿大各省区教育厅下设学区董事会，大部分省将学校日常管理工作交给学区董事会。截至2015年，安大略省基础教育就有72个学区董事会，其中，有英语公共教育董事会31个，英语天主教教育董事会29个，法语公共教育董事会4个和法语天主教教育董事会8个。[②]

学区董事会的主要职责：①确定年度教育预算；②制定教育政策；③任免校长；④雇用、提升或解聘教师和管理人员；⑤修建校舍，购置设备和用品。部分省的学区董事会还有权征收教育用地住宅和地产税，管理教育厅的财政拨款。

地方政府并不参与辖区内具体教育事务的管理，只是按规定划拨教育经

① Organization Chart [EB/OL]. http://www. edu. gov. on. ca/eng/about/whoweare. html.

② https://www. cmec. ca/Publications/Lists/Publications/Attachments/381/PCAP–2016–Public–Report–EN. pdf.

费。学区的领导机构不是地方政府，而是学区董事会。学区董事会通常由各学区范围内的民众选举产生。以安大略省省会多伦多市为例，多伦多区学区董事会有22名董事，任期4年，由选举产生，代表选民管理教育事业。多伦多学区董事会的工作是致力于确保学区内所有的学生都意识到他们的发展潜力，帮助他们获得成功。学区董事会定位为教育的倡导者，代表的是公众的声音，确保所有的问题得到解决。每个董事代表一个具有独特需求、优先事项和教育要求的多样化社区。多伦多学区董事会的主要职责：①制定教育政策；②编制预算与资源配置；③为董事会制订工作计划并设定优先事项以反映社区价值和目标；④监控学生学业成绩；⑤监督理事会相关事宜；⑥招募和评估教育总监；⑦与各级政府合作，谋求选民和公共政策的最佳利益。①

学区董事会依据《学区法》等规定开展工作，负责学区内公立学校事务中更为具体的管理工作，如负责本学区教育法规的制定，教育管理主任及工作人员的聘用、校长任免、教师聘用及评价、教育财政预算的核定、课程设置、校舍建造及维修等基建事务、校车服务、教师薪酬支付等。

学区设学区教育管理主任1名，由学区董事会聘任，有行政执行人员协助其工作。学区教育管理主任的主要职责有：为学区的学生和社区服务，提高学生的学习成绩，管理商业服务，提供员工支持，建筑的运营及维护。②

学区董事会根据学校布局，将学校划分为24个学区，每个学区有10—25所学校，聘任1名教育督导员。教育督导员由学区董事会分管副主任领导，归学监管理。学监的主要工作对象是校长，其主要任务是帮助学区内所有学校提高学生的学业成绩，提高教师的有效教学水平，提升学校的办学品质。

各学区每年组织一次大型的教师公开招聘活动。招聘对象是具有本省教师资格的大学毕业生、本学区后备教师（即以往招聘未入选人员、其他社会在职人员），从中招聘新教师和临时代课教师。教师被录用后，还有1—2年的试用期，期满后可获终身职位。在职业生涯中，除非有违法或渎职行为的

① Boardroom. [EB/OL]. http://www.tdsb.on.ca/Leadership/Boardroom.

② Leadership. [EB/OL]. http://www.tdsb.on.ca/Leadership.

可以被解聘外，教师一直可以干到退休。校长由学区董事会聘用，但必须由学区教育管理主任、现任校长、教师代表、学生家长代表组成的聘任委员会来决定校长的聘任与否。其聘任程序与教师聘任程序类似，校长的聘任条件要求更高、难度更大。如安大略省规定：必须学完规定的校长课程，经过考试拿到学分，通过教师学院组织的专家答辩后才能取得相应副校长、校长资质。在中小学副校长职位有空缺后，才有可能被聘为副校长。有担任副校长3年以上的经历后，才有申请校长的资质。另外，加拿大学校的校长是职业性的。他们不属于教师，也不兼课，只有具备做校长的资格条件，并经过专业培训，取得相应的资格证书，才能应聘校长职位。大多数情况下，校长、副校长在某一学校任职最多不超过5年。①

3. 学校

加拿大中小学在学区董事会的领导下实行依法管理。中小学办学要严格遵循各省教育厅制定的教育法案、课程体系和学生学业标准。

（1）中小学学校管理的主体

加拿大中小学学校管理的主体，主要是学区董事会及学监、学校管理者、家长委员会等，这些主体责任明晰、分工明确。

①学区学监。学监在加拿大中小学学校管理过程中起着重要作用。在学校管理中，学监负有检查、指导、监督和考核学校的责任。学监依据有关标准，定期或不定期深入学校进行督查，参加教学研讨，随机听课，及时向校长反馈学校存在的问题，监督相关教育规章在学校的落实情况。同时，指导学校制订提升改进计划，并与校长一起研究解决人力资源、财政投入、学校管理等问题。对各学校校长的评价工作是由学监来组织完成的，如安大略省教育法规定，公立中小学校长每五年要接受一次综合督导评估。综合评估一般由学区学监组织实施，学监要聘任有关专家和同行，对校长任期内学校的发展进行综合评估。评估结果作为任职资格以及是否续聘的重要依据之一。

学监督导学校之后，一般要撰写督导检查报告，及时向学区董事会、省

① Toronto District School Board［EB/OL］. http://www. tdsb. on. ca/About-Us/Policies-Procedures-Forms.

教育厅汇报学校教育工作进展情况。总之，学监对学区学校的师生安全、教学秩序、经费使用等，负有指导、督查和考核之责，因而被赋予了较大的管理权限。另外，学监还有直接向学区家长解释各类教育问题、征求家长对教育政策和学校办学诉求的职能。因此，学监还运用其工作职能、丰富的办学经验，承担了教育行政部门与学校、教师、家长之间有效沟通的责任。[①]学监的任职资格要求较高，要求具备教育硕士学位，从教10年以上，精通基础教育各学段课程、教材、教法，经验丰富的优秀教师或校长担任。学监还必须经过副校长、校长岗位的历练，并花8年时间进修相关学监课程，且在多轮校长（每5年一轮）考核中获优秀，才有相应的职业资质。[②]

②校长及学校行政团队。加拿大中小学管理实行校长负责制。校长与由副校长、学科组长等组成的学校管理团队一起，共同管理学校的具体行政事务。校长必须着力于提高学生的整体学业水平，缩小学生间学业水平的差距，提高教育的公信力。校长的主要职责是建立一个能被集体接受的学校发展的共同愿景，制订学校计划，正确决策，负责指导、督促教师工作和学习，建立和谐的人际关系，实施有效的管理，为学生营造一个良好的学习环境，使师生能专注于教与学，确保学生能从高品质的教育中获益。[③]

在加拿大，校长理事会在学校管理及专业发展中发挥着重要作用。如安大略省校长理事会（Ontario Principles' Council），是一个自愿参与的民间性专业组织协会，其宗旨是：代表其成员资格；提升会员的专业兴趣；为其成员提供支持和保护，作为公共教育倡导者的代表，为校长和副校长提供专业成长机会。具体而言，安大略省校长理事会主要代表安大略省公立学校系统中校长和副校长的利益与政府沟通，反映校长的普遍需求，为校长提供专业服务。除了对校长进行专业培训，以帮助校长持续提高学校管理能力外，还

---

① Superintendent of Schools：Role and Responsibilities.［EB/OL］. https://www.gssd.ca/About/AdministrativeProcedures/Documents/Superintendent%20of%20Schools.pdf.

② Curriculum Development［EB/OL］. http://www.thecanadianencyclopedia.ca/article/curriculum-development/.

③ A Profile of Elementary and Secondary School Principals in Canada：First Results from the 2004—2005 Survey of Principals.［EB/OL］. https://www150.statcan.gc.ca/n1/pub/81-004-x/2006002/9249-eng.htm.

主要为中小学校长在面对许多敏感、疑难问题上提供法律和咨询服务。诸如如何正确处理来自家长、学生的投诉，与教师工会的协商，学区董事会的考核评估等。校长理事会成员主要是在任的中小学校长，会长通过民主选举产生，一般由具有资深学校管理经验并有社会声望的校长担任。[①]除校长和副校长外，普通教师在自愿的基础上由学区董事会统一安排流动。

③家长委员会。在加拿大，家长委员会作为一个特殊组织，在学校管理和决策中发挥着重要作用。家长委员会通常由学生家长代表组成。设置家长委员会，旨在加强家长和学校的联系，激发家长参与学校事务的热情，培养家长的教育责任感，推进学校的民主管理。家长委员会成员会常常到学校参与学生的课内、课外活动，协助教师组织各项教育活动。安大略省家长委员会一般可由校董会成员、校长或者副校长、在校生监护人、社区代表、学生代表等组成，人数为10人左右。家长委员会一般会制定章程，选举产生主席、副主席、会计和秘书等，有专项活动经费。每年9月开学初，家长可通过填写学生带回的家长委员会成员邀请申请表，自愿参加，如果申请人数过多则进行遴选。家长委员会一般两三年换届一次。[②]

通过参加家长委员会，家长有权参与学校管理的规划和实施。家长委员会每月定期开会。共同探讨如何提高教育成效，并对学校教育活动及政策提出建议。在会上，正、副校长和教师代表都要出席并简要报告校方近况。家长委员会则对当月学校的各种事务进行讨论。会议结束时会定出下次会议的主要内容。总之，家长委员会在加拿大中小学学校教育治理中主要起到沟通、参与和决策作用。他们多方支持学校的教育工作，与校方共同合作，营造一个良好的学习氛围。

总之，加拿大学校管理的层级清晰，职能明确。学区董事会、学校管理者、家长委员会、学监等分工明确，责任明晰，在学校管理中协同合作，发挥着各自的作用，共同实现学校教育目标。

---

① Ontario Principles' Council Mission Statement & Purpose [EB/OL]. https://www. principals. ca/Display. aspx?cid=4581&pid=445.

② Ontario Parent Council Archive [EB/OL]. http://www. ontarioparentcouncil. org/.

（2）中小学学校管理的主要内容

①建立学校发展的共同愿景和管理目标。这是加拿大中小学管理的首要任务，包括建立一个能被全体成员接受的学校共同发展愿景和集体发展目标，鼓励教职员工以全体学生的利益为主要工作出发点，在师生、家庭与社区之间培育互信、尊重的关系，建立合作型校园文化和成功的学校组织结构，监督评估教学的有效性，提升学生学习期望值，等等。

②课程和教学管理。学校根据省教育厅制定的中小学教学管理的相关政策法规对课程与教学进行严格管理。每年11月份，根据学区董事会的课程设计总体方案，学校校长与教师共同讨论决定学校下一学年课程设置方案。1月份，让家长了解学校的课程设置方案。在学生自愿申请的基础上，教学主管和教师会对学生选修课程提出建议，并报请校长审定。

在课程内容上，加拿大是一个十分注重技术及生存技能学习的国家。从小学一直到高等教育、成人教育，始终贯穿着“实用技能训练”的宗旨。在这种教育体制下，加拿大每个人都具备多种生存技能。加拿大基础教育把培养具有一定知识和实际工作技能的劳动服务大军放在主要位置，而不是将学生升入高等学校作为教育的终极目标，这既为学生提供了尽可能多的职业技能和就业机会，又培养了社会所需要的精英人才。[①]加拿大基础教育的培养目标一直随着其社会经济的发展而改变，学校课程目标集中反映了社会经济发展对人才的需求。为了实现上述目标，加拿大在学校课程设置上加大了改革力度。中小学教育课程一般分为学术性课程和实用性课程（也称实验课程）。如安大略省十一年级共开设120门课程，其中80%是实用性课程，范围几乎覆盖各行各业，又与地方社会经济发展特点密切相关。这些课程设置基本能根据社会需要开设，因此学校课程常改常新。通过实用课程的学习，使学生直接获得生产、生活经验和技能，获得对社会历史的认识和理解，培养社会责任感。安大略省教育厅规定，学生每学期要参加40小时的志愿劳动，为社区工作，以培养学生成为一个好市民、好公民。这绝非个例，而是

① Curriculum Development [EB/OL]. http://www.thecanadianencyclopedia.ca/en/article/curriculum-development/.

加拿大教育的传统。

在教学上，加拿大中小学奉行个性化学习与自我指导学习的教学理念。前者是指以学习者内在需求为核心，以每个学习者能力与个性的自由、充分、和谐发展为目标而实施的学习活动。个性化学习能为每个学习者提供受到最好教育的机会。①后者是指个人通过努力，在任何时间、任何环境运用任何方法取得的在知识、技能、才艺或个人发展方面的任何增进。②与之相对的是教师指导学习，二者都是学习的重要途径。在自我学习中，教师不仅激励学生追求卓越，同时也激励学生挑战自我，让学生尽可能地探索不熟悉的领域。教师常让学生自我引导，因而对学生的直接引导不会很多。这类学生不仅擅长独立工作，并且学会与其他学生和成人密切合作。自我指导学习不是在习题中结束，而是在行动中结束。它还提倡学生尽可能在教室之外的世界中探索。教师指导学生自我学习过程的基本步骤：明确学生必须达到的学习成果，以使课程或计划完整；创设适合达成课程结果的环境；教给学生成功实现课程结果所需的技巧和练习；为每位学生实现课程和个人目标而制订计划，并与之进行协商；设定一套到位的学生自我评价方法和监督学生进步的程序。③

③教室管理。加拿大中小学校园都不大，一般仅有百亩地，学校一般都不建豪华的校门，甚至连学校的门牌都插在很不显眼的地方。学校内是功能齐全的教室、实验室、体育馆等。很多教室都是一室多用，有的学校的会议室同时也是接待室，学校的体育馆也是学生用餐和开展大型活动的场所。

加拿大中小学教室的教学环境的设计充分体现了尊重学生个体差异的多元文化理念和赏识教育的理念，丰富实用。从教室布置上看，教学资源的配备完全出于教学需求，重内涵不重形式。教室中学生的课桌椅都可以根据课堂活动的需要灵活调整位置。教室墙壁无一例外张贴班级学生的手工作品，包括绘画作品、手工制作品等，教室成了学生学习成果的展览厅。加拿大教

---

① Personalized Learning. [EB/OL]. http://www. dreambox. com/personalized-learning.

② Self-directed Learning [EB/OL]. http://infed. org/mobi/self-directed-learning/.

③ Maurice Gibbons. 自我指导学习——挑战卓越 [M]. 池春燕，季丹丹，任智霞，译 . 北京：中国轻工出版社，2005：20.

师认为，所有学生的作品并无优劣之分，而是各具特色，值得肯定的。学校很少有名人的名言和肖像。教室里也没有规定、制度等字眼，而是用了对师生双方都适用的教室公约一词，充分体现了人文关怀。教室中有乐器、电脑、玩具、教学材料等，与学科教学或与课程实施相关的仪器、设备均放在教室中。每个教室都有精美的图书角，供孩子们坐在教室干净的地毯上阅读。在加拿大，专用教室基本上都是由一线教师管理。因此，教室又是教师的办公室，有教师专门的工作台。学校有开放式的草坪操场，在操场一角，设有一些体育器械。这些设计无不体现了“实用性”。

④班级管理。加拿大中小学奉行“儿童中心”，实行小班化教学，一般每班有15—20名学生。以安大略省为例，从2008年起，在基础教育中持续增加小班化教学。从下图（图2-3）中可以看出，小班数在增加，大班数在持续减少。到2016—2017年，全部班级班额在23人以下，90%以上的班级少于20人，而在2003年这一比例是31%。统计表明，在小班化教学中，学生可以获得更多的关注，在未来的学习中会做得更好，更容易获得成功。[①]

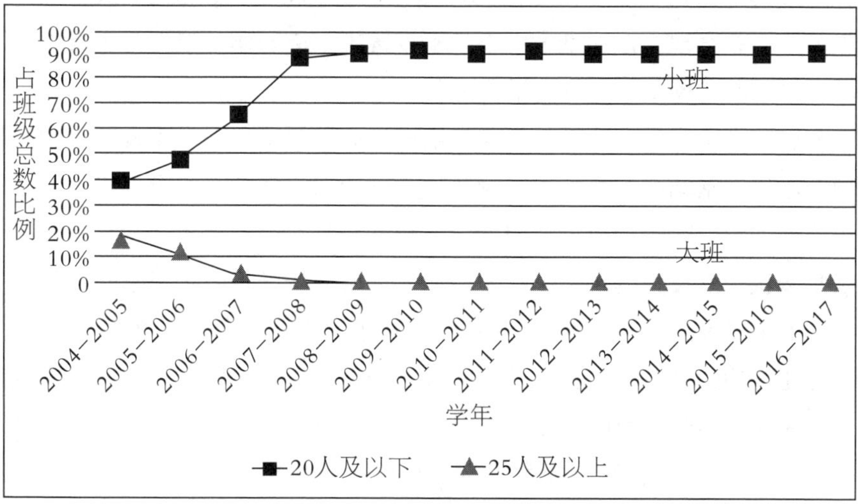

图 2-3　基础教育班级学生数统计图

① Class-Size Tracker.［EB/OL］. http://edu. gov. on. ca/eng/cst/.

各班设主任教师一名，其办公场所主要在教室而不设专门的办公室，班主任一般由语文或数学主科教师担任，其他的艺术、计算机等科教师则在专门的功能教室上课。这些教室也当然是这些科任教师的办公室。

作为一个移民国家，加拿大学生的家庭背景和学习基础差异很大。为了实行因材施教，加拿大设置混龄班，这是加拿大中小学教学中的另一个特色。混龄班是指在从幼儿园至小学6年级阶段2—3个连续年级的学生在同一个教室由相同的教师组织学习。在加拿大安大略省和不列颠哥伦比亚省都有这种教学组织形式。当然，混龄班对学校和教师都有一定的要求。组织混龄班，学校和教师要考虑以下因素：学习风格、社交技能、学习需求和其他一些相关因素。学校开设混龄班，主要出于满足学生学习和交往、平衡班级规模的需要，更重要的是因材施教。即使学生同时入班同步学习，一学年或一学期结束后，教师会根据不同学生的学习程度确定学生下一年的学习程度。如即使在一间教室，同班学生的学习程度有的是二年级上学期，有的还是一年级下学期，教师在同一间教室实行差别教学。研究表明，混龄班的学生在语言和阅读上的表现更佳，在情感和社交上成长得更快。[①]在班级管理中，出于平等的教育理念，加拿大中小学不设置班干部一职，但在学生自由活动时，教师虽不在场，但一般会指定一名学生记录各学生的表现。

在加拿大中小学，由于教师非常忙碌，如果学生出现了不良行为及心理问题，违反课堂纪律，为了不影响教师正常授课，教师一般可以将问题学生交由校长处理。一般情况下，问题学生会到校长办公室反省，或接受教育。校长基本认识学校里的每一个孩子，如有需要，校长也会要求家长到校与相关教师召开会议，共同商定学生的教育对策。而家长如有任何教育上的问题，可通过预约及时得到校长或有关教师的接待。在正常上学日，各学校都设置专人（包括学校教职员和高年级学生）值班。

从20世纪90年代起，加拿大各省教育厅在联邦宪法的指导下相继推行了一系列改革，以重新协调政府、市场与社会三种力量在公共教育治理中的作用，重新调适政府与学校的关系，以构建政府与学校、市场与社会共同治

---

① Combined Grades.［EB/OL］. http://www. edu. gov. on. ca/eng/literacynumeracy/combined. pdf.

理教育的制度体系，变革政府垄断教育生产与治理的局面。具体而言，改善教育管理集权与分权之间的关系，改革官僚垄断控制教育的局面，给学校更多的办学自治权；改革教育治理中的专家控制局面，构建民主控制、市场控制等多种控制共存的格局，实现教师、学生、家长等共同参与教育治理的目标；通过特许学校、校本管理和完善评估体系等形式，既加强政府对教育的监控，同时又灵活运用市场机制，促进学校之间充分竞争，从而激发学校的发展活力，提升教育质量，满足社会各界民众不同的教育需求。

近年来，针对纵向和横向间集权与分权教育管理模式下的无序和不确定性，加拿大政府加强了对省教育厅、学区董事会和基层学校适当的统一调控。各省也相继推出了基础教育治理结构改革的新举措，力图使教育治理自上而下与自下而上相互制衡、相互支持和互相影响，以弥补地方分权的教育治理体制的不足。在改革过程中，按照政府、市场与公民社会对教育的不同价值判断与诉求，竭力设计专业人员、学生家长和社区成员之间的平衡控制型教育治理模式，寻求三者之间的相互妥协和力量平衡，对三种力量在公共教育治理中的作用进行重新配置，力求使基础教育治理达到最佳状态。如安大略省和马尼托巴省重新界定和设置政府、市场与社会三种力量在公共教育治理中的作用；新斯科舍省和纽芬兰－拉布拉多省通过不同形式的网络化形式，让教师、学生和家长等广泛参与学校治理；爱德华王子岛省通过“降低噪声”和“负面协调”形成共同行动纲领，全面改造教育治理结构；不列颠哥伦比亚省通过计划、目标、权利等形成治理的可操作性工具，重新调适政校关系；等等。[①]通过改革，重塑全新的政府、市场和社会共同生产与治理教育的制度体系。

近年来，加拿大教育体制改革的重要趋势之一是通过合并减少学区董事会的数量，重新确定学区董事会的权力和责任，把更多的管理权力集中到省和地区的层面上；同时加强学校的办学自主权，将部分职责交给以学校为单位的家长或社区顾问委员会。通过引入统一的课程和测评标准，为学校目标

---

① 蒋园园．跨世纪加拿大基础教育管理改革走势评述［J］．教育科学研究，2011（5）：76-77.

管理和质量管理提供明确的参照系，使政府的治理方向与学校教育目标高度契合，并以此强化了政府对公立学校的调控。通过减少学区委员会和学监对学校日常事务的直接干预，使学校真正成为自我发展、自我管理的主体，直接负起学校管理的责任。

为鼓励公众参与，许多学区董事会在召开例行的咨询会时会邀请家长和其他社区成员参加。特别是各省教育厅在制定课程标准、教学计划，设置课程，审批教材时，必须广泛征求社区、团体、学生家长的意见和建议，使教学内容、课程设置、学校培养目标切实能满足社会需要。同时要求学校成立家长（咨询）委员会，引入绩效标准和评估标准，将高质量作为学校运作的主要标准，让家长更多地参与学校教育的管理和决策。在学区董事会等组织中规定了校长、教师、家长和社会人士的比例，以使各方对学校治理具有一定的参与权和决策权。

综上所述，加拿大的基础教育治理体制走过了从政府垄断到引入市场竞争，又从抑制教育市场的过度竞争，到多元平衡共治的治理发展历程。作为一种更有效的、具有创新性的制度安排，教育治理通过推进治理协商、合作机制的建立，既能使加拿大基础教育保有一定的市场竞争性因素，又能在一定程度上抑制市场竞争的负效应，特别是由过度竞争造成的偏差；既能弥补政府在提供基础教育方面的某些不足，满足多样化的社会需求，又在一定程度上避免了政府因分权可能产生的教育调控能力的弱化。实践表明，教育治理有效协调了加拿大政府、学校及社会之间的公共教育决策与执行权力的配置，形成了政府、市场与公民社会三者之间的良性互动，推进了教育相关利益方的协商合作，提升了教育治理的效率，促进了基础教育的良性发展。

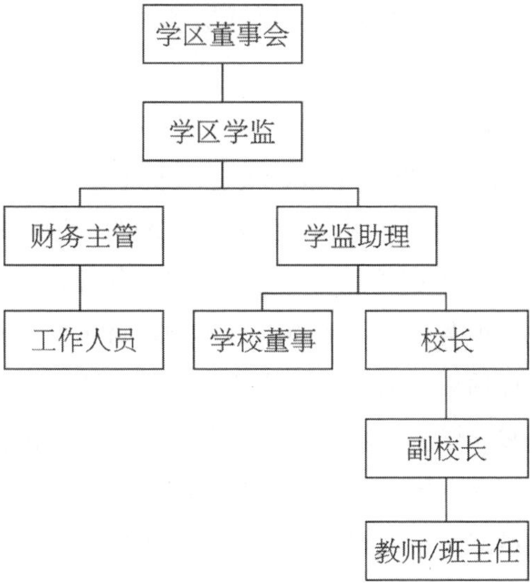

图 2–4　不列颠哥伦比亚省具有代表性的学区教育治理结构图

第三节　基础教育质量保障体系

加拿大重视对基础教育质量的监测与评估，以保证加拿大基础教育质量。教育质量监测与评价是一项复杂的系统工程。加拿大构建国际、国家、省级、校级四级基础教育质量监测与评价体系。社会各界对教育质量评价结果都相当重视。根据评价结果，相关各方会及时在各自工作领域中对自己的教育行为进行相应的调整和改进，以实现促进学生发展、提高教育质量的目标。

一、国际层面的教育质量评估

加拿大历来比较重视参加一些基础教育学业质量国际评估项目。通过与其他国家学生的学业表现进行横向比较，以明确加拿大基础教育发展的优势，找到自身教育发展的不足。在此基础上，积极推进教育改革，以完善学校教育，不断提高教育质量和效率，保持加拿大教育在全球的竞争力。加拿大参加的国际学生评估项目主要如下：

（一）国际学生评估项目

国际学生评估项目（Programme for International Student Assessment）是经济合作与发展组织成员国共同协作创办和实施的一项国际学生学业评估项目，主要是对15岁的学生在技能和知识方面进行的评估，主要检测阅读、数学和科学三个领域，但各年检测重点有所不同，每年检测侧重于一个领域。2012年，国际学生评估项目又新增计算机能力素养和金融素养两个领域。

加拿大是首批参与国际学生评估项目的国家。参加测评的学校和各校学生是随机抽选的，因此，国际学生评估项目仅对全加拿大和省级学生学业水平进行评估，评估结果不针对学生个体和具体的学校。尽管如此，这样大样本的学业水平评估结果可为各省及学校提供参考。

加拿大在国际学生评估项目中表现突出。2000年的国际学生评估项目阅读评估中，加拿大位居第二；2003年的国际学生评估项目数学素养评估中，加拿大仅在芬兰和中国香港之后；2006年的国际学生评估项目科学素养评估中，加拿大位居第三；2009年的国际学生评估项目阅读素养评估中，加拿大位列第四位。2012年国际学生评估项目的阅读和科学评估结果中，加拿大也位于参与国家和经济体前列，且在对最高和最低学生水平之间差距的评估，以考察学生学业表现的均衡性方面，加拿大也表现亮眼。这表明加拿大各省在促进基础教育公平及均衡性方面成效显著。2013年经济合作与发展组织的研究报告指出，加拿大15岁学生在数学、阅读和科学领域评估水平远高于经济合作与发展组织成员国的平均水平。

加拿大很重视国际学生评估项目的评估结果。对于政府、社会政策分析人员和教育工作者而言，国际学生评估项目的评估结果颇具价值。通过与其他国家评估结果的比较，不仅能帮助加拿大评估其教育体系在国际上的位置，而且能了解本国基础教育发展的优势，还能发现加拿大基础教育发展所面临的挑战与不足。以此为基础，加拿大积极推进教育改革，实现促进学生发展和提高教育质量的最终目标。如通过对国际学生评估项目的评估结果的国际国内对比分析，有助于评估现行教育政策方案和做法的有效性，从而为教育改革提供参考依据。对学生而言，国际学生评估项目的评估结果对学生未来选择继续进行学术深造，还是进行技能学习以及早进入劳动力市场提供决策参考。

（二）其他国际教育质量评估项目

除国际学生评估项目外，近些年来，加拿大还积极参加了其他一些国际机构组织的基础教育教育质量评估与监测项目。

①国际数学和科学趋势研究（The Trends in International Mathematics and Science Study）。该项目是由国际教育成就评价协会发起和组织的国际教育评价研究和评估活动，重点关注四年级和八年级学生的数学和科学成就，每4年测试一次。

②国际阅读素养进步研究（Progress in International Reading Literacy Study）。该项目是国际教育成就评价协会的研究项目之一，对学生的阅读能力以及和阅读相关的政策和实践进行评估。评估对象是四年级学生，每5年评估一次。

③国际计算机和信息素养研究（The International Computer and Information Literacy Study）。该项目是由国际教育成就评价协会建立的国际性评估项目。重点是对八年级学生了解、理解和利用信息和通信技术的程度进行评估。2013年加拿大有2个省首次参加该项目评估。[①]

总之，通过参加多形式的国际教育质量监测和评估，不但有利于加拿大了解国家教育质量，明确自身教育在国际教育中的位置，而且还可以为及时调整和完善教育政策与实践提供参照，从而有利于提升教育质量。

二、国家层面的教育质量评估

泛加拿大评估项目（The Pan-Canadian Assessment Program）是加拿大最具影响力的国家层面的教育评价与监测项目。加拿大教育厅厅长理事会认为，此项目是目前能全面反映出“加拿大教育系统是如何满足学生和社会需要的”。该项目通过汇总学生的数学、阅读和科学的周期性评估成绩，为各省区监测课程设置、提升教育质量提供依据。

2007年，在加拿大教育厅厅长理事会组织下开展了泛加拿大评估项目第一次评估，测试13岁学生的数学、阅读和科学这些核心科目的学习成绩。加

① 胡军，刘万岑．加拿大基础教育[M]．上海：同济大学出版社，2015：167-169.

拿大10个省和育空地区大约3万名学生参加了此次评估。加拿大教育厅厅长理事会在泛加拿大和行政辖区层面公布了评估结果。泛加拿大评估项目每次评估都会侧重于某一个学科，其他两个学科也需要评估，但其受试者数量较少。如2013年，科学成为评估的主要领域，阅读和数学则为次要领域。

泛加拿大评估项目测试样本包括学校和学生的选取均是抽样进行的，它不是为了取代省和地区的评估，而是对其进行补充。由于随机抽样和泛加拿大评估项目评估的性质，这个评估也不是针对个别学生进行的成绩评估。尽管加拿大各学校差异很大，测评结果比较复杂，但这些评估仍有助于检验全加拿大学生在同一时期的学业水平。因此，统计结果已获得加拿大各层面的认可。通过泛加拿大评估项目，加拿大各行政辖区可以根据评估结果验证自己辖区的教育质量，并与加拿大其他行政辖区进行比较，从而为各省和地区监测课程设置、提升评估手段提供依据。

三、省级层面的教育质量评估

加拿大各省根据自身的情况和特点，对教育质量采取了多元化的评价与监测策略，力求保障教育质量。根据评估结果，明确本省教育在全加拿大和世界中的位置、优势及存在的问题，并在教育实施过程中，不断改进教育行动方案和质量评估监测方案，以保持本省教育在全加拿大乃至在全球的教育竞争力。

1. 安大略省教育质量监测

安大略省的教育质量监测评估，主要是由教育质量和问责办公室（The Education Quality and Accountability Office）组织实施的。该机构成立于1996年，主要负责管理和参与国家和国际评估项目，并对全省公布评估结果，为安大略省学生学习成绩的提高提供有价值的服务。由于其在教育质量评估中的突出表现，该机构迅速发展成为一个世界级的大型教育质量评估机构。

安大略省省级教育质量监测与评估，主要是通过组织安大略省省级考试进行。省级考试是与课程紧密结合的，重点考察基于安大略省课程目标中的阅读、写作和数学技能，这是学生进行其他领域学习和毕业后生活的基础。

省级考试主要通过四个关键阶段对学生的学习知识和技能进行评估：①三年级（文学和数学测试）；②六年级（文学和数学测试）；③九年级（数学测试）；④十年级（毕业所需的文学测试）。

2. 艾伯塔省教育质量监测

艾伯塔省的省级评估主要包括省级学业成就测试（Provincial Achievement Tests）和文凭考试项目（Diploma Exam Program）两种形式，两者都是评估学生是否达到省级标准的学业水平评估方式。其目标是根据三年级、六年级和九年级学生成绩和相关省级标准提供全省教育概况。

省级学业成就测试的对象是三、六、九年级的学生。其目的主要有：①确定学生是学习他们期望所学的；②向全省提供学生在指定学习内容中已经达到省级标准的报告；③协助学校、机关乃至全省监督和提高学生的学习。省级学业成就测试每年开展一次，三年级的监测项目包含法语语言文学和数学；六年级和九年级监测项目包含法语语言文学、数学科学和社会学；九年级考试成绩基于知识和就业能力项目（Knowledge and Employ Ability Programs），对英语语言文学、数学科学和社会学进行测试。

文凭考试项目对象是十二年级的学生。该项目在为艾伯塔省学生提供世界水平的高中文凭中起着重要的作用，同时，也在推进艾伯塔省实现激励教育的愿景和价值观，保持卓越教育体系的同时提供更多的教育机会，有助于帮助学生实现公平和公正的选择。

3. 不列颠哥伦比亚省教育质量监测

不列颠哥伦比亚省的省级教育质量监测主要是对学生的知识、理解和能力进行评估，有省级考试和基础技能评估两种形式。其中，省级考试主要在十年级、十一年级和十二年级中进行，学生需要参加5个学科省级考试。基础技能评估主要评价对象是公立学校和政府资助的私立学校的四年级和七年级学生。该项评估旨在帮助学生提高阅读理解、写作和算术成绩。该项评估每年开展一次。[①]

① 胡军，刘万岑．加拿大基础教育[M].上海：同济大学出版社，2015：159-161.

四、校级层面的教育质量评估

加拿大还注重在学校层面对学生的日常学业成绩开展评估。以下将以安大略省为例进行介绍。安大略省要求各校教师对1—12年级学生的在校学业成就进行评价，主要有两个方面：一是对学生学习技能与工作习惯进行整体评估与评价，二是基于各学科课程期望表现标准对学生学业成就做出评估与评价。

学习技能与工作习惯（1—12年级）评定包括六个维度，每一维度包括若干行为表现，作为教师评定的依据。这六个方面具体包括：责任感、组织能力、独立工作能力、合作能力、主观能动性、自我控制能力。教师根据上述评价指标对学生学习技能与工作习惯的发展做出发展性评价，评价结果分为E（Excellent，优秀）、G（Good，良好）、S（Satisfactory，满意）和N（Needs Improvement，需要改进）四个等级。

基于表现标准的学业成就评价，主要是各省教育厅根据本省课程标准中的课程期望和表现标准设计的学生学业成就评定表来进行评定的。学生学业成就评价结果在不同学段有不同要求。1—6年级学生的学科成绩采用等级评定，7—12年级采用百分数评定（见表2-3）。

表 2-3　成绩评定水平与等级制和百分制之间的转化[①]

评定等级（1—6 年级）	百分制（7—12 年级）
A+	95—100
A-	87—94
A	80—86
B+	77—79
B-	73—76
B	70—72
C+	67—69

① 胡军，刘万岑. 加拿大基础教育[M].上海：同济大学出版社，2015：158.

续表

评定等级（1—6 年级）	百分制（7—12 年级）
C-	63—66
C	60—62
D+	57—59
D-	53—56
D	50—52

评价结果使用成绩报告单来呈现。成绩报告单主要包括学生学习技能与工作习惯发展评价，学生各科学业成就评价。主任教师根据这两部分的成绩评定，对每个学生写出详细的评语，这些评语是主任教师平时记录的学生日常学习及活动中的表现、学业成绩，尤其是代表性的行为点滴综合而成的。一般要充分鼓励学生发展某方面特长，提出学生今后努力的方向和具体的改进建议。在报告单中，还有学生自我评价栏、家长意见栏和签字栏，教师和校长也要在报告单上签字。报告每学期两次，分为期中报告和期末报告。学业成绩报告属学生个人隐私，由主任教师装入信封，交由学生带给家长或监护人。

目前，在基础教育质量监测与评价方面，加拿大已形成了国际层面—国家层面—省级层面—校级层面的四级立体监测与评价体系，从而有效地保障了基础教育质量。教育质量监测体系严密，结构完整，评价指标精细、严谨，评价策略和方法多元。通过分学段制订具体的评价指标，不断改进评价手段和工具，力求客观、全面地评价学生的学业发展水平，以全方位了解学生、学校、不同省（市）及加拿大的学生学业表现及其在全球国家中的位置。加拿大基础教育质量监测评价结果以期望要求、标准、报告等形式，呈现在政策建议、课程标准及成绩反馈之中，相关各方通过评估结果来改进各自的教育行动方案，从而实现保障和提升教育质量的目标。加拿大基础教育在全球中的突出表现，无疑是与其注重基础教育课程质量的监测评价体系密不可分的。

第三章　加拿大职业教育治理

加拿大的职业教育十分发达，职业院校的普及率较高。至2018年，加拿大全国人口有3600多万，[①]而各类职业院校数量超过2000所。加拿大职业教育具有市场导向、服务社区经济发展需要的特点，在促进各地区社会、经济发展和满足人们终身学习的需要中发挥了重要作用。因此，加拿大职业教育尤其是高等职业教育在社会上影响非常大，社会认可度极高。

第一节　职业教育治理的发展历程

加拿大职业教育的起源可以追溯到17世纪之前。为了让毫无经验的殖民者可以尽快实现自给自足，新法兰西管理者和主教建立了兼顾产业和贸易的中级学校。由于当时社会普遍认为，教育是偏向学术的，因此，这些学校的影响并不大。加拿大自治领成立之时，职业教育就被列为加拿大政府的关注焦点之一。早期加拿大的职业教育主要是农业合作推广教育。这种成人职业教育是注重实效，并直接服务于当地经济发展的。这一时期，在加拿大公立学校系统内，也曾出现职业培训。由于通常被认为是那些智力先天不足，无法接受中学教育的人的最佳选择，这种职教模式导致中学内部出现“双轨制”，因此，该制度在加拿大公众中的支持度不高。[②]

20世纪初至20世纪60年代，是加拿大职业教育发展的起步阶段。这一时期，加拿大社会开始由农业化社会向工业化社会转型。传统的职业技

① Countries in the World by Population（2018）［EB/OL］. http://www. worldometers. info/world-population/canada-population/.

② 威廉·戴依 . 加拿大的职业技术教育［J］. 中国职业技术教育，1994（2）:32.

能教育已经无法满足技术进步的需要。1910年，应各劳工组织的要求，联邦政府成立了职业培训与技术教育专门调查委员会（Royal Commission on Industrial Training and Technical Education），由詹姆斯·罗伯逊（James W. Robertson）教授任该委员会主席。1913年，该委员会在报告中提出，联邦政府应当对手工艺教育和青少年及成人的职业教育提供经费支持，尽管实际上这些职业教育本该由各省自行管理。由于当时加拿大仍是一个农业国家，议会成员大多为农业选区代表，加拿大议会几乎人人赞成对农业职业教育提供基金支持。[①]因此，农业教育成为最早获得联邦基金支持的职业教育范畴之一。

在1913年职业培训与技术教育专门调查委员会的报告出台之前，联邦政府已于1912年颁布了《农业资助法案》（Agricultural Aid Act），于1913年早期颁布了《农业指导法案》（Agricultural Instruction Act）。前者规定，联邦政府每年拨款50万加元支持加拿大农业教育；后者则宣布政府在未来10年内将拨款1000万加元用以支持在加拿大全国推广农业教育。资金根据各省人口比例拨款到各省，由各省自主调配。艾伯塔省、魁北克省、安大略省利用联邦政府的拨款分别创建了多所农业大学，加拿大大多数省份还在公立学校中开展了不同形式的农业教育。

一战结束后，为了改变加拿大工业相对薄弱的状况，加拿大联邦政府于1919年应急出台了《职业技术教育法案》（Technical Education Act），这是第一部指导加拿大职业教育发展的立法。该法案被广泛认为是联邦政府对中等教育资助的开始。[②]该法案规定，此后10年，联邦政府将拨款1000万加元，用以推动各省中学职业技术教育的发展。然而，与对农业教育的拨款相比，联邦政府的此项拨款条件相当苛刻，事实上将经济相对落后的省份排除在拨款范围之外。至1929年3月31日，加拿大全国仅有安大略省获得了加拿大联邦用于职业技术教育的拨款。由此，安大略省的职业技术教育的发展比其他

① Dictionary of Canadian Biology. [EB/OL]. http://www. biographi. ca/en/bio/robertson_james_wilson_15E. html.

② 1919 Technical Education Act. [EB/OL]. http://www. 1845rr1945. ca/timeline/themes/educational_reform/technical_education_act.

经济落后、工业不发达的省份领先了一大步。至1944年后，其他省份才得以与安大略省一起享有联邦政府的职业教育拨款。

20世纪30年代世界性的经济危机，使加拿大各省经济遭受重创。受经济危机的影响，加拿大联邦政府在推动职业教育发展方面出台了几项法规。1931年通过的《职业教育法案》，旨在为各省职业教育提供更多的资助，但由于种种原因，资金始终难以到位。1937年出台了《农业资助法案》（Agricultural Assistance Act），1939年出台了《青少年培训法案》（Youth Training Act）以及《全国林业规划》（National Foredtry Program）。这些法案都是联邦政府为解决失业问题而推出的紧急措施和职业教育法案。从此，联邦政府渐渐跻身职业教育领域。

加拿大大规模的中学后职业培训出现在二战以后。二战期间，由于纳粹德国摧毁了英国大部分工业力量，生产重要战备物资的重任就落在了海外英联邦国家的身上。加拿大联邦政府对此很快做出反应。1939年出台了《青少年培训法案》。在《战时条例》（War Measures）的授权下，联邦政府与各省达成协议，于1940年推出了“战时紧急训练计划”（War Emergency Training Program）。该计划的实施不仅为前方的军队培养了军事人才，同时也培养了成千上万的军事工业技术人才。1942年，加拿大联邦政府出台了《职业培训合作法案》（Vocational Training Coordination Act），从此，加拿大公立中学内的职业教育进入了快速发展的时代。法案规定，加拿大联邦政府为现役军人、退伍军人、失业人员以及企业管理人员的职业培训项目提供资金支持，其中，包括在中学开设职业培训课程。劳工部与各省共同承担组织各种职业培训计划的经费，这些职业培训计划包括失业人员的培训、中学的职业教育计划，学徒、工业主管人员以及残障人士培训等。这些教育培训计划和项目都由各省实际操作，由加拿大联邦政府提供资金支持。

1945年，加拿大联邦政府又出台了《职业学校援助协议》（Vocational School Assistance Agreement），为各省创办综合高级中学（Composite High School）提供资金援助。

这一时期，加拿大职业教育发展的主要特点：职业教育培训主要集中在职业学校、技工学校等中等教育层次；培训内容以提供当时社会所需，尤其是制造业所需层次较低的基本工作技能训练或初级入门训练为主。

20世纪60年代至今，是加拿大职业教育发展的第二阶段。1950年代末期的经济萧条，以及由此导致的日渐严重的失业问题也开始促进加拿大职业培训迅速发展。从20世纪60年代起，加拿大开始步入“后工业化社会”。“后工业化社会”的社会经济发展，要求职业教育能培养大批中高级专门人才，并要求职业教育向中学后教育延伸，加拿大企业也开始逐渐介入职业培训。自1960年开始，加拿大联邦政府先后制定了一系列支持职业教育的立法和政策。

1960年，联邦政府推出了《职业技术培训援助法案》（Technical and Vocational Training Assistance Act）。该法案规定，联邦政府劳工部与各省合作，向各省职业教育提供资助。除了鼓励各省现有的职业技术教育计划的实施外，该法案还大力支持职业技术培训、中老年人的工作再培训以及职业技术培训的教师与企业主管的职业技术培训。在联邦政府的资助额度上，一般项目都在50%以上，某些项目甚至达到培训经费总额的75%。这些项目大多为开办职业培训学校和在公立中学增设职业培训课程。《职业技术培训援助法案》主要是为了满足社会经济发展对高水平劳动力的需求而制定的。这项法案不仅仅是针对联邦政府管辖下的高等教育、高等职业技术教育，也包括高中。该法案基于人力资本投资会刺激工业增长的假设，满足了战后新生人口增长所导致的对新学校的需求，在一定程度上减轻了职业教育推行的阻力。①

联邦政府1967年出台了《成人职业教育法案》（Adult Occupational Training Act），1982年出台了《全民培训法案》（National Training Act），1985年颁布了《加拿大职业教育战略》（Canadian Jobs Strategy）等，这些立法与战略极大地推动了加拿大职业教育稳步快速发展，为职业教育走向成熟与完善打下了坚实的基础。

综上所述，加拿大职业技术教育在20世纪五六十年代进入了迅速发展的时代。联邦政府通过颁布一系列法令法规，与各省政府共同合作，使职业技术教育的发展更加完善。职业培训课程从最初的单纯农业职业教育发展到职

---

① Alison Taylor. Vocational Education in Canada [M]. Oxford: Oxford University Press, 2016: 36.

业技术教育，再到商业培训。在此过程中，联邦政府与各省教育部门还加大了对职业培训师资培养的力度，为加拿大公立职业技术教育的发展翻开了新的篇章。

第二节　职业教育治理体系

一、职业教育体系

经过近百年的发展，尤其是历经20世纪后期的快速发展，加拿大已形成了社会多方参与、特色鲜明的职业教育体系。在办学性质上，加拿大职业教育可分为私立和公立两大类，前者主要是私立职业技术院校和行业职业技能培训机构，后者主要是指各省的社区学院及大学学院。从职业教育层次上看，可分为初、中级的基本职业技能培训和高级职业技术培训。从办学层次来看，加拿大职业教育可分为中学阶段职业技术教育和高中后阶段职业技术教育两个层次。中学阶段的职业教育在普通中学、职业学校或职业中学完成。其中，在普通中学普遍开设了有关职业技术教育的选修课程，为一部分中学生毕业后继续进入职业教育、培训机构学习或者直接工作提供必备的基础知识。承担中学后阶段的职业教育的机构主要有三类，分别是社区学院（Community College）、职业学院和培训机构（Career College or Skill Training Institution）、大学学院（University College）。

总体来看，在办学形式上，加拿大职业教育采取学历教育和非学历教育相结合、普通教育和继续教育相结合、全日制教育和短期培训相结合、理论教育和技能教育相结合的多种教育形式，形成了多元化、多规格的办学体系。

1. 社区学院

社区学院是加拿大中学后阶段职业教育的主体，也是加拿大培养现代职业技术人才的主要力量。1948年起，社区学院是各省教育部门对原有的私立学院、公共技术学院、职业学校、技工学校等进行整合组建而成的，旨在提供能满足当地社区发展需要的现代化职业技术培训。20世纪60年代，各省社区学院统一纳入到各省的公共教育体系，因此社区学院一般能获得各省财政经费的支持。社区学院的生源通常是学校所在地的应届、非应届毕业生及社区人士，部分学生毕业后可获得大学学位。

加拿大各省社区学院办学目标：主要是培养具备高级职业技能、面向生产一线的应用型人才，对需要获得进一步职业技能的在职人员和失业人员进行培训，为社会各阶层人士提供灵活多样的职业教育，并为应用性技术的研究和发展提供支持，最终满足社会经济发展对人才的需求。社区学院集职业教育功能、继续教育功能、学历教育功能、社区服务功能四种功能于一身。①

加拿大社区学院职业教育、成人教育、普通教育的沟通是通过多样化的课程实现的。社区学院开设全日制和短期课程，面向高中毕业生和社会在职人士；开设有两至三年的文凭课程和一年或更短的技能证书课程。此外，社区学院提供的短期就业课程包括学徒训练和继续教育。②具体而言，社区学院的课程大致可分为以下几类：①为直接就业做准备的短期职业培训课程；②学徒工培训课程；③专科层次的职业文凭课程；④成人基本技能培训课程；⑤合同课程；⑥大学转学课程；⑦普通学术课程；⑧个人兴趣与社区发展课程；⑨成人补习课程。③由于加拿大社区学院以培养满足社区需要的应用型人才为原则，以学生为中心，以就业为导向，以能力为重点，开设各类职业教育课程，覆盖多数社会企业急需的职业技术领域。加拿大社区学院课程的综合性，使职业教育、成人教育、普通教育沟通便捷，增强了职业教育的吸引力。学生毕业之后就业率高，因而受到民众的普遍欢迎。④

总体上看，加拿大社区学院主要有三种模式：①安大略模式。社区学院

① The Council of Ministers of Education, Canada. The Development of Education in Canada [EB/OL]. http: //www. cmec. ca 2001-9/2003-7.

② Community Colleges In Canada. [EB/OL]. http: //www. schoolsincanada. com/Community-Colleges-In-Canada. cfm.

③ Community Colleges. [EB/OL]. https: //www. thecanadianencyclopedia. ca/en/article/community-college/.

④ 吴雪萍，王艳玲 . 加拿大高等职业教育发达原因探析 [J]. 高等工程教育研究，2005 (1)：88-89.

属于省政府政策与管理的一部分，发展规划受省政府支配，是一个独立的教育体系，设有董事会与理事会，学制3年。课程综合化程度高，特别强调动手能力，其文凭不同于大学的文凭。现在社区学院也开始在省学位委员会注册，部分社区学院允许授予15%的学生应用学士学位。②魁北克模式。社区学院主要是作为中学与大学的过渡，学生在社区学院学习两年后升入大学；如果不升入大学，社区学院第三年提供职业教育。③不列颠哥伦比亚模式。社区学院主要是为了增加学生接受大学教育的机会，学生先到社区学院就读，再入读大学。社区学院也提供一些职业资格培训项目。

总之，社区学院既充分考虑了加拿大各地经济社会发展需要与社区人员接受大众化教育的需求，依社区而设，入学门槛较低，学制灵活，学费低廉，且教学内容新，讲求实用，专业面广，办学的服务面向和办学特色等方面具有鲜明的地域特征。

2. 职业学院和培训机构

加拿大职业学院和培训机构是行业或企业主办的，多属私立性质。职业学院则主要由行业协会或企业进行管理，政府进行监督。这些机构也是加拿大高等教育不可分割的一部分，其发展至今已有上百年的历史，其中不乏有在国际上享有盛誉的名校。加拿大全国共有私立职业教育机构和学院2000多所，仅安大略省就有近500所。[1]私立职业教育学院的办学宗旨是通过尽可能短的时间，使学员掌握某特定领域的技能。因此，私立职业教育学院也开设全日制大专文凭课程，但一般授课时间比社区学院要短，且更加注重职业技能培养和岗位技能培训，专业和课程设置更加灵活，更能紧密结合社会经济发展对人才的需求。学生在职业学院中选修课程，但毕业后不能获得学位证书。

3. 大学学院

大学学院就是在大学校园内同时开设研究型和应用型专业课程，通常是本科学院。大学学院最突出的特点是能将职业学院课程和大学课程相结合，

① Canada's Private Colleges: The Lesser Known Players in Postsecondary Education. [EB/OL]. https://www150.statcan.gc.ca/n1/pub/11-621-m/11-621-m2006036-eng.htm.

为职业院校学生升入大学学习提供通道。从学历和学位来看，大学学院既可颁发大学学位，又可以颁发普通课程文凭和专业证书。在管理上，一般实行学院董事会（Board of Governors）和学院教务会或评议会（Senate）组成的“两院制”双层管理模式，与一般本科大学类似。这类学院的数量并不多。

加拿大的高等职业教育是面向全民的，其学制、学历机制灵活。这在其学制和学历学位授予上体现得非常明显。就学历形式而言，目前，加拿大职业教育主要有以下6种基本形式，能够满足不同需求的学习者。

①大专专业证书班（Certificate Programs）。大多数加拿大社区学院都开设这种大专教育班。这种教育形式以传授专业技能为主，岗位针对性极强；时间短，一般学制一年；开学时间灵活（大部分每年9月开学，也有1月或5月份开学的）；见效快，学生毕业后还可获得一年制大专专业证书文凭，毕业后可直接进入人力资源市场，较快地获得工作，因而受到加拿大民众的普遍欢迎。

②两年或三年大专文凭全日制教育（Diplomas Programs）。通过该项教育，学生可系统地学习专业理论和专业技能，毕业后，可获得大专文凭，但不授予学位。

③四年制本科前期教育（Degree Programs）。部分加拿大社区学院与大学共同签署联合办学或学分转移协议，学生毕业后有意继续深造，不需考试就可进入签订学分转移协议的大学学习。据统计，在社区学院学习的学生中，有20%的人可转入四年制大学学习。如乔治布朗学院（George Brown College，加拿大最具有代表性的社区学院）酒店管理专业的毕业生，第三年可进入艾伯塔省的卡尔加里大学（Calgery University）学习酒店与度假区管理学士学位课程；工商管理专业的毕业生可进入安大略省的湖首大学（Lakehead University）学习工商学士学位课程；机械工程技术专业学生可以在第三年申请进入大学就读，优秀毕业生可以直接进入马克马斯特大学（McMaster University）的技术类本科项目和湖首大学的工程类项目深造。①乔治布朗学院还与多伦多大学合作建立了一个建筑和工程技术中心，该中心

① https://www. georgebrown. ca/t121-2018-2019/.

可以向这两个学校的自然和工程学院以及机械工程技术学院的学生提供研究项目，以便他们学习航天知识，以提高他们的知识技术水平。①同样，社区学院也承认大学相关课程的学分。这样，就在高职教育与普通高等教育之间架起了沟通桥梁，从而实现了高职教育与普通高等教育的相互贯通和双向流动。学生高中毕业后无论怎么分流都有进入大学学习的机会，普通高校的学生也可以根据就业需要参加社区学院职业技能培训。

④研究生证书专业教育（Gratuate Certificate Programs）。1992年，为适应加拿大与东南亚各国贸易不断扩大的需要，乔治布朗学院开设了“东南亚国际贸易专业”研究生证书专业班，学生结业后从事与东南亚各国贸易的工作。目前，已向大学和大专毕业生开放多种专业8个月至1年（2学期）制的研究生证书专业班，旨在完善学生在专门行业领域的高级技能。②

⑤国际教育。在多元文化的国际环境中，加拿大社区学院与世界许多国家的社区学院或技术学院建立了广泛的合作关系，招收国际学生，开展国际教育。对于国际生，在申请大学之前，大多需要英语或者法语水平的证明，以托福（TOFEL）为主，或者是学校自己的语言认证考试，或者是雅思（IELETS）、托业（TOEIC）、CAEL（Canadian Academic English Language）一类的其他语言认证考试。高中毕业或具有同等学历，托福成绩550分以上或雅思6.0分以上均可录取。如果英语成绩不佳，可参加学院英语强化培训。入学之后，通过英语程度测试并进入相应级别的语言学习。不同的大学对于英语的要求不同，需要学生自己查阅资料，了解情况。大部分学生从第四、五、六级开始，接受平均为期6个月的强化培训，进行升级阶段学习，考核合格后方可进入专业学习。③

⑥辅修专业。全日制学生也可利用晚上和周末选择其他辅修课程，获取

① George Brown–University of Toronto Partnership［EB/OL］. https://www. georgebrown. ca/construction–engineering–technologies/dynamic–partnership–with–university–of–toronto/.

② https://www. georgebrown. ca/b411–2018–2019/.

③ Preparing For Community College In Canada［EB/OL］. http://www. schoolsincanada. com/Preparing–for–Community–College–in–Canada. cfm.

多种职业技能，以满足多种职业岗位对人才的需求。①

加拿大职业院校的专业设置、课程标准严谨规范，其制定过程基本如下：高等教育和技能发展部（Ministry of Advanced Education and Skills Development，原为培训、学院和大学管理委员会）②制定专业细则和省级课程标准，各学院通过论证制定本校各个专业的大纲、课程标准，学科教师负责制定每节课的授课大纲。在各类课程标准的制定过程中一般要考虑以下几个方面的因素：政府的指导性要求、行业发展趋势、工厂公司的需求、股东的投入、学院自身的政策和措施、技术资源等。③加拿大职业教育课程的开发采用的是由加拿大20世纪60年代开发的DACUM（Developing a Curriculum）职业分析法，其特点是从社会实际需求出发，与行业协会和用人单位合作，以能力培养为基础设计职业教育课程。④加拿大各省职业教育课程标准突出学生的素质能力培养，其核心是：职业教育必须帮助学生既具备与就业有直接帮助的技能，又具备坚实的理论基础和终身学习的能力。

加拿大高职教育之所以十分受欢迎，是与加拿大高职教育非常注重学生就业技能的培养分不开的。学生毕业后都有一技之长，因而就业率高。如安大略省高职学院十分重视学生三类就业技能的培养：第一，基本技能。包括沟通能力、信息处理能力、数字使用能力，即利用各种工具发现记录数据，预估分析数据的能力，思考和解决问题的能力等。第二，个人管理技能。主要包括表现出正确的态度和行为，负责任，乐于持续学习，设定并且实现学习目标等。第三，团队合作能力。主要指与他人合作，相信集体智慧，积极参与项目和接受任务等。⑤

---

① 吴建设．加拿大高等职业教育的多元学制课程分析及其启示［J］．高等教育研究，2006（12）：55-57.

② Ministry of Training, Colleges and Universities. https://carleton.ca/coris/funding-sources/externalfunding/provincial-funding/ministry-of-training-colleges-and-universities-mtcu/.

③ Ministry of Training, Colleges and Universities［EB/OL］. https://en.wikipedia.org/wiki/Ministry_of_Advanced_Education_and_Skills_Development.

④ CVA Dacum model presentation［EB/OL］. http://cva-acfp.org/training-and-workshops/cva-dacum-model-presentation/.

⑤ 杨琴．加拿大安大略省高职教育的特征及启示［J］．职业教育，2015（12下）：13-14.

加拿大职业技术学院的办学资金来源多元，通常情况下，主要有三个渠道：政府拨款、行业企业资助以及学生所交学费。其中，政府划拨的经费是学院办学经费的主体。在社会参与机制的推动下，社区学院、企业和行业协会都是职业教育经费的筹措主体。社区学院主要由董事会及校长利用自身的影响力来筹措职业教育经费，有时也通过设立基金来筹措职业教育经费，如多伦多市的乔治布朗学院的乔治布朗基金。行业协会主要采取向社区学院提供技术捐助的方式来筹措经费。据有关统计，加拿大社会及工商企业向社区学院的捐助占社区学院办学经费总额的15%—40%。①

二、职业教育治理的主要内容

作为联邦制国家，加拿大实行联邦、省和市（学区）三级政府治理体系。各省区政府具有相对独立的立法和行政管辖权。1867年，联邦宪法规定教育由各省管辖。各省区均设有适用于本地区特点的教育管理部门，制定符合各省区实际的教育法律、法规。各省区教育法规的制定通常由立法委员会负责，省教育管理部门负责制定各层次教育发展规划、教育质量监管、师资培训、教育拨款等各项决策。从对职业教育的管理权限分配来看，加拿大职业教育主要归属各省教育主管部门负责管理。同时，各省政府设置特定机构管理本省的职业教育。联邦政府以及各种非官方或准官方组织也对职业教育提供间接支持、引导和多样化的服务。

（一）联邦政府对职业教育的间接支持和引导

加拿大联邦政府不设教育部，联邦政府不对职业教育内部事务进行直接管理，只依据各项立法及财政拨款对职业教育进行间接支持和引导。联邦政府对职业教育的管理主要由一个政府组织——联邦人力资源与培训部（Human Resources and Skills Development Canada）和一个政府间组织——加拿大教育厅厅长理事会执行。一般情况下，政府拨款至联邦人力资源与培训部，该部每年通过设立多种面向社会人士和职业学校的职业技能培训项

① John D. Dennison, Paul Gallagher. Canada's Community Colleges: A Critical Ananlysis of University of British [M]. Columbia Press, 2004:39.

目，以此来实现对职业教育的管理与服务。加拿大联邦政府对职业学校其余部分的拨款是将资金划拨各省，由各省政府根据实际情况拨款给各职业学校。加拿大教育厅厅长理事会最基本的职能是综合协调、沟通合作。对外主要是进行国际教育交流，对内主要是在职业资格鉴定、学生技能评估、学校办学质量评估等方面推动本国职业教育的发展。加拿大联邦政府还通过一些项目，对职业教育发展发挥间接影响和导向作用。如就业保险计划，就是加拿大联邦政府向各职业技术学院或职业培训机构购买就业培训服务，提供培训经费，并以教育贷款、助学金等方式向接受职业教育和培训的学员提供资助。学徒培训计划，是由联邦政府提供经费开展的学徒培训项目，该项目分为两个阶段，即由社区学院实施的课堂培训和由用人单位负责的实地培训，培训合格者可获得全国统一的职业技能资格证书。①

（二）省级政府对职业教育的实质性治理

为了促进职业教育的发展，加拿大大多数省份如安大略省、艾伯塔省都设置了专门的职业教育管理部门，各个省的职业教育管理部门称谓不同，例如安大略省专门管理职业教育的部门是“Ministry of Advanced Education，Skills & Training”，艾伯塔省则称为“The Ministry of Advanced Education”。虽然称谓不同，但职责基本一样。该部门和各省教育厅一起对本省的职业教育进行管理。与省教育厅一样，该部门属省政府管辖。安大略省职业教育在加拿大最为发达，故下文以安大略省的职业教育的管理体制为例介绍加拿大的职业教育治理的部门设置。

安大略省专门管理职业教育的部门为高等教育技能及培训部（Ministry of Advanced Education，Skills & Training），下设五个分支机构，其中，就业和培训处（Employment and Training Division），主要是为有意接受职业培训的人（主要是职业学校的学生）提供多样化的就业培训项目，以增强学生的职业能力和社会竞争力；战略政策和培训处（Strategic Policy and

① 王鹏飞，李桃 . 加拿大职业教育的管理机制及与政府间关系［J］. 成人教育，2008（11）：87-88.

Programs Division），主要是与立法机构合作，制定与职业教育有关的法律及相应的政策，以保障职业教育的长远发展；高中后教育处（Post Secondary Education Division），是面向高等教育阶段的职业学院，主要是对这些办学机构授予学位的权限以及私立学校注册进行审批，对高等职业学院的专业、教材、课程设置等拥有监督建议权，并负责将省级立法机关划拨的资金分配到各高等职业学校；企业管理服务处（Corporate Management and Services Division），主要是为校企合作提供政策、项目和服务支持，促进校企合作中相关问题的解决。此外，在使用法语及原住民聚集的省份，还设有法语、原住民学习研究处（French Language，Aboriginal Learning and Research Division），专门负责法语区和原住民的职业教育。

为保证省内职业教育的良性发展，以适应经济发展的需要，大部分省除设有专门的职业教育管理机构负责本省职业教育与就业培训的管理外，还在教育厅开设若干部门。如安大略省教育厅下设多个负责职业教育管理的部门。其中，学习与课务处（Learning and Curriculum Division），主要负责规划职业学校课程、审核教材、管理组织考试；教学及领导力发展处（Instruction and Leadership Development Division）主要负责制定教育政策、培训教师、认证教师资格等事务；财务管理处（Business and Finance Division），主要负责核定各级职业学校教育成本、掌管职业教育经费；合作管理服务处（Corporate Management and services Division），主要负责为职业学校提供省内乃至全国的人力资源情况，促进校企合作，并为职业学校发展过程中出现的各种问题提供法律援助；教育质量与评估办公室（Education Quality and Accountability Office），主要受省政府管理，专门负责为教育厅提供职业教育质量参考标准和评估意见。①

总体而论，加拿大省级政府部门对职业教育的管理职能主要体现在传达政府方针政策，配合立法机关制定职业教育法规，制定私立职业技术学院统一注册标准，负责对职业院校的拨款，确立职业院校课程设置标准，促进职

① 李兴洲，肖珊，朱明．加拿大职业教育管理体制的特色探析［J］．教育研究，2014（9）：127-133.

业院校教育质量提高等宏观管理和服务方面。①

（三）教育董事会对职业教育的微观治理

加拿大省以下级别的教育事宜按学区进行管理，各学区设立教育董事会，作为学区的教育行政管理机构。教育董事会对职业教育的管理范围包括聘用教师、维护建筑、分配教育拨款等。如多伦多学区教育董事会下设27个委员会，负责管理该学区教育日常事务，其中，管理职业教育的部门主要有7个：行政、财务和问责委员会，计划和学校服务委员会，人力资源和专业学习委员会，运营和设施管理委员会，审核委员会，社区使用的学校咨询委员会，多伦多学生成功基金会。这些机构具体负责管理辖区内职业教育的财政、学校发展规划、人才配置、设备使用、教材及课程设置审核、质量资格审核、学生奖助学金等多方面内容。从管理体制来看，中学后阶段的职业教育归属各省学区董事会管理，各学区董事会一般设立由10人左右组成的管理委员会承担具体的管理工作。管理委员会成员包括企业界人士、社会人士、各类专家、政府官员、教师、学生、家长等人员，任期为3年，不同成员有不同的职责分工。②

加拿大地方政府对职业院校的管理，体现了全社会协同办职业教育的特色服务导向、民主决策的特色，保障了职业教育治理的专业性，有利于提升职业教育在社会各界的认可度和社会声誉，从而为各职业院校提供实质性的、有针对性的服务。

（四）非政府组织参与职业教育治理

在加拿大各级各类教育中，职业教育是与社会发展联系最为紧密的教育形式。加拿大社会普遍认为，发达的职业教育是加拿大经济增长的重要保障。加拿大职业教育高度发达的背后是社会各方对职业教育的直接参与和沟通协调。因此，一些半官方或非官方、非营利性的教育服务机构积极参与职业教育治理中来。除了加拿大教育厅厅长理事会外，加拿大社区学

① Clarke, Linda. Vocational Education:International Per-spectives and Development [M]. Routledge, 2007: 37.

② DSB. Toronto District School Board Organization [EB/OL]. http://www. tdsb. on. ca/_site/ViewItem. asp?siteid=88&menuid=417&pageid= 325. 2012-12-21/2013-03-04.

院协会（Association of Canadian Community Colleges）、国家职业院校协会（National Association of Career Colleges）、加拿大大学与学院协会（The Association of Universities and Colleges of Canada）、加拿大职业工程师理事会（Canadian Council of Professional Engineers）、加拿大国际教育局（The Canadian Bureau for International Education）等机构具有较大的影响力。理事会是这些机构的最高决策层，一般由常设办事机构负责日常管理和运作，主要功能是为各省教育主管部门以及各省高校提供相互间的协调、游说政府支持并影响政府拨款、构建信息平台、进行教育政策研究、开发国内外市场和提供其他服务，它们在加拿大教育系统的运行中发挥着联系者、咨询者、润滑剂和缓冲器的作用，使加拿大社会各方包括加拿大联邦政府与地方政府、各高等教育和职业教育办学机构、非政府组织和各社会企业之间相互协调、合作参与职业教育治理。此外，加拿大的行业协会、企业也都从不同的方面参与职业教育治理过程。在职业教育社会参与机制的推动下，加拿大社会多方积极参与职业教育，筹措职业教育经费，共同研究职业教育事宜，使职业学校的办学条件不断得到改善。职业教育的专业级课程设置乃至教学内容，都与社会对人才的实际需求紧密结合，有利于培养社会需要的职业技术人才。

（五）职业学校内部的教育治理体系

学校内部管理体制体现了学校内部管理机构的地位作用、权责范围及相互关系。加拿大各职业院校在内部治理上都享有较大的自主权。下文将以社区学院为例介绍加拿大职业学院的内部治理结构。加拿大社区学院实行执行权、决策权和监督权三权分立，以及校长、董事会和学院委员会分工合作的内部管理体制。这种相对独立的内部管理机制有利于充分调动学校自主办学的主动性和创造性，有利于推动各职业院校进行特色办学。

董事会。加拿大职业学院董事会的职能主要集中在对学院诸事务的宏观管理及重大决策上，如筹措资金、制订预算方案、监督学院资金使用、保证学院运行符合法律规范等。按照学校董事会法案，董事会成员均由全体学生或相关教职人员民主选举产生，人数在12—20人之间。成员必须包括学生代表、教师代表、行政人员和后勤教辅人员各1名。校长原则上为董事会成员，但不具有投票权。董事会成员首次任命一般不超过3年，3年后可以续聘，但最多不得超过6年。任期届满后，该董事必须在2年以后才有资格重新获聘。董事会从成员中选举出主席和副主席各1名。如成员身份不再为学生或教职员工时，其成员资格应即终止。董事会的主要权力和职责如下：①指导学校发展方向；②聘用校长；③制定学校日常运作、管理政策；④制订学院预算；⑤批准学校计划，监督计划执行；⑥确保有效利用财务资源；⑦代表学院与社区沟通；⑧确保学院提供的教学与服务令人满意。[①]

学院委员会。与董事会主要负责宏观战略性问题的规划与决策不同，作为另一个相对独立的管理机构，学院委员会主要负责学院日常性、基层性、具体性事宜的指导和管理，并在参与学校民主决策、民主监督和维护教职工及学生利益等方面发挥着重要的作用。

校长。学校校长由学校董事会、理事会等管理机构自主任命，具体执行董事会的决议，与董事会分工合作，管理学校内部事务。事实上，加拿大各省职业学院负责人的称谓各异且权责有别。从总体上看，学院负责人的权力比较大，负责执行联邦及省政府、省教育管理机构所制定的教育法律、法规及政策等，担任社区学院领导者和管理者的角色。校长常在董事会和学院委员会之间发挥着协调作用。[②]

加拿大社区学院民主自治的内部管理模式促进了管理和决策的民主化和科学化，其决策机构、执行机构和监督机构既分工负责，又相互协作，董事会、校长和学院委员会既权责明晰、各司其职，又互相制约和监督，为履行学院使命、达成办学目标而群策群力。

总之，加拿大职业教育治理体制呈现出一种金字塔型的治理结构：联邦政府主要通过财政和立法支持促进职业教育发展；省级管理部门对职业教育的统筹发展提供直接的指导，承担了大量的职业教育管理工作；学区教育管理部门对学区内职业教育的各方面的具体事务进行监管，承担了更为细致、

① 王鹏飞，李桃．加拿大职业教育的管理机制及与政府间关系［J］．成人教育，2008（11）：87.

② 皮国萃．加拿大社区学院行政管理体制研究［J］．重庆高教研究，2014（3）:97-98.

具体的管理工作；此外，行业协会、企业等社会各方以不同的途径参与职业教育的治理，形成了社会各方协同共治的格局。职业学校内部的治理模式不一，大部分院校的学院董事会和理事会对学校的正常运行提供决策与服务。总体而论，加拿大联邦政府通过简政放权、地方和学校自主管理、民间力量参与等途径，实现了对职业教育的有序、高效治理，彰显了简约服务型治理体制的优势和特色。

三、职业教育治理的特色

加拿大的职业教育治理体制层次分明，功能全面，形成了多方参与的民主的治理体制，具有成熟的、服务性鲜明特色。

（一）明确教育治理的职责边界，充分调动各级政府发展职业教育的积极性

按宪法规定，加拿大联邦政府不对职业教育进行直接的管理和控制，而主要采取立法、拨款和制订、审批项目等间接方式规范和引领职业教育发展方向。省级政府作为承上启下的职能管理部门，主要以省教育厅、高等教育技能及培训厅为代表的两个省一级教育行政部门履行其对职业教育的管理职能。建制齐全、功能强大的各学区董事会则负责更为具体的职业教育管理事务。

联邦政府把具体的管理职能下放到地方的管理方式，极大地简化了行政工作，释放了联邦政府职能部门过重负担和压力，既有利于充分发挥联邦政府政策制定、执行和统筹协调的“掌舵”与服务职能，而又不使其陷于繁杂的事务中难以自拔，而且能增强地方政府发展职业教育的责任感、主动性，调动其办学积极性，为不同地区职业教育的特色发展提供充足空间，从而使各地各校能因地制宜地开展各项职业教育活动。

（二）充分授权，确保各职业学校的办学自主权

从加拿大各职业院校内部治理结构看，各院校都享有较大的办学自主权，学校董事会、理事会等管理机构的成员一般都会吸纳学校内外人士包括行业和社区高层代表以及学生、教学人员、行政人员和后勤人员代表参与，由他们自主任命校长，管理学校内部的各项具体事务。这种相对独立的内部

治理体制有利于激发学校办学的积极性、主动性和创造性，有利于各院校形成办学特色，也是促进学校良性发展的必要条件。

（三）多方共治，引入非政府组织参与职业教育治理

加拿大社会普遍认为，与普通教育相比，职业教育与社会各行各业的联系更为密切，更需要全社会的积极参与和协作。加拿大已形成了职业教育社会参与机制，职业教育已成为加拿大的一项社会性事业。除了政府部门外，加拿大社会行业企业、非政府组织以及其他社会服务机构等都积极支持并参与职业教育的发展。加拿大职业教育发展的一个显著的特点是行业企业对职业教育的广泛参与和坚定支持，职业院校的管理、专业设置、教学手段等诸方面均离不开社会各界的参与与支持。

第一，学院协会引领职业教育发展。加拿大社区学院一部分是公立性质，一部分是私立的。就学院协会而言，它们分属两个协会，私立学院一般属国家职业院校协会（National Association of Career Colleges），其前身为加拿大职业学院协会（Association of Canada Career Colleges）。该组织创建于1896年，所有国家职业院校协会成员都符合其最高监管标准，确保他们的学生接受尽可能好的教育。国家职业院校协会是一个为成员提供管理服务，并为其所管理的职业学院的学生提供支持，旨在保障职业院校成员教育品质的组织。国家职业院校协会的组织呈伞状结构，下面设有省级职业学校协会。国家职业院校协会的成员学校的学生学习广泛的职业技能以为其职业生涯做准备，确保其获得工作竞争力。①

公立社区学院属于加拿大社区学院协会（Association of Canadian Community Colleges），这是加拿大影响最大的职业学院组织，现更名为“College and Institutes Canada”。②加拿大社区学院协会成立于1972年，是一个覆盖加拿大联邦的颇具影响的全国性非营利性机构，由各省社区学院自愿加入。加拿大社区学院协会以发展终身职业教育与学习、促进公民个体身心发展为宗旨，维护会员的共同利益，表达会员的共同诉求。加拿大社区学院协会承担

---

① National Association of Career Colleges [EB/OL]. http://nacc. ca/?.

② Community College [EB/OL]. https://en. wikipedia. org/wiki/Community_college.

的主要任务为：努力保证职业教育在国家人力资源开发中的优先地位，提升职业教育事业在国家经济社会发展中的作用；促进职业教育机构与工商业界、各级政府和各地非政府组织之间的合作，争取更多的资金和促进职业教育发展的优惠政策，提升社区学院在国家经济社会发展中的地位；积极推广以社区为基础的终身现代化职业技术教育；定期、不定期组织全国性、区域性的职业教育论坛，为会员院校提供互相交流的平台；为会员院校拓展海外市场，大力推广会员院校的培训项目，满足加拿大乃至全世界的教育和培训需求，持续倡导由其成员机构和世界各地的合作伙伴创造的创新应用研究、国际发展以及就业或创业机会。①

加拿大大学与学院协会还将加强院校合作视为己任，不断加强大学与社区学院之间的联系与合作，促使社区学院开展大学转学课程、优化和改善学历教育职能，并减轻大学人才培养的工作负担，提高大学教育的效率和效益。

第二，行业协会参与职业教育。在加拿大，行业协会可以分为职业资格类行业协会和工业类行业协会两大类，前者如加拿大注册会计师行业协会，后者如加拿大钢铁工业协会和多伦多建筑学会等。行业协会参与、促进职业教育发展的职能具体表现如下：参与职业院校的专业设置；与职业学院共同开发职业教育课程；参与制订教学大纲，积极支持引导职业院校开设和更新培训课程；利用信息技术增加培训机会；参与职业院校内部管理；对学徒企业实践培训成绩进行鉴定；促成国内各省职业学院之间学分互认；将职业认证体系与职业院校课程紧密结合起来；向职业学院提供技术捐助；维护职业学院教师的合法权益；推动职业学院职业教育的国际化以及行业协会参与组织举办职业技术竞赛；向社会广泛宣传职业学院、行业协会；建立多种咨询委员会，同时还设立青年实习项目等由政府购买的教育培训项目。②

第三，企业与学校合作实现无缝衔接。校企合作是加拿大企业参与职业

---

① ACCC. Vision. Mission. Values and Operating Principles [EB/OL]. http://www. accc. ca/xp/index. php/en/about/vision-mission. 2013-01-05/2013-04-23.

② 王辉. 加拿大行业协会参与职业教育机制研究与启示 [J]. 职业教育研究，2015（11）：88-89.

教育的基本方式。企业深度参与职业教育过程，一方面，企业为职教机构提供教学资源，主要包括向学院捐助办学经费，参与新技术转让，为学生提供实习实训场地，捐赠实训仪器设备，提供专业课兼职教师，向学生提供奖学金和助学金等；另一方面，企业与职业学院开展合作教育，包括校企共建实训基地，开展校企合作研究，共同开发课程，实行在学院学习与企业带薪实习分段交替展开。①

由于社会多方参与，共同研究和治理职业教育发展事宜，使加拿大职业教育教学内容、形式与社会需求紧密结合。在这种各方共治机制下，一方面，加拿大职业学院能够根据社会、企业和市场需求设置专业，科学制定培训内容，又能够根据市场需要选择企业认可的培训手段和方法，使职业教育项目开发能直接服务于社会需要和学生需求；另一方面，在社会多方参与职业教育的机制下，社会用人单位能够更及时、准确地向职业学院反馈其所培养人才的就业率和市场受欢迎程度，为加拿大职业学院面向社会、面向市场改革提供了科学的依据，从而实现市场需要什么人才，学校就培养什么样的专业人才的目标。

第三节　职业教育质量保障体系

加拿大职业教育在发展与改革中，紧密结合国家和当地的社会经济发展需求，其人才培养目标是直接为社区政治、经济、社会发展以及满足人们的多样化需要服务，为各地区、各行业培养了大批专业技术人员。加拿大高质量的职业教育与其完备的职业教育质量保障体系是分不开的。加拿大职业教育质量保障体系可以从以下四个维度进行考察：

一、省教育厅制定课程设置标准

制定课程设置标准是各省教育厅的主要职能之一。为保证职业技术院校

① 刘昌明. 加拿大合作教育模式评介［J］. 煤炭高等教育，2008（5）：74-76.

的教学质量，满足就业市场的实际需要，各省教育主管部门每年轮流对本省职业技术课程进行检查。评审的核心标准是：职业教育必须既使学生具备对就业有直接帮助的技能，又须使学生具备坚实的理论基础和终身学习的能力，二者缺一不可。这些标准具体体现在职业技能标准、类别标准和总体教育标准三个方面。①

表 3-1　加拿大职业教育课程评审标准一览表

类别	内涵及能力指向
职业技能标准	课程在培养与学生就业直接相关的技能上的贡献
类别标准	课程在提升学生总体职业技能，包括沟通能力、数学技能、计算机水平和分析能力上的贡献
总体教育标准	课程在培养学生终身学习和可持续发展技能，包括审美能力、辨别能力、文化鉴赏能力、公民基本道德素质和个人修养等方面的贡献

二、非政府组织或其他教育服务机构对职业教育进行评估和认证

在加拿大的教育治理体系中，半官方或非官方、非营利性的教育服务机构起着重要的作用。这类机构的主要功能是为各省教育主管部门以及各省高校提供相互间的协调、游说政府支持并影响政府拨款、构建信息平台、进行教育政策研究、开发国内外市场和提供其他服务，其中影响最大的是加拿大社区学院协会。在省级层面，安大略省学院协会对于所辖24所应用技术与艺术学院，都具有服务功能，其中，保证教学质量与监督是其主要的职能之一。以安大略省为例，加拿大对于职业学院的教育质量保障之路经历了从评估向认证的发展过程。

1. 职业教育评估体系

随着2002年《应用艺术与技术学院法》（the Colleges of Applied Arts

---

① 党继农．加拿大社区学院的管理模式与启示——以安大略省学院和百年理工学院为例［J］．乌鲁木齐职业大学学报，2012（1）：79.

and Technology Act）的颁布，安大略省的公立学院被要求实施一系列措施来保证学院的教育质量，并且该措施要具备自我监管的能力。因此，安大略省政府在2005年成立了安大略省职业学院质量保障服务机构（Ontario College Quality Assurance Service），为安大略省的职业学院提供有效的评价工具，保证安大略省的应用艺术和技术学院职业教育水平达到特定质量和标准。该机构是由24所安大略省的公立职业学院运营和资助的。虽然这个机构是由安大略省政府授权成立的，但它并不是政府机构，与政府和其他的教育组织没有任何关系。但也正是因为这种独立性，让这个机构可以提供独立的、直接的、公平的、无偏见的咨询服务和指导工作。该机构最初就是在1965年，由威廉姆·戴维斯（William Davis）所倡导的，区别于大学的学校，服从省级管理，由每个学校自己的治理委员会和当地社区选出的代表以及当地工业界代表构成，保证学院可以满足当地社区的需求。

安大略省职业学院质量保障服务机构的职责：保障专业标准认证项目（the Credentials Validation Service）和专业（学院）质量保障过程评估（Program Quality Assurance Process Audit/College Quality Assurance Audit Process）的有效性。为了保证安大略省职业学院质量保障服务机构的持续改进、良好的运营及服务的可靠性，还要定期对管理委员会进行审查和外部评审。这些外部的评审副本，都对外公开。管理委员会也会定期召开会议，为其员工和服务工作制定政策和战略，其日常运营由安大略省学院（College Ontario）监督。

2. 安大略省职业学院质量保障服务机构两个评估项目介绍

（1）专业质量保障过程评估项目

专业质量保障过程评估，最初（2003—2005）是由政府和学校相关部门联合运行的。项目最初在5所学校进行试点运行，在2006年秋天，这个项目由William Massy博士进行评估，评估结论是这个项目体现了全球的最好做法，并且完全可以满足当时安大略省职业学院的发展需求。通过安大略省职业学院质量保障服务机构的持续努力，安大略省的公立职业学院逐渐建立了一系列执行力强大、广受欢迎的、有效的评审过程，如专业质量保障过程评估、学院质量保障评审过程项目。2010年，在安大略省职业学院质量保障服务机构已经做了大量积累的情况下，John Randall博士使用国际认证标准，对专业质量保障过程评估和学院质量保障评审过程模型进行外部的审查和评估，并于2011年获得了国际高等教育（这里指高中后教育）质量评估机构网络（International Network of Quality Assurance Agencies in Higher Education）的认可，认定专业质量保障过程评估和学院质量保障评审过程符合其指导原则，认定其为国际高等教育质量评估机构网络的指定认证机构。

专业质量保障过程评估是由政府委托专家评审团每5年进行一次的专业质量评价。专家组根据安大略省颁布的专业质量保障标准体系入校实地考察后，向董事会递交评价报告，提出整改意见，并责成学院限期整改。[①]该项评估是安大略省职业教育质量的重要保障措施。

（2）学院质量保障评审过程项目

学院质量保障评审过程是一个制度化的评估过程，需要涉及每所学院的质量保障机构定期参加审查。该评审的评价标准，由安大略省学院评估体系提供，以促进学院发展为目的，保障学院的专业发展可以持续改进。为了保障评估水平，作为学院质量保障评审过程质量评审的一部分，安大略省职业学院质量保障服务机构还定期为成员、非成员高校提供持续的培训和咨询服务，帮助他们准备评审文件和提高其评审文件的水平。

学院质量保障评审过程的评估流程（2016年）如下：

通知评估—提交学校的专业列表—完成自评报告/非正式—提交自评报告—确认现场评审时间和审查组成员—复查自评报告和后续的问题—准备现场评估—现场评估—准备并提交最初的评估报告—复查最初的评估报告—递交最终的评估报告—正式的董事会批准—（递交过程）—形成最终的报告并公开评估意见—后续报告。最终公开的评估结果包括评估意见和后续改进报告两个部分。

评估意见一般包括以下几个部分：

①被评估学校的概括性、总结性介绍。

① 赵振江．中加职业教育质量保障体系比较研究——以加拿大德恒学院为例［J］．职业教育研究，2015（11）：85-86.

②结论。分为两部分，一是评估结果（分为三种情况：达标、部分达标、未达标），二是评估决定（分三种情况：成熟的、有效的、正规的）。

③详细列出该学校在质量保障环节中值得其他学校学习、效仿和推广的部分。

④意见。清楚且详细地列出学校自评过程中被认为薄弱的、需要提高（包括具体的解决计划）的部分。

⑤建议。清楚且详细列出该学校需要提高的地方，包括学校自评报告中提出的重点关注的领域、尚没有制订改进计划的部分。

⑥后续改进报告。针对评审中的意见和建议，逐条填写学校的改进措施以及最新的与质量保障机制相关的工作。

3. 加拿大职业教育质量认证体系

在安大略省，目前有四个与质量相关的组织在影响高等教育，包括：安大略省职业学院质量保障服务机构、安大略省大学质量保障委员会（Ontario University Council on Quality Assurance）、高中后教育质量保障委员会（the Post-secondary Education Quality Assurance Board）以及安大略省高等教育质量委员会（Higher Education Quality Council of Ontario）。其中安大略省职业学院质量保障服务机构和安大略省大学质量保证委员会是两个完全独立于政府的机构，而安大略省高等教育质量委员会和高中后教育质量保障委员会都是政府的合作代理机构。安大略省职业学院质量保障服务机构和安大略省大学质量保障委员会专注于计划层面、机构层面为高等教育提供质量保障，前者偏重于学院，后者偏重于大学。

在安大略省的公立学院中，安大略省职业学院质量保障服务机构经过多年的积累后，已经形成了执行力强大且广被接受的、有效的质量保障体系，但由于多变的教育环境、全球化的教育发展趋势，对现有的评审模式提出了更高的要求和挑战。随着加拿大安大略省公立大学越来越多的国际推广的需求，学院教育质量评审正在向制度化的教育质量认证体系发展。

（1）评审和认证的区别

什么是教育质量评估？专业质量保障过程评估是评审类型中的一种，是一个过程，是被设计和定义为保障和持续提升学院教育质量水平的一个评估模式。评估是对学院内部的教育质量保障系统在制度层面的评估，它的有效性是基于正确的评估过程。只有正确的评估过程才会产生客观公正的评估结果，而评估过程设计不当会阻碍优秀的人力资源与丰富的物质资源产生最佳的结果。例如专业质量保障过程评估被设计为如何确保一个机构达到标准。一个机构的内部质量保障体系的作用和责任是确保其达到既定目标并展示持续改进的基础。评审是评估被评估机构的质量保障体系是否有效、是否全面，同时，基于提供的素材，对评估机构的质量保障体系的可信度作出一个判断——判断其质量保障体系可否保障该系统的质量水平。

什么是认证？与评估不同，认证既是一种身份认证，也是一种评估过程。认证更强调的是一种自我监管的体系，其成员参与标准的制定过程，然后再将其应用于同行评审。作为一种身份认证，被认证通过的学院（机构）或者专业，要通过公开的渠道进行公示，即认证机构认定，机构或者项目符合认证机构的标准。作为与评审相同的过程，认证通过学院或者专业项目进行内部自查和外部评价相结合，让认证不仅仅停留在达标水平，还让参加评价的学院和专业获得具有持续性的提高教育质量的方法，并提供相应的培训。通过制定有效的原则和指导方针，促进高等教育走向卓越。

认证的目标是为高等教育质量提供公开的保证，即该学院提供的教育符合认证机构要求的过程和模式，达到其要求的质量标准。认证旨在加强和维持高等教育的质量和完整性，使其值得公众信任。这种认证将为安大略省公立学院的质量提供更广泛的保证、接受和认可。通过认证，考察每个教育机构多大程度上履行其在教育过程中的固有责任，这是衡量其对高等教育质量的关注程度，也是其努力争取和实现卓越（质量保障和持续改进）的承诺的途径。

为了顺利推进认证工作，安大略省进行一系列的认证工作的准备，例如对其机构自身进行内部和外部的评审；与提供服务的机构采用协商的形式，帮助其制定最适合它们的流程和活动；同时安大略省职业学院质量保障服务机构也与跨国教育组织开展良好的合作项目。

（2）专业标准认证

专业标准认证产生的背景。在引入专业标准认证项目之前，安大略省政府先完成了对安大略省各学院提供的所有专业的批准工作。同时，省政府提供了一个名为“自助”的资金资助计划。随着2002年《应用艺术与技术学院法》的引入，学院通过地方理事会开始自行批准专业，而政府负责资助。

在政府和学校实行分权管理之后，显然需要一个监督机构来保障学院对其专业的制定和计划的批准具有足够的严谨性和可信度。所以，在这种机制下，学院制定和批准专业，一旦学院提出的专业设置需求通过专业标准认证后，政府将批准该项专业的资助资金。在这种背景下，2005年，作为为安大略省学院服务的自治组织，专业标准认证应运而生。

什么是专业标准认证？专业标准认证服务是为安大略省学院提供的及时的专业教学计划认证服务，它帮助学院满足其所在社区和雇主的用人需求。专业标准认证的主要任务是：对学院进行专业标准认证、课程体系认证及新专业认证。即对于学校提交申请的专业认证内容，进行全面且彻底的审查。所有审查将根据“Minister's Binding Policy Directive”的“专业教学计划”要求，确保学院所提交的专业课程计划符合学历框架的内容和高校专业要求，达到甚至是超过省政府政策中规定的标准和要求。整个评审过程需要不断地与参加认定的学院进行沟通，并对其进行持续的培训和指导，以此来保证整个认证申请达到要求且顺利通过。目的是保证所有高等教育专业课程都能最终让学生拿到安大略省高校的学历证书。[①]

（3）专业标准认证申请的内容简介

专业标准认证旨在为申请学校提供有效的、直接的服务，让申请学校可以及时、便捷地申请专业认证。所有的申报表都可以在官方网站www.ocqas.org上下载。专业标准认证的申请表一般包含五个方面：①封面页。封面页一般包括资金需求、学校名称、学校联系人、专业名称、专业将授予学位类别等。②专业概述。专业概述包括2个表格，表格1 要求学校填写该专业现存的省级要求、期待的学习成效、与学习成效对应的课程名称。如果已经存在该专业的省级要求，则需要申请单位列出与现有标准的相同点或不同点。同时，学院不仅要关注省内的专业要求，更要随时根据该专业的行业进

① Curriculum Modification Guidelines［EB/OL］. http://www. algonquincollege. com/program-development/files/2016/03/CurriculumModificationGuidelines-2016-03-03. pdf.

展和行业需求，提出该专业应具有的新的学习成效。课程与学习成效一一对应，以此来考察。③具体描述。需要申请单位填写关于专业的描述、学业完成后获得的学历（学位）情况，描述学习该专业的学生可以获得怎样的工作机会、专业的前景等内容。④专业课程。专业课程包括课程的名称、课程编号、课程描述、课程学时等内容。⑤硬性要求的说明。包括进入该专业学习的入学资格的要求，在学习期间的实习资格证要求，学习完成后，从业资格证、行业认可情况的相关要求的说明。①

三、关键绩效指数法评估

采取关键绩效指数法（Key Performance Indicator），是加拿大职业教育的外部质量保障体系的主要途径。关键绩效指数法就是对在校生满意度、毕业生满意度、雇主满意度、毕业生毕业率、就业率进行调查，其中在校生、毕业生和雇主的满意度是反映人才培养质量的最重要指标。除了在校生满意度、毕业率外的其他数据都是在学生毕业6个月后进行统计。为保障职业教育质量，从1998年开始，安大略省“培训、学院、大学部”聘用独立的调查公司对全省24所职业与应用技术学院关键业绩指标进行评估，每年进行一次，是对高等职业院校的综合评估。综合评估主要通过问卷调查和对话访谈进行。调研对象分别为在校学生、毕业生、雇主。学生满意度调查主要在在读学生中进行，了解在校学生对专业课设置、课程内容和授课教师的满意度及反馈意见。毕业生满意度调查主要了解学生在校所学知识的适用性，能否应用到工作岗位上，主要采用电话访谈雇主的方式进行。毕业率主要考察学生按期毕业的比例。就业率主要考察学生就业情况，主要采用电话访谈毕业生的方式进行。每项关键业绩指标都有大量的调研指标和数据支撑，综合加权后形成该项关键业绩指标的分值。独立调研公司对获取的调研数据进行统计分析后，将数据反馈给学校并提供给“培训、学院、大学部”，供其发布到“安大略省雇佣信息网”上。在激烈的社区学院竞争中，每年由政府将每个学院的关键业绩指标向社会公布，其公信力和社会影响力直接影响学院

① http://www.ocqas.org/wp-content/uploads/2015/08/Ontario-Colleges-Moving-to-Accreditation-Information-Paper.pdf.

的招生和就业工作，甚至影响政府的拨款，对学生选择专业、学校课程设置和教学管理、教育管理部门发布就业趋势和劳工市场信息均有重要的参考价值。

为了保证调研数据的准确、公正并确保反馈率，省教育厅、独立调研公司和学校对待该调研工作都非常严格。调研过程受法律保护，任何人无权干涉调研过程和调研结果。例如，学生满意度调研是选择在所有专业中最重要的一门课程的课上进行。调研也不会事先通知，而是随机进行。学生个人联系方式在学生在校和离校前会被反复确认，以便进行后续的电话访谈，完成后续的满意度调查。因此，安大略省教育厅制定统一标准的质量测评指标，其测评体系科学、公正、公平，得到省社区学院协会一致认可。政府拨款部分依赖于这些测定结果。因此，为了提高关键业绩指标排名，扩大影响力，各职业学院必须不断完善自身教育服务，提升教育质量。

四、职业教育内部质量保障体系

为确保育人质量，各学院建立了严密的内部质量保障体系，如设置专业咨询委员会。对于职业院校而言，专业课程设置是否紧跟市场需求，成为职业院校能否为市场及时输送有用人才的一项重要因素。因此，加拿大职业院校每个院系一般都设有专业咨询委员会。委员会由各系组建，成员由来自行业企业的专家和系里的资深教师组成。专业咨询委员会每学期定期对各专业进行评估。这种评估主要根据社区的经济社会发展状况、用人单位需求和毕业生反馈，以及关键业绩指标，主要评估各专业的所有课程与目前最新的行业标准相匹配的程度。评估会对专业设置、培养目标、教学内容等进行研究并提出调整方案。如申报开设新专业，由系里先拿出方案，再由专业咨询委员会进行研究提出意见，以决定是否开设、开设时间和课程内容等。这样，就使专业建设能够始终保持与行业企业的紧密联系，从而保证了人才培养质量。

第四章　加拿大高等教育治理

作为一个非常重视教育的国家，加拿大的高等教育也非常发达。从1945年至今，加拿大高等教育规模一直在持续增长。在25—64岁年龄段的人口中，加拿大人接受高等教育的比例达40%（美国为36%）；高等教育入学率为46%，居世界首位。在办学质量上，作为一个人口仅为3600多万的国家，加拿大有多所世界一流的高等学府，如多伦多大学（University of Toronto）、麦吉尔大学（McGill University）、不列颠哥伦比亚大学（University of British Columbia）、蒙特利尔大学（Université de Montréal）、艾伯塔大学（University of Alberta）、麦克玛斯特大学（McMaster University）、女王大学（Queen's University）、滑铁卢大学（University of Waterloo）、渥太华大学（University of Ottawa）、圭尔夫大学（University of Guelph）、维多利亚大学（University of Victoria）、西蒙菲莎大学（Simon Fraser University）等。

第一节　高等教育治理的发展历程

加拿大的高等教育有近400年的发展历史。由于历史上曾经是法、英两国的殖民地，在地理上又与高等教育强国美国接壤，使加拿大的高等教育既有先天性的法、英古典大学的血脉，又深受近邻美国现代大学发展模式的影响，再加上自己独特的历史文化基因，加拿大大学治理模式具有自身的内在逻辑和运行方式，并已日臻完善，使其高等教育的发展呈现出与法、英、美大学不一样的独特气质。

一、殖民地时期高等教育治理的历史传统（1821—1866）

在加拿大联邦建立之前，加拿大早期的高等教育机构主要是英法在各自的殖民地创立的教会大学。1788年，英国在新斯科舍省温莎镇建立了国王学院。这是殖民地时期英国以外英联邦最古老的独立大学。1821年，麦吉尔大学在蒙特利尔创立；1827年，约克国王学院在多伦多（Toronto）建立；1841年，清教徒教派在金斯顿（Kinston）创立了女王大学。其后，其他教派也纷纷创立了本派的高等教育机构。这些高等教育机构尽管都获得皇家特许状，但最初都是由教士会控制和治理。学院为数众多，但办学规模普遍不大，办学资源十分匮乏，如最早创立的国王学院，是一所私立大学预备寄宿制和日间学校。首批招生仅为17名男生。[①]学校之间的竞争十分激烈。为了获得政府的财政资助，一些教会大学纷纷转为与教会脱离关系的世俗大学。其中，最有代表性的是约克国王学院正式变为非教会大学，1849年正式更名为省立多伦多大学。

二、现代高等教育确立时期高等教育治理体制初创（1867—1945）

1867年英国议会通过了《英属北美法案》，标志着加拿大自治领的诞生。当时加拿大联邦在读大学生共计1500人。从办学规模来看，仅有5所高等教育机构宣称自己注册的学生达到100人。高等教育因为规模太小而没有受到联邦的关注。故《英属北美法案》没有提到联邦层面的高等教育政策。直到今天，加拿大是七国集团中唯一的既没有设立联邦教育部，也没有制定全国性的高等教育法的国家，高等教育治理的主要责任由各省承担。

在加拿大西部省份，受美国威斯康星大学（University of Winsconsin）办学模式的影响，开始创立不受教会控制的单一省立大学。1877年建立马尼托巴大学（University of Manitoba），1908年建立艾伯塔大学，1907年建立萨斯喀彻温大学（University of Saskatchewan），1908年建立不列颠哥伦比亚大学。这些大学注重贯彻大学为社区服务的理念，一些与当地经济联系紧密

---

① King's-Edgehill School [EB/OL]. https://en. wikipedia. org/wiki/King%27s-Edgehill_School.

的应用型学科迅速发展起来。在加拿大联邦自治领成立之前，在东部和中部省份就已经有一些大学。东部大学则明显深受美国新出现的研究型大学模式的影响。如女王大学于1889年、多伦多大学于1897年[①]、麦吉尔大学于1906年都开始建立博士点，开始博士教育项目。

这一时期，绝大多数大学从属于教派，接受教会资助。仅有为数不多的几所省立大学能够接受政府资助，但这些高等教育机构是以私立非营利机构注册的，政府与这类大学的关系仅限于每年决定政府资助的水平，政府很少干预大学内部决策。大学因此成为一个独立的高度自治的机构。

从1867年加拿大联邦政府成立，至二战前这一时期，加拿大联邦政府虽然没有把高等教育事务纳入工作日程，但也采取了几项与高等教育相关的措施。1874年，联邦政府在金斯顿建立加拿大皇家军事学院（Royal Military College of Canada）。不久，又对马尼托巴省和不列颠哥伦比亚省的大学以土地转让的形式提供资助。1916年，加拿大联邦政府成立了科学与工业研究咨询委员会（即后来的国家研究委员会），该委员会最初只是协调和鼓励工业研究，但由于参与研究的主要成员都是大学教授，不久就开始资助大学学者的科研和研究生培养。20世纪30年代经济大萧条时期，为了创造更多的就业机会，降低社会失业率，联邦政府加大了对技术和职业培训项目的扶持力度。1939年联邦政府第一次以贷款形式对高校学生进行资助。这是加拿大首个由联邦政府资助的大学生贷款计划。该计划实行之初，仅有5个省加入。至1944年，参加的省份达到9个。纽芬兰岛于1949年加入联邦后不久，在1950年就加入该计划。这表明，加拿大联邦政府开始在大学科研和学生资助方面发挥作用。

三、高等教育大众化时期高等教育治理的发展（1945—1995）

第二次世界大战期间，由于意识到大学在高端人才培养、科研和技术革新方面的积极作用，加拿大联邦政府改变了此前对高等教育关注度不高的状

① School of Graduate Studies [EB/OL]. http://www.sgs.utoronto.ca/about/Pages/Historical-Timeline.aspx.

况，开始积极参与各省的高等教育发展事务。其中，最典型的是《退伍军人宪章》（Veterans Charter）的颁布。《退伍军人宪章》被称为加拿大历史上最重要和最具前瞻性的立法之一。该法案指定一些大学支援战争。依据该法案，战后联邦政府积极推行合格退伍军人上大学的福利项目。要求大学接收退伍军人入学就读，同时提供财政支持。根据该项目规定，大学每招收一名退伍军人，联邦政府就提供150加元的财政拨款。这标志着联邦政府开始直接介入高等教育。该项目因受到退伍老兵的欢迎而获得了巨大成功。1945—1946年度，2万退伍军人进入高校就读。截至1947年2月，退伍军人在大学注册人数增长到约3.5万。①

第二次世界大战结束以后，高等教育被加拿大社会各界认为是加拿大经济、文化和社会发展的重要组成部分，并对加拿大经济的繁荣起到了重要的助推作用。在这种社会思潮的影响下，加拿大国民接受高等教育的需求迅速增长。1941—1951年，大学注册人数增长了近70%（不包括退伍军人在内）。大学办学规模得到迅速扩大，大学开始向联邦政府和省政府寻求财政资助。

至20世纪50年代，随着退伍军人福利项目结束，为了保持大学的招生和培养规模，满足更多人接受高等教育的需求，加拿大联邦政府根据梅西委员会的建议，按照各省人口数量和各大学注册人数继续为大学直接拨款。

1958年，为支持高等教育大众化，加拿大政府颁布了第二个新的财政拨款项目，但财政拨款不再直接进入大学，而是通过新成立的加拿大大学基金会进行资助，这个基金会实际上是由大学理事会运作的。例如，加拿大联邦政府拨给魁北克大学的经费，先交由基金会信托保管，后转交给魁北克省政府负责。联邦政府还适时增加资助项目，如大学的后勤基础建设资助、科研资助和学生资助等。

1964年，联邦政府批准了“加拿大学生贷款计划”（Canada Student Loans Program），由各省政府负责实施。②同期，对大学科研项目的资助也

① Veterans Charter［EB/OL］. https://www. thecanadianencyclopedia. ca/en/article/veterans-and-the-second-world-war/ .

② Canada Student Loans Program［EB/OL］. https://en. wikipedia. org/wiki/Dominion-Provincial_Student_Loan_Program.

迅速增加。从二战结束到1959年，加拿大联邦政府对大学研究的拨款从大约100万加元增加到1000万加元。到1966年，拨款约4200万加元。为了巩固加拿大大学在科研领域的杰出地位，联邦政府于1964年在枢密院办公室（Privy Council Office）设立了一个科学秘书处（Science Secretariat），两年后又成立了加拿大科学委员会（Science Council of Canada）。①

1966年，加拿大联邦政府开始介入省属法定教育权限之内，如联邦政府直接任命大学的某个职位，其中一个著名的事件就是对多伦多大学教务处长罗宾·罗斯（Robin Ross）的任命。这一任命，标志着联邦政府教育权力的延伸，也促使各省政府采取相应的保护措施，即成立了加拿大教育厅厅长理事会，以维护自身的权利。同年10月，加拿大联邦政府提出，要承担失业者或为充分就业者的培训、再培训、咨询、安置及财政援助等责任，包括在职业变动过程中的培训津贴和帮助。培训类型和时间由联邦顾问委员会确定，培训地点设在加拿大人力资源中心（Canada Manpower Centres），由产业部门、省属院校或私立学校提供培训服务。

同年，加拿大联邦政府建立了资助高等教育大众化的新机制，改变了向大学直接拨款的方式，即联邦政府对大学的直接资助，变为向各省政府实行财政转移支付。这种财政转移支付是基于各省财政状况的差异实行转移支付，同时确保联邦政府财政资助的数量不少于大学运行经费的50%。此外，加拿大联邦政府对高等教育的财政支持还有研究基金、学生助学贷款等众多项目。这种财政资助安排，强化了加拿大联邦政府及各省政府在高等教育发展中的作用。这一时期，尽管对高等教育的治理属于各省保留的权力，但同时又强调高等教育大众化是加拿大联邦政府的重要事项。②

---

① Higher Education in Canada: Different Systems, Different Perspectives. p.12. https://books. google.ca/books?id=trZ-BVsBUPQC&pg=PA13&dq=1966+canada+federal+government+in+higher+education&hl=en&sa=X&ved=0ahUKEwjXsKajyoPcAhXD7IMKHS3oBvEQ6AEIKTAA#v=onepage&q=1966%20canada%20federal%20government%20in%20higher%20education&f=false.

② Higher Education in Canada: Different Systems, Different Perspectives. p.16-17. https://books. google. ca/books?id=trZ-BVsBUPQC&pg=PA13&dq=1966+canada+federal+government+in+higher+education&hl=en&sa=X&ved=0ahUKEwjXsKajyoPcAhXD7IMKHS3oBvEQ6AEIKTAA#v=onepage&q=1966%20canada%20federal%20government%20in%20higher%20education&f=false.

20世纪60年代以前，加拿大各省并没有制定省级层面的高等教育政策，各省政府只有高等教育方面的财政预算权力，没有设立规划管理大学的机构。20世纪60年代初，由于意识到对高等教育进行管理规划的重要性，各省纷纷建立起省级高等教育管理规划机构，并根据本地高等教育发展的需要制订了各具特色的高等教育发展规划。尽管存在一些差异，各省的高等教育规划却体现了一些共同的发展趋势：一是高等教育世俗化、公立化的趋势进一步增强。由于大部分省政府明确规定，政府的财政经费只能对非教会大学进行资助。为了获得政府的财政支持，很多教会大学纷纷从教会体系中独立出来，变为世俗的高等教育机构。到20世纪70年代，加拿大大学基本上成为公立的、世俗的高等教育机构。二是高等教育机构的数量和规模得到了进一步的扩充。总体来看，为了顺应高等教育大众化的趋势，这一时期加拿大高等教育机构数量扩充的主要途径有二：一是将大学的其他校区独立成为新的独立大学，二是创建社区学院这一新的高等教育形式。前者如西部四省逐步抛弃了“一所大学”的观念，把省立大学的其他校区独立出来，创立新大学。后者则主要体现在各省为增加学生接受高等教育的机会，纷纷建立社区学院，作为大学的重要补充，以满足加拿大社会各界接受高等教育的需求。

从20世纪70年代开始，加拿大经济逐步步入了萧条期，政府税收锐减。各级政府虽竭力保持高等教育发展的基本经费，但对教育经费的投入却难以增加。1970—1990年，加拿大高等教育的基本治理体制保持了相对的稳定，高等教育的投资体系大体上仍按原机制运行，仅是为了强调资助效率，在技术层面作了微调，即尽量增加学生规模，同时减少人均资助额度。

加拿大联邦政府曾许诺承担各省50%的高等教育经费。而联邦政府增加的高等教育经费完全取决于省政府教育开支的多少。为增加拨款的主动权，1976—1977年度项目财务制度（Established Programs Financing）被引进至“联邦—省政府”的高等教育经费拨款政策中。此后，加拿大联邦政府向各省政府的经费转移以项目形式打包进行，转移支付的高等教育经费不附设条件。在省级层面，各省政府对这些由联邦政府划拨的教育经费的分派，具有完全的自主决定权，联邦政府不干预经费的具体用途。然而，随后几年，加拿大联邦政府开始抱怨，打包转移的高等教育经费常常被各省政府挪作修桥铺路之用，因而这种经费安排引发了广泛的争议。

1977年，联邦政府又推出了专项财政拨款计划，将高等教育拨款计划与医疗保健拨款计划、社会救助拨款计划合并起来，根据一个新的公式进行财政转移支付。在实际管理过程中，联邦政府规定，把其中的32.1%的经费拨付给高等教育。

由于注意到大学的科研与经济增长之间的密切关系，加拿大联邦政府对大学科研的资助政策发生了很大的变化。1977年，联邦政府重组国家研究委员会（National Research Council），成立了加拿大自然科学和工程研究委员会（Natural Science and Engineering Research Council）以及加拿大社会科学和人文科学研究委员会（Social Science and Humanities Research Council），分别承担相关领域的科研拨款职能。[①]

从1987年开始，为了加强大学的科研与私营部门的紧密联系，加拿大联邦政府规定各拨款委员会的追加拨款将与私营部门按比例捐赠总额相配套。不久，联邦政府成立了国家科学技术顾问委员会（National Advisory Board on Science and Technology），该委员会由总理任名誉主席，其成员由内阁部长、其他官员、各拨款委员会主席、大学和私营部门代表组成。[②]

总之，二战以后，加拿大联邦政府的高等教育职能不断发展，联邦政府在大学科研、学生资助和劳动力培训方面发挥着越来越大的作用。

四、高等教育调整期高等教育治理体制改革（1995年以后）

20世纪80年代，由于加拿大经济状况持续低迷，联邦政府开始削减高等教育支出。各省政府开始抱怨联邦政府的资助不能满足高等教育的发展之

---

① Higher Education in Canada:Different Systems,Different Perspectives. p.15. https://books. google. ca/books?id=trZ-BVsBUPQC&pg=PA13&dq=1966+canada+federal+government+in+higher+education&hl=en&sa=X&ved=0ahUKEwjXsKajyoPcAhXD7IMKHS3oBvEQ6AEIKTAA#v=onepage&q=1966%20canada%20federal%20government%20in%20higher%20education&f=false.

② Higher Education in Canada:Different Systems,Different Perspectives. p.21. https://books. google. ca/books?id=trZ-BVsBUPQC&pg=PA13&dq=1966+canada+federal+government+in+higher+education&hl=en&sa=X&ved=0ahUKEwjXsKajyoPcAhXD7IMKHS3oBvEQ6AEIKTAA#v=onepage&q=1966%20canada%20federal%20government%20in%20higher%20education&f=false.

需。1995年自由党上台，开始大幅减少联邦政府的财政赤字。联邦政府投向高等教育的经费进一步削减，省政府得到的高等教育经费减少了37%。为了减少财政赤字，各省不得不减少对高等教育的投入。[①]大学的财政状况进一步恶化。在1995年联邦政府的财政预算中，高等教育拨款被进一步压缩，这标志着加拿大联邦政府作为大学主要资助者角色的结束。各省开始自己制定高等教育财政政策。安大略省政府采取的政策是增加学费，同时减少省政府的投入。不列颠哥伦比亚省认为高等教育投入有利于经济发展，因而采取了加大对高等教育投入的政策。但到20世纪90年代末，该省也开始增加学费。魁北克省一直实施低学费政策，两年制的社区学院免学费，但对于国际生仍收取一定学费。[②]从整体上看，大学学费是持续增长的。这引发了加拿大民众对高等教育公共性的质疑。为此，联邦政府采取了一些新举措，如创立加拿大千禧年奖学基金，减免税收，鼓励家庭进行高等教育储蓄，增加助学贷款项目的最大贷款数量等。

进入20世纪90年代，为了降低连续几年削减高等教育经费对高校科研的不良影响，加拿大联邦政府三大拨款委员会努力与企业建立创新型伙伴关系。如联邦政府同大学、工业部成立了“优秀科研中心协作网”，通过大学、工业界和政府部门的广泛合作，加速科研成果的转让。社会与人文科学拨款委员会同加拿大移民局、卫生部等五个部门共同发起了“移民与都市：移民与同化优秀研究中心”项目，以更好地了解移民以及移民对社会和环境的影响。医学拨款委员会同私人企业联合创立了“加拿大医学发现基金”，专门对一些初创企业进行投资，以开发医学新成果。加拿大自然科学和工程拨款委员会也同科学和工程部门创立投资基金，资助大学实验室建设，加快其研究成果向工业部门的技术转让。

---

① Cameron, D. M.（1995）. Shifting the Buren:Liberal Policy for post-secondary Education. In S. Philips（ed. ）, How Ottawa spends 1995-96: mid-life crisis.（pp. 159-184）. Ottawa: Carleton University Press, 1995.

② Higher Education in Canada:Different Systems,Different Perspectives. p.331. https://books. google.ca/books?id=trZ-BVsBUPQC&pg=PA13&dq=1966+canada+federal+government+in+higher+education&hl=en&sa=X&ved=0ahUKEwjXsKajyoPcAhXD7IMKHS3oBvEQ6AEIKTAA#v=onepage&q=1966%20canada%20federal%20government%20in%20higher%20education&f=false.

1997年，联邦政府成立“加拿大创新基金会”（Canada Foundation for Innovation），专门为大学、医院和非营利性研究机构购置科研设备提供资助。创新基金首先由各大学就各自的战略研究计划向加拿大创新基金会提出立项申请，以竞争形式获得。加拿大创新基金会组织国内外同行专家对申请经费资助的项目和额度进行评估，评估指标有：大学的研究水平，添置或更新设施的必要性，对增强创新能力的贡献和对国家研究潜力的贡献，最后由加拿大创新基金会批准。为了更大限度地发挥创新基金会的效益，同时调动地方政府和私人企业对科研基础设施投入的积极性，加拿大联邦政府规定，创新基金会的经费仅用于配套资金。获准立项的科研基础设施建设项目，其建设经费实行分摊的原则，加拿大创新基金会一般承担所需总经费的40%，所在省政府提供总经费的40%，其余20%的经费则由大学自筹。也就是说，申请单位只有在获得省或地方政府以及私人企业的赞助，确保自筹50%—60%的基础设施投资经费的基础上，才可申请另外40%—50%的联邦政府配套资金。加拿大创新基金会的成功是建立在给研究人员提供他们需要的研究工具的前提之上，使他们能够进行世界级的研究。[①]自1997年以来，加拿大联邦政府加大了对科研基础设施投资的力度，这些公共投资已引发了卫生、自然资源、信息和通信技术以及环境等各个领域的研究突破和变革性影响。1998年，加拿大联邦政府在平衡预算的基础上又增加了对高校的科研投入。

进入21世纪，尽管减少财政赤字仍是加拿大联邦政府的主要着眼点，但在加拿大国民普遍将卫生保健和教育视为公共领域中最优先发展的重点领域的国内社会氛围和全球化浪潮中，加拿大联邦政府对高校科研发展等关键领域的支持一直纳入国家教育发展政策导向的议事日程，发挥重要作用。

“加拿大首席科学家席位”项目（The Canada Research Chairs Program），是加拿大联邦政府实施的创新战略的核心，旨在吸引国际一流科研人才。该项目从2000年开始实施，2008年前在全国设立2000个首席科学家职位，每年投资3亿加元以吸引世界一流的智力资源。加拿大首席科学家席位项目着眼于增强国家的整体研究实力，首席科学家职位分布遍及自然科学与工程学

① Overview［EB/OL］. https://www. innovation. ca/our-history.

科、人文和社会科学及医学学科的各个学科领域。通过打造世界一流的研发平台，推出一流的研究成果，培养一流的人才，减少人才向美国大规模的流失，保持加拿大的科技研究开发能力位居世界的前五位。加拿大首席科学家席位项目由秘书处进行日常管理，候选人由各大学推荐申报，以竞争的形式获得。首席科学家分为两个层次：第一层次为被同行认为具有世界领先水平的教授，或者是2年内会晋升为教授的副教授，或者是在非学术界具有同等学术资格的学者。聘期7年，期满后可以续聘。聘期内，所在大学每年获得20万加元的资助。第二层次应是被同行认为是杰出的后起之秀，具有在本领域达到世界领先水平的潜力，具有助理教授或副教授头衔，或具有同等学术资格的崭露头角的年青学者。聘期5年，期满后也可以续聘。所在大学在5年内每年获得10万加元的资助。该项目的资助经费一般用在为首席科学家提供薪水和基本的研究设施上。加拿大首席科学家席位项目采取公开、透明、公正、公平的竞争机制，首席科学家由全国评议院（College of Reviewers）指定3人进行独立评选和推荐，由跨学科评审委员会进行终审和处理投诉。首席科学家的名单、简历在网上公布。[①]加拿大首席科学家席位项目的实施，不仅推动了加拿大一些重大科研项目的进展，而且还在加拿大人力资源的开发上发挥了巨大的作用。据加拿大统计局的报告，该项目的实施，既留住了一些加拿大科技精英,又吸引了一批海外科学家来加拿大工作，更使一些旅居海外的加拿大籍人才回流到加拿大。[②]

2002年2月，加拿大联邦政府出台了“加拿大创新战略”框架文件，其主旨文件是工业部发表的《追求卓越：投资于民众、知识和机遇》[③]和人力资源部发表的《知识至关重要：加拿大人的技能与学习》。加拿大创新战略的总目标是使加拿大成为世界上最具创新精神和创新能力的国家。该文件被各界奉为加拿大发展史上的里程碑，成为引导加拿大2005—2010年科技和教育发展的战略规划性文件。该文件明确提出：2010年前加拿大全国科研绩

① 吴言荪，王鹏飞．加拿大创新战略研究［J］．重庆大学学报：社会科学版，2007（1）：132-134.

② 周光礼．加拿大的高等教育政策：历史与现状［J］．世界教育信息，2008（7）：13-17.

③ Industry Canada:Achieving Excellence:Investing In People,Knowledge And Opportunity［R］. 2002.

效进入世界前五位的目标，政府对科研的投入至少翻一番；加拿大联邦政府要为高校科研提供直接和间接费用，促进科研成果的商业转化；加大对国际水平研究的经费资助力度。同时，在高等教育方面，提出的发展目标包括：所有高中毕业生都能接受一定形式的高等教育；10年内25—64岁年龄段有50%的人拥有高等教育学历；10年内接受证书项目培训学徒人数翻一番；到2010年，攻读硕士和博士学位的研究生以每年5%的速度递增；同时降低贫困学生学费，扩大招生规模，发展远程教育。为了实现这些目标，联邦政府采取了许多措施，如将享受联邦政府奖学金的硕士和博士人数提升一倍，发行“学习债券”，为低收入家庭子女提供上学机会等。①

从2002年克雷蒂安政府确立创新战略以来，加拿大吹响了创新战略的进行曲。尽管此后加拿大政府执政者更迭，从继任的保罗·马丁总理到斯蒂芬·哈珀总理一直到现任总理贾斯廷·特鲁多，加拿大政府始终坚定不移地贯彻创新战略，着眼于国家研究实力的增强，加速科研成果的转化，提高国民教育水平，推出了一系列项目，主要有：①成立加拿大研究理事会。该理事会是联邦政府负责并从事科学研究的机构，旨在支持创新研究、开发和产业化。②优惠贷款项目。包括延长学生贷款的偿还期、免交贷款利息、减轻学生债务。从1997年起，加拿大联邦政府决定对偿还贷款确实有困难的大学生的贷款的偿还期从18个月延长到30个月，对于在享受政府各项减免措施后仍处于困境的少数毕业生，政府将减少其贷款本金。从1998年4月起，加拿大联邦政府将免息条件的最低工资额上调至9%，负债的大学毕业生能享受此项待遇。③教育储蓄项目。加拿大联邦政府于1997年将年教育储蓄免所得税额度从1500加元提升至4000加元。1998年规定任何家庭为子女在“注册教育储蓄计划”中每存入2000加元，政府将为其提供不超过20%的助学金，最多不超过400加元，直到年满18岁结束，如果某一年度家庭没有能力利用全部的“注册教育储蓄计划”额度，该年额度可自动转移至下一学年。④助学金项目。加拿大联邦政府在“加拿大学生贷款项目”中每年拨款4500万加元，专门资助那些生活困难的残疾学生和攻读博士学位的女学生等。

① 戴者华，王鹏飞. 加拿大联邦政府及各省各尽其力兴教育［J］. 世界教育信息，2005（9）：9-10.

1998年又增加拨款1亿加元，资助2.5万名因抚养孩子或赡养老人而生活困顿的学生，最高资助额度为每年3000加元。⑤“加拿大千禧年奖学金基金”项目。该项目是联邦政府拨款25亿加元设立的，从2000年起10年期间每年向10万名学生颁发奖学金。这是加拿大联邦政府在历史上首次设立的数量如此之大、受众面如此之广的大学生奖学金基金项目。⑥设立了特鲁多基金会。该基金会专门资助政策研究，每年向25位专家、博士颁奖。鼓励学者与企业家、政府官员和各方面专业人员沟通，从人文社会、公民责任、国家与世界、人与自然等方面研究创新战略的软环境。此外，联邦政府还推出了子女就学存款计划。

总之，加拿大联邦政府对加拿大高等教育发展的作用是间接的，但又是关键的。加拿大联邦政府主要是从社会和经济长远发展的战略高度制定国家教育发展战略、相关教育法律和法规、加大联邦政府的教育投入计划，引导各级各类教育为国家总体目标服务，同时满足社会公民个人对教育的发展需求。20世纪90年代末以来，加拿大联邦政府通过制定国家发展战略和财政拨款等方式，在大学科研领域和学生资助方面明显加大了介入和支持力度。在大学科研领域，不仅在直接性科研资助，还在对大学科研基础建设和高素质科研人才的吸引和保留等方面的间接资助，联邦政府都发挥着极为关键的作用。在对学生资助方面，除了出台各项优惠贷款政策，鼓励教育储蓄外，加拿大联邦政府还设立助学金、奖学金项目等，这些措施极大地缓解了学生接受高等教育的债务负担和经济压力。

第二节　高等教育治理体系

高等教育治理是指对高等教育内外利益相关者所关注的重大问题做决策的结构和过程，是高等教育制度建设的核心。高等教育治理结构就是一种对构成高等教育治理的正式与非正式机构的各利益相关者进行分工和整合权力的制度安排，涉及高等教育治理结构的构成要素及其影响因素。高等教育治理模式的变迁与改革，实质上涉及高等教育核心制度的改革、重建问题。由于高等教育治理模式的改革利益触动面广，涉及高等教育治理权利的重大调整，因此，如何优化治理结构，协调高等教育内外部关系以及诸多利益相关者的权益，一直是现代高等教育制度建构的重点与难点问题。①从治理内容来看，现代高等教育制度的治理方式包括了高等教育法人治理原则和治理结构，体现了高等教育法人治理、管理主体之间的相互权限和责任，以及相互制衡的关系。加拿大高等教育法人治理结构和治理模式深受加拿大的政治、经济等因素影响，并在其发展历程中逐渐形成了自己鲜明的特色。

加拿大高等教育系统比较完备，高等教育机构分为大学、大学学院、社区学院 、职业技术学院。

加拿大有70多所大学，绝大多数是公立大学，本科学制一般3—4年。硕士学位是要在取得学士学位资格后才可申请，一般需要1—2年；攻读博士学位一般需要 3年以上。社区学院和职业技术学院侧重培养应用性专业技术人才，一般期限为8个月至4年。该类学校提供一年制证书课程、两年制文凭课程、三年制高级文凭课程、四年制荣誉学士学位课程以及针对大学本科毕业生的研究生文凭课程。社区学院有公立和私立两种。公立社区学院一般都得到政府的财政支持，规模大，师资足，设施齐全，课程设置多，学费也较低廉；而私立社区学院，虽然独立于公立系统之外，但也必须提供符合省政府教育厅定的课程，并有权颁发证书。

表 4-1 加拿大的学位及证书类型一览表

文凭类别	提供的机构	学制
文凭证书	社区学院和专业学院	多为 2—3 年，学生毕业之后可以将部分学分转入其他正规大学继续深造，或继续在学院学习 post-diploma 课程

① 周光礼．大学治理模式变迁的制度逻辑——基于多伦多大学的个案研究［J］. 高等工程教育研究，2008（3）：55.

续表

文凭类别	提供的机构	学制
学士学位证书	一般为大学或大学学院	一般为3—4年，可获普通学士学位或荣誉学士学位，荣誉学士学位学习时间通常要长于普通学士，学习内容带有科研成分，课程学分设置也不同于普通学士
硕士学位证书	一般为大学或大学学院	一般为2—4年，时间长短取决于所修课程数目及有无论文要求。一般文学硕士或理学硕士相对时间较长，通常要做论文，通过答辩后获得学位，而专业硕士则时间较短，如计算机、商学硕士等，一般为一年半左右
博士学位证书	一般为大学或大学学院	一般为3—5年不等。一般由导师带领进行研究工作，个别学科学生也会选修一些相关课程，但主要是以做论文为主。最后，论文通过答辩，获得学位

纵观加拿大高等教育治理结构的发展历程，教育分权是其重要的特征。这种教育分权包括纵向行政分权与横向的职能分权。纵向行政分权是指加拿大联邦政府与省政府之间的教育分权，省政府与大学之间的分权；横向职能分权是指大学内部各职能机构之间的分权。

从纵向行政分权来看，联邦政府和各省政府在高等教育治理上具有分权制的特征。1867年的《英属北美法案》和1982年的《加拿大权利与自由宪章》（Canadian Charter of Rights and Freedoms），都从法律上赋予了各省教育立法权和管理权。[①]从立法上看，联邦政府不能对高等教育进行直接的管理，教育是地方（省级）政府的权力与义务。这种体制确立了省政府对教育包括高等教育的管理权。因此，发展教育（包括高等教育）是省级政府的职责。省级政府直接资助公立高等教育机构，对加拿大高等教育治理发挥着主要作用。按照宪法规定，加拿大各省政府对高等教育管理的权力主要包括：

① Canadian Charter of Rights and Freedoms [EB/OL]. http://laws-lois. justice. gc. ca/eng/const/page-15. html.

制订宏观发展规划，核定高校教育成本，保证经费投入，评估办学条件和教学质量，建立助学金、贷学金制度，保证教育公平，促进大学与经济社会的协调发展等。但是，各省政府在不同时期会适当地增强或缩减权力。加拿大联邦政府与省政府这种教育分权管理体制，造就了加拿大各省高等教育政策的差异性与多样性。直到二战以后，加拿大联邦政府才积极参与到各省的高等教育事务管理之中。为了避免侵犯各省级政府在高等教育发展中的法定权限，加拿大联邦政府在宪法确认的领域诸如职业培训、学生财政资助、科学研究以及国家文化建设等方面，通过立法、项目和经费资助等形式，对全国的高等教育的发展发挥了重要作用。

从省级政府与大学的关系来看，二者也是分权治理的关系。各省政府根据省级立法机构授权，审批设立大学和其他高等教育机构，规范大学名称，批准授予学位，监督大学依据法律程序设立董事会和评议会。从法律上来说，加拿大大学是受各省政府制约的、自治的非营利性组织。每个省政府都有相应的法规为大学的组织架构及其运行机制设计一个框架，大学在这个框架内享有其他私法人一样的自治权力。加拿大大学是一种自治的非营利性私法人机构（non-profit organization）。尽管大多数加拿大大学因为能得到省政府的经常性经费资助而被认为是“公立的”高等教育机构，是公共领域的社会福利体系的一部分，但从法人属性上看，大学性质是非营利性私法人，不隶属于任何政府部门。这种非营利机构法人具有以下特点：①财产独立。每所大学董事会负责掌管全校财产和资金使用。②独立责任。加拿大大学法人要以自己的财产，承担自己行为的一切法律后果。③大学自治。每所大学在省级立法机关制定的框架内，按照各自的大学章程自主进行自治管理和运作，独立处理大学内部事务，不受外界的干扰。大学章程是大学治理的“宪章”，它从根本上规定了大学的法律地位、治理体制、运行机制以及各权利主体的权责。[①]

这种清晰的权力边界，使大学治理过程中政府和大学两者各司其职，互不干扰，不但形成了各省各具特色的多元化的高等教育系统，而且强化了大

① 黄蓉，鲁军．加拿大大学法人治理结构的分析［J］．理工高教研究，2009（6）：99.

学的自治权。加拿大大学法人自治权主要体现在：①自主招生；②自主设置专业和课程；③自主制定人事分配制度和聘任教职员工；④自主进行联合办学；⑤自主开展国际教育与合作交流；⑥自主经营处置学校的动产和不动产。每所大学都有自己的核心管理机构及分权结构——大学治理结构，对学校的重大事项进行决策。

根据不同时期的特点，加拿大大学治理可分为两院制、一院制和多院制或混合制这三种治理体系。在不同时期，大学治理体系的正式组织与非正式组织行为变化有不同的特点，决策主体及其权力博弈的形式也各有侧重。其中，决策主体是能够独立决策、独立承担后果的个人或组织。在治理权力的博弈过程中，各决策主体所作的决策是相互制约相互影响的。在加拿大大学治理结构中，大学决策主体主要有省政府、董事会与评议会、校长、教师以及学生。在博弈过程中，这些决策主体主要产生三种权力博弈形式：政府权力与大学自治权力、大学内行政权力与学术权力、师生权力与大学管理权力。对加拿大大学（可以授予学位的高校）来说，每一个历史阶段的大学治理结构的变化都涉及多方（如董事会、评议会、行政管理层、教师、学生及省政府等）的利益、权利关系的重大调整。大学治理体系的变革涉及大学核心治理制度的调整和重建。

一、“两院制”大学治理体系及其改革

“两院制”是指将省级政府管理大学的权力委托给两个治理机构——大学董事会和学术评议会的大学治理模式。

20世纪以前，加拿大大学并没有统一的治理模式，这给政府插手大学决策和管理提供了空间。1906年之前，省级政府经常介入和插手大学事务。政府领导人有时甚至擅自任命大学的某些职位，使大学处于政治权力的直接控制和监督之下。由此，大学自治权受到严重的干扰和威胁，致使大学与政府之间的关系日趋紧张，并引发诸多争议。为了给大学与政府在大学治理过程中划定清晰的权力边界，安大略省政府在1906年成立了费拉菲尔委员会（Flavelle Commission），该委员会对以多伦多大学为代表的加拿大大学章

程进行严格的审议。该委员会认为，大学决策应该独立于公共政治，而受政府权力直接干预的大学是不可能成功的，因此，建议借鉴美国新型大学的治理经验，让大学与政府适当分离，在大学内部实行高度自治。①

为了有效地落实大学的自治权，提高治理效率，该委员会起草的《多伦多大学草案》（A Draft University of Toronto Act），明确倡导将省政府管理大学的权力委托给两个治理机构：一是大学董事会。这是协调大学治理过程中政府与大学各自权力边界的关键机构。董事会对大学所有的行政事务包括校长遴选、财政问题等负全责。董事会成员一半来自校外，由政府任命，另一半由大学内部人士选举产生。二是学术评议会。该委员会主张效仿英国精英大学，在董事会之外，设立学术评议会，负责大学的学术和教学事务的决策，以保障大学的学术自治。学术评议会与董事会平行，主要由资深学者和学术管理者组成。②《多伦多大学草案》提出的“两院制”治理模式被写入了《多伦多大学章程》（University of Toronto Act），并很快获得了安大略省政府的认可而被批准执行。《多伦多大学章程》对大学治理中省政府、大学董事会及学术评议会三方的权力规定如下：①省政府在大学治理过程中不得对大学进行直接控制，仅享有指派董事会成员的权力；②明确规定董事会是大学治理中的权力中枢机构，赋予其在大学治理的诸多权力，包括在任命校长、制定章程等方面有最终决定权；③学术评议会主要负责专业设置、课程开设以及组织考试等方面的学术事宜的决策，还享有向董事会提交相关建议的权力，但学术评议会的大部分决策还需要通过大学董事会批准；④校长是大学的首席执行官，只有在校长的推荐下才能任命、晋升或解聘教员，即使董事会也无权反对校长的意见。此外，校长还是学术评议会的当然主

---

① Ontario's Royal Commission On The University of Toronto, 1905—1906: Political and Historical Factors that Influenced the Final Report of the Flavelle Commission. [EB/OL]. https://tspace.library.utoronto.ca/bitstream/1807/65526/1/Boggs_Andrew_M_2007_MA_thesis.pdf.

② Glen A. Jones, Theresa Shanahan, Paul Goyan. University Governance in Canadian Higher Education [J]. Tertiary Education and Management, 2001 (7): 135-148.

席。[①]《多伦多大学章程》通过对三方职责的明确规定，厘定了大学治理过程中政府与大学二者权力的边界，有利于实现政府与大学治理力量的平衡。因此，《多伦多大学章程》，成为厘定政府和大学权力边界的纲领性文件。[②]

自此，多伦多大学的“两院制”治理体系以法律的形式确立下来，其他大学争相效仿，成为加拿大大学治理的标杆性模式。各省政府几乎不干预大学的有关决策，其权力通常仅限于政府拨款水平的年度决策方面，大学决策权归属于董事会和评议会。自此，加拿大大学就具有了高度自治的特征。至20世纪50年代，几乎所有的加拿大大学都采用不同形式的“两院制”治理结构。时至今日，“两院制”仍在相当多的加拿大大学实行。

（一）“两院制”大学治理体系

“两院制”治理模式下，加拿大大学治理的核心利益相关者为董事会、评议会、校长、教师和学生组织。这些利益相关者在大学治理中的职能及其关系如下。

1. 董事会

加拿大每所大学都制定了大学章程。大学章程规定，大学设立董事会，作为大学的最高权力机构。董事会成员12—60名不等。据有关数据统计，董事会成员平均27名，其中一半是校外人士，教师占17%，学生和校友各占9%，其余由校长、高级行政人员等组成。[③]里贾纳大学（University of Regina）董事会有12名董事：6名董事由政府任命，2名由校友选出，1名由全职教师选出，1名由学生选出，由校友选出的名誉校长，以及由董事会任

---

① 格兰·琼斯．加拿大高等教育——不同体系与不同视角［M］．扩展版．林荣日，译．福州：福建教育出版社，2007：144.

② University of Toronto Act 1906［EB/OL］. https://tspace. library. utoronto. ca/bitstream/1807/65526/1/Boggs_Andrew_M_2007_MA_thesis. pdf.

③ Glen A. Jones, Theresa Shanahan, Paul Goyan. University Governance in Canadian Higher Education［J］. Tertiary Education and Management, 2001（7）: 135-148.

命的校长。[①]有些大学的董事会中由政府任命的董事所占比例很小。如蒙特埃森大学（Mount Allison University）就没有政府任命的董事。董事会成员一般来自教育、政府以及工商行业界，他们大多受过良好教育。董事平均每月花10个小时处理董事会事宜。尽管董事会的工作对大学治理起到了至关重要的作用，但董事的工作是免费的义务性劳动，没有任何形式的报酬或补助。董事会通常会下设执行委员会，负责董事会会议的日常安排和协调其他治理机构的工作。近三分之二的董事会会议都是公开透明的，只有涉及一些内部议题（如人事任命）才会封闭讨论。董事会负责制订大学发展的战略规划，遴选任命校长管理全校事务，为学校筹集资金，监督财政管理，处理大学的法律问题，保持学校与政府、社会的关系，等等。具体而言，董事会的主要职责分为专属权力和分享权力两个方面。

专属权力主要有：①管控大学的资产、收支业务及有关事务；②负责大学投资和基金管理；③任命名誉校长、校长和副校长；④监管学校财政，审批预、决算，监督年度财务状况。

分享权力主要有：①由校长负责推荐聘任、晋升、解雇教职工；②建立院（部）、研究所、系时，需经过大学评议会的同意；③建立附属实体时，要咨询大学评议会；④任命名誉校长、校长时，要与评议会协商。

从总体上看，尽管加拿大大学内部的治理机构设置并不十分固定，每个学校也不完全一致，但一般而言，设置大同小异。如里贾纳大学2002年的机构设置如图4-1所示。[②]

①② 唐纳德·威尔斯．加拿大的高等教育管理［J］．大学教育科学，2003（1）：94-96.

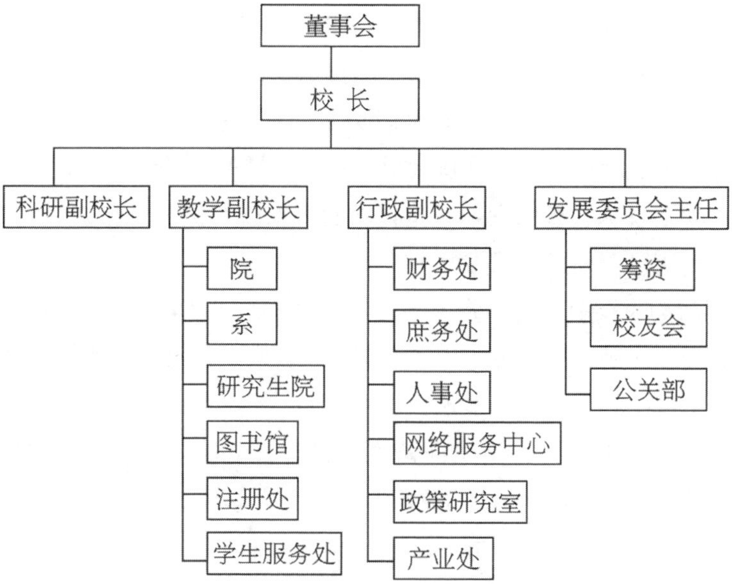

图 4-1　里贾纳大学董事会结构图

2. 大学评议会

大学章程规定设立评议会，作为大学管理学术事务的最高权力机构。评议会是学术决策组织，主要负责对大学的教学、科研事务的管理，有权决定所有学术事务，包括审定学科课程、制订教学计划和科研规划、颁布毕业标准、授予学位等。大学评议会还有向大学董事会提出有关学术方面的建议权力。评议会成员包括副校长、各学院院长、注册部主任以及各院系的教师代表，校长为当然主席。[①]大部分加拿大大学的评议会都是平行于董事会的治理机构，独立运作。只有极少数评议会是在董事会的批准下建立的。因此，董事会不能直接否决评议会的决议，而是通过是否批准预算来施加影响。评议会成员中90%以上都是校内人员，其中，教师占44%，所占比例最大，评议会中的第二大群体是学生代表，占到18%。评议会的平均人数规模要比董

① The Academic Senate and University in Canada [EB/OL]. http://journals. sfu. ca/cjhe/index. php/cjhe/article/viewFile/183456/183409.

事会大，据有关统计，在61人左右，但个别大学与此的差异较大。有接近三分之一的评议会会议完全公开，剩下的也基本都是部分公开。因此，评议会的决策过程非常透明。每个评议会成员平均每月花费6.5个小时处理评议会事宜。与董事会成员一样，评议会成员也是免费的义务性劳动，不取任何报酬。评议会下设执行委员会，负责日常会议安排和协调工作。①评议会的职责也分为专属权力和分享权力两个方面。

专属权力主要有：①负责大学的学术政策；②在院（部）、研究所和系设立委员会；③确定和掌握学生入学标准、课程设置和毕业要求；④考试管理和任命主考；⑤负责处理学术奖励事务。

分享权力主要有：①负责向董事会推荐设立院（部）、研究所、系等教学机构和负责人的提名；②授予学位并由大学名誉校长颁发；③授予名誉学位，在授予名誉学位前，要与董事会商量。大学评议会的结构如图4–2所示。

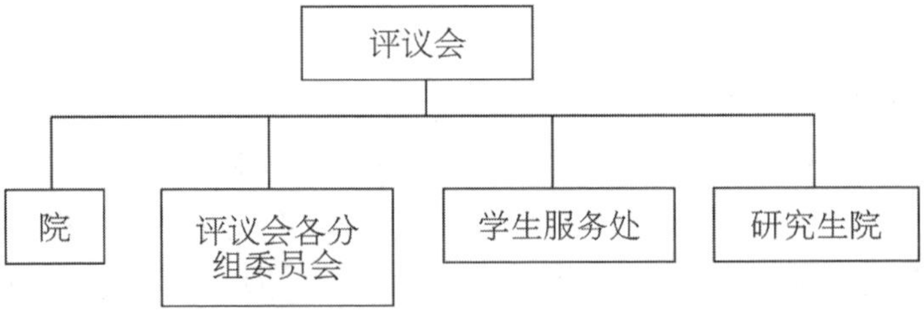

图4–2　加拿大大学评议会结构图

3. 校长

校长是加拿大大学的"首席执行官"，是大学的最高行政、学术双重领导人，对董事会和评议会负责，还要保证董事会和评议会两个机构协调运作。校长由董事会任命。校长的任命程序通常由招聘委员会执行，招聘委员

① Glen A. Jones, Theresa Shanahan, Paul Goyan. University Governance in Canadian Higher Education [J]. Tertiary Education and Management, 2001 (7): 135–148.

会成员包括由董事会指派的委员、由全职教师推选的代表、由学生推选的代表和由校友会推选的代表，有时还包括校外人士。招聘委员会将校长人选推荐给董事会，由董事会议决。大多数情况下，候选人来自其他大学。校长以及其他高级行政与教学管理人员都有固定的任期，通常为5年。

校长的主要职责：制订大学发展总体战略规划，向董事会提出发展方针与政策，推动发展方针政策的实施，协调大学与政府和社会各界的关系，编制与执行大学预算，在董事会和评议会两个决策机构之间充当协调人，负责大学其他日常工作，而筹集办学经费则是校长的一项主要任务。校长可以根据自身的管理风格及其他高级管理人员的能力，下放大多数权力。如约克大学（University of York）章程赋予校长的权力分为专属权力和分享权力。

专属权力：①在名誉校长不在时履行其职能；②监督、指导教育政策的落实，负责大学日常行政管理；③制定和实施学生行为规范，引导学生活动；④审核大学的各项活动；⑤成立学校委员会，对学校事务进行研究、咨询并提出建议；⑥确定副校长的职责和分工。

分享权力：①向董事会建议成立新的院（部）、研究所、系及专业和项目；②向董事会或评议会建议，制定管理院（部）、研究室、系及教辅人员的规章制度等。

此外，加拿大大学还有仅作为大学象征的名誉校长。名誉校长是大学最高的名誉领导，并没有实质性的权力。大学评议会授予学位往往由名誉校长颁发。①一般大学都还设有副校长，协助校长做好学校某一方面的管理工作。

加拿大大学的教学组织是学院，有的学院还下设有不同的系。学院的最高领导是院长（Dean of Faculty），系的最高领导是系主任。院长的任命程序与校长类似，由主管教学的副校长领导一个招聘委员会提出候选人并汇报给校长，校长若认可，则报董事会批准。

院长是学院的“首席执行官”，管理全院的教学、科研及财政事务，向分管教学的副校长汇报工作，并酌情授权系主任协助管理。院长职责如下：①负责执行学校划拨的经费预算并管理经费开支；②负责本院教师的招聘与

---

① 肖新生．走近加拿大高等教育［M］．开封：河南大学出版社，2007：93-97.

推荐工作；③确保学院日常教学工作的正常运转；④确保学生的学术辅导与咨询的有序运转；⑤督导系主任和各级行政职员的工作；⑥负责学院其他日常事务的管理。

院长下设系主任（不设系者则为院长），系主任负责分配教学任务，授课内容与形式则由教师按照评议会制定的课程要求自行决定。

此外，大学还有教学辅助单位，包括注册部、图书馆、学生服务处、财务处、人事处、网络服务中心和庶务处、国际教育中心，各部处的领导是处长。[①]副校长、院系领导、部处负责人则由校长聘任，其任命程序也与校长聘任的程序类似。各级领导将本单位所需人员情况及推荐候选人情况逐级上报，最后由校长定夺并报董事会批准。

加拿大大学法人治理结构中的三大核心利益相关者，即董事会、评议会及校长之间联系紧密，关系也比较复杂，主要体现在信托、代理两种关系上。董事会与大学之间是信托关系。委托人为政府和大学，而董事会即为受托人，受益人为加拿大国民及大学生。董事会和校长之间是代理关系。董事会任命校长，由校长代理管理全校事务。董事会作为大学的最高权力机构，评议会作为管理学术事务的最高权力机构，校长作为董事会的代理人，三者协同治理大学各项事务。

（二）“两院制”治理体系改革背后的权力博弈

“两院制”治理模式下，大学各治理主体的权力博弈是以政府权力与大学自治的博弈为主要形式，涉及的决策主体包括省政府，大学董事会、评议会以及校长。按加拿大宪法规定，加拿大教育治理的权力和责任属于省级政府。自1849年多伦多大学摆脱教会控制后，政府与大学之间控制与反控制的博弈绵延不断。1906年之前，政府经常插手大学事务，特别是联邦政府领导人有时甚至擅自任命大学的某些职位，如对多伦多大学教务处长罗宾·罗斯的任命。这标志着联邦政府的教育权力开始延伸到省属法定教育权限内，也促使各省政府采取相应的保护措施，即成立加拿大教育厅厅长理事会来维护自身权利。这一时期，大学基本上还处于政治权力的直接控制和监督之下。

---

① 唐纳德·威尔斯．加拿大的高等教育管理［J］．大学教育科学，2003（1）：13-17.

到20世纪初，这种冲突最终导致费拉菲尔委员会的成立，该委员会专门审议政府与大学的关系以及大学治理的结构安排。1906年，该委员会通过发表报告确立了一种新的大学治理模式，其核心理念：大学内部的行政权力与政府直接的政治权力应保持适度的分离。这种“分离”可以通过政府授权的大学董事会来实现，董事会的成员大部分由政府任命。该理念最终体现在1906年《多伦多大学法案》中确立了“两院制”治理结构。从此，“两院制”治理结构以法律的形式确立下来，并被越来越多的大学所采用。从20世纪初到二战结束，这种治理制度安排一直在正常运转。在这一时期，大学是一个以非营利身份注册的高度自治的机构，政府与大学的关系仅限于每年决定政府资助的水平，政府权力通常仅限于政府拨款水平的年度决策方面，加拿大各省政府几乎不干预大学内部决策。加拿大大学的决策权归属于董事会和评议会，处于高度自治的状态。

就大学内部各组群的关系而言，教师组群、学生组群和行政人员组群也存在多种权力的博弈关系。1906年确立的“两院制”治理模式就带有浓厚的“教授治校”色彩，加上当时学校规模普遍偏小，致使教师在与行政人员、学生的博弈中居于绝对优势。

二、“一院制”大学治理体系及其改革

20世纪60年代至20世纪90年代期间，随着高等教育的大众化以及世界范围内学生要求全面参与大学决策运动的开展，加拿大大学都开始重新审视大学治理结构，并开始启动大学治理结构改革。在这一改革进程中，多数大学并没有彻底摒弃之前的“两院制”治理模式，仅是在原有的治理结构的基础上进行调整，但也有少数大学选择走自己的路，如多伦多大学放弃“两院制”，选择“一院制”的治理结构。也有少数大学实行“多院制”的治理模式。

（一）“一院制”大学治理体系的形成

加拿大大学的主导治理模式——两院制，是通过委托治理权力给校内外人士组成的董事会，以此来划清大学和政府的权力边界。这种治理模式存在两个明显的弊端：①大学决策过程不透明，师生参与程度低。当时大学董事

会和学术评议会的决策会议很少对公众开放；②由于商人在董事会成员中占有相当的比例，师生认为董事会被商人和企业利益主导，大学决策治理过程中容易背离学术精神，漠视师生利益。由此，社会公众对增加大学治理决策的透明度以及提升师生对治理决策的参与度的呼声日益高涨。20世纪60年代，针对“两院制”的治理改良，从注重大学内部权力的边界治理开始。

多伦多大学是加拿大规模最大、实力最强的公立研究型大学，其大学治理模式的改革在安大略省乃至在整个加拿大都具有引领示范作用。1965年，多伦多大学校长克劳德·比色尔（Claude Bissell）指出，现有的“两院制”治理结构导致了大学决策中的“两张皮”现象：学术评议会只对学术发展的问题感兴趣，只负责学术问题的决策，而不考虑或忽略了相关的财务问题；大学董事会则刚好相反，只负责财务问题的决策，但不理会财务决策对学术发展的影响。而单一的决策治理机构能够把不同利益集团的代表召集在一起进行协商。

为了给大学治理结构改革提供基础参考数据，1963年加拿大大学教师联合会与加拿大大学联合会共同成立了达夫伯达委员会（Duff-Berdahl Commission），专门审视大学治理问题。1966年，达夫伯达委员会在利用全国调查数据的基础上提交了一份初步报告，认为大学教师（而不是学生）应成为大学董事会的当然成员，大学可以靠修补而非彻底放弃两院制来解决师生提出的问题。同时，建议大学应该建立更加开放、透明的治理结构，主要措施包括提高教师在董事会成员中的比例，改革大学评议会，使之成为更精悍、更有力的决策机构。此外，该报告提议大学都应成立一个类似于多伦多大学校长咨询委员会的机构，该机构起初由5位选举产生的教师代表、一定数量的大学高级行政官员和几位大学董事会成员组成，没有学生代表参加。[①] 学生因该报告忽视了他们的权利诉求而十分不满，他们要求与教师及行政人员一样拥有平等的参与大学决策的权力。

为此，克劳德·比色尔校长又提议成立大学治理委员会（the Commission

---

① Duff, J. &Berdahl, R. O. University Government in Canada. Ottawa: Association of Universities and Colleges of Canada and the Canadian Association of University Teachers. 1966.

on University Government），对大学治理模式改革问题开展研究。大学治理委员会在随后的一年里举行了145次会议，形成了一份最终报告。报告认为，大学应该成立一个替代大学董事会、学术评议会与校长咨询委员会的单一的决策机构——大学理事会（Council of Ministers of Education）。[①]理事会由66人组成，包括20位教师代表、20位学生代表、20位大部分由政府指定的校外代表和6位学校高级行政人员。其中，教师代表与学生代表由选举产生。该报告于1969年公开发表。虽然遭到大学董事会大部分成员的反对，但该报告的基本原则却得到了大学董事会许多年轻成员的支持，并在这一时期加拿大大学治理改革中起到了重要作用。大学教师和学生代表人数占董事会和学术评议会人数的比例得到提升，治理过程也更加公开透明。1967年以前，没有任何一所大学向公众开放董事会和评议会会议。3年之后的1969年，超过50%的大学允许非学校成员旁听会议。[②]

1970年1月，多伦多大学在安大略省政府的一个大会议室里召开了有146位正式代表参加的为期3天的大学代表大会。在这次具有历史意义的大会上，原则通过了实行“一院制”治理结构改革方案。1971年春天，安大略省政府决定支持大学代表大会的改革提议，但同时对大学董事会的要求也高度重视，对大学代表大会方案的两处内容做了调整：①由外部人员构成理事会的多数；②理事会的规模改为42人。[③]学生席位是教师席位的三分之二。1971年7月23日，安大略省立法会最终通过了多伦多大学“一院制”治理结构改革方案。多伦多大学于是用“一院制”治理模式取代了20世纪初的“两院制”治理模式。[④]

1972年，新成立的大学理事会召开了第一次会议。会议决定通过设定

① Council of Ministers of Education［EB/OL］. https://www. cmec. ca/299/Education-in-Canada-An-Overview/index. html.

② Houwing, J. F. & Kristjanson, A. M. Composition of Governing Bodies of Canadian Universities and Colleges, 1975. Ottawa：Association of Universities and Colleges of Canada. 1975.

③ Martin L. Friedland. The University of Toronto:A History［M］. Toronto:University of Toronto Press. 1999：548.

④ 黄蓉，鲁军．加拿大大学治理结构变迁中的权力博弈［J］. 高校教育管理，2010（4）：25-43.

有效的运转程序，创设一系列行政职位，对大学“一院制”治理模式进行完善。理事会先后创设了校内事务专门委员会、校外事务专门委员会、资源与战略专门委员会、学术事务专门委员会等一系列行政职位。其中，取代了原学术评议会并执行其职能的学术事务专门委员会由25人组成，教师及学术行政人员占12席，不到半数。从此，教师在学术委员会占优势地位的局面被打破。[①]此外，还成立学术行政人员协调会。学术行政人员协调会是由学术副校长兼教务长牵头成立的，旨在为各院院长等学术行政人员提供交流沟通的平台，以确保学术行政人员在新的大学治理结构中的学术决策权力和影响力。学术行政人员协调会每周召开一次会议，由学术副校长兼教务长主持，校长也经常参与。[②]

除了多伦多大学外，其他省的少数大学如艾伯塔省的阿萨巴斯卡大学也放弃了“两院制”，只设单一的治理机构——阿萨巴斯卡大学董事会。该机构担当了大学董事会、普通院系委员会和大学评议会的所有职能。

（二）“一院制”治理体系改革背后的权力博弈

“一院制”治理模式下，围绕大学治理结构的安排，权力博弈更为复杂，三种形式的权力博弈同时并存，而又以大学内行政权力与学术权力、师生权力与大学行政权力之间的博弈较为显著，政府权力与大学自治权力的博弈则相对微弱。

1. 政府权力与大学自治权力之间的博弈

到1970年，加拿大高等教育成功地实现了从精英教育向大众化教育的转型。二战期间，加拿大的投资贸易体系并入北美网络，北美投资贸易体系的一体化，促进了整个加拿大联邦经济的惊人繁荣，联邦政府因此掌握了历史上前所未有的权力与财力，为其强力介入高等教育奠定了基础，此前加拿大联邦政府很少介入高等教育的发展事务。随着二战后退伍军人福利项目的实施，联邦政府开始强力介入高等教育事务，也正式拉开了加拿大高等教育

---

① Martin L. Friedland. The University of Toronto:A History［M］. Toronto:University of Toronto Press. 1999：556.

② 周光礼 . 大学治理模式变迁的制度逻辑——基于多伦多大学的个案研究［J］. 高等工程教育研究，2008（3）：55-57.

大众化的序幕。由于政府财政拨款的增长速度比不上高等教育规模的扩大速度，为了扩大招生规模，必然要减少生均资助数量。于是，政府开始强调财政经费的资助效率。在这种情况下，各省高校纷纷采取紧缩教师薪酬预算，延长学制和增加学费等举措予以应对，这些政策激发了师生自我权利意识的普遍提升。因此，建立教育问责制度，成为了当时政府、社会、教师和学生的一致要求。“两院制”治理模式显然已不能满足各利益相关者的需要，改革势在必行。由于大学办学经费50%来源于政府（多伦多大学超过60%，因此，多伦多大学的这种冲突尤为激烈），在博弈中政府有实力要求在大学决策中拥有更大的发言权。而在传统的“两院制”治理模式中，虽然大学董事会有半数代表由政府任命，但在学术评议会中没有能体现政府意图的代表。于是，政府希望限制大学的自治权，取消学术评议会，成立政府拥有很大发言权的单一决策机构。然而，大学董事会的大部分成员因对学术决策没有多少兴趣而希望维持“两院制”模式。作为委托人的政府与作为受托人的大学董事会之间出现冲突，就难以避免了。

2. 大学内行政权力与学术权力之间的博弈

从加拿大大学治理结构来看，董事会是大学章程规定下学校行政系统的最高权力机构，而学术评议会则是与董事会平行的最高学术决策机构。虽然“行政权力”和“学术权力”的边界在大学章程中有明确界定，但在实际运作中，双方的博弈仍难以避免。因为几乎大学所有的预算决策都会对大学的学术工作产生影响，而几乎所有的学术决策都与大学教育资源的分配有关。因此，董事会成员看似对董事会发挥的作用满意，但评议会成员却普遍认为应该在预算决策和大学未来发展方向的确定等方面加强评议会的职责。当行政权力与学术权力决策博弈时，往往会被起诉，而法院因考虑到在组织权力上，董事会是属于上级的，因而往往站在董事会一边，以支持“行政的”观点而告终。[①]

---

① Alber to Amaral, GlenAJones, BeritKarseth. Governing Higher Education:National Perspectives on Institutional Governance［M］. The Netherland:Kluwer Academic Publishers, 2002：220.

3. 大学行政权力与师生权力之间的博弈

就大学内部各组群关系而言，以校长为代表的行政人员希望在大学组织结构改革、大学使命的确定、课程设置和教师任命等方面拥有更大的发言权，以提升大学的行政效率和竞争力。而在“两院制”治理模式下，大学董事会与学术评议会并未授权校长进行改革，因此，校长对学校内部事务的改革并没有多少话语权。董事会保留了大部分学校内部事务的决策权，但对决策后果却不承担责任。一旦学校表现不佳，董事会往往会通过更换校长来缓解压力。而对大学使命的确立、课程设置以及教师聘任这几项最重要的大学学术事务权力，都控制在以教师为主体的学术评议会和各种由教师组成的专门委员会手中。校长对此同样难有作为。在“两院制”治理模式下，教师拥有较大的决策权。由于学术职业的特殊性，对教师的评价与监督十分困难。因此，学校不得不通过任命各种委员会对教师工作进行评价。而教师工作质量标准的模糊性使教师日益缺乏责任心。任命教师委员会成了管理人员规避棘手问题的惯用途径。而教师委员会实际上成了低水平教师的保护伞，因为教师委员会成员的专业水平往往比教师的平均水平还要低。因此，任何旨在强化教师竞争机制与提高办学质量的改革都会遭其反对。在强大的教师委员会面前，行政人员往往不愿得罪教师群体，以避免被教师委员会投不胜任票而离职。行政人员难以控制大学发展和教师评价，大学的办学质量难以提升。校长要想完成聘期，最好是安于现状而不要试图进行任何改革。因此，如果不对大学治理模式进行重大改革，校长对学校的治理将难有作为。另外，为了提高大学的决策效率，行政人员希望成立一个集财务决策权与学术决策权于一身的单一决策机构，以使大学由保护平庸走向追求卓越。由于以往学术决策权基本上控制在资深教授手中，教师群体特别是年轻教师基本上赞成对大学治理模式进行改革。学生群体也要共享大学治理决策权，对大学治理结构的改革最为积极。在多方参与的复杂博弈下，出于解决矛盾的考虑，多伦多大学及其他几所大学成功地将“两院制”治理结构转变为“一院制”。①

---

① 周光礼．大学治理模式变迁的制度逻辑——基于多伦多大学的个案研究［J］. 高等工程教育研究，2008（3）：58-60.

三、“多院制”大学治理体系及其改革

（一）“多院制”大学治理体系

除了阿萨巴斯卡大学之外，艾伯塔省的其他大学的治理结构则根据1966年的《大学法案》，将大学治理事务分别授权给大学董事会、大学评议会、普通院系委员会（General Faculties Council）以及大学协调委员会等组织。其中，大学董事会主要负责管控大学的财产、收入及各种商业活动事务。大学评议会主要负责选举名誉校长及授权其颁发名誉学位。大学董事会的普通院系委员会主要负责管理学术事务。大学协调委员会主要制定新生入学标准，规定某些学术性专业和职业教育专业的准入条件。这些规定代表了一种新的混合治理模式，即“多院制”的治理模式开始形成。①

除了董事会和评议会，其他的利益相关者组织也在大学治理的过程中发挥了重要的作用。其中，教师工会和学生联盟是大学治理中发挥较大作用的非正式大学治理组织。从20世纪70年代起，加拿大联邦政府的公共财政支出开始处于紧缩状态，对大学的财政支持也深受影响。由于大学的主要资金来源仍由省政府提供，但大学经费的增长额开始受到限制，大学不得不节省开支。教师工资是大学财政支出的主要部分。在财政紧缩的环境下，教师工资自然要受到削减。为了应对财政紧缩和工作安全等问题，保障自身利益，教师们希望通过工会的形式团结起来，集体与学校进行谈判。教师工会随之应运而生。为了确保大学决策中教师的权益，到1980年有22个大学教师联合会获得了工会地位。②教师工会通常由教师组成，也包含少量的实验室教员或图书馆管理员等教工。教师工会都有章程并受法律保护，可以代表教师群体在教师薪资、雇佣关系以及工作安全方面与校方谈判，帮助工会成员提出申诉，在相关决策过程中代表教师群体参与等。由于教师工会的出现，以往掌握在董事会或高级行政人员手中的有关教师的决策权如教师工薪、任命

① 格兰·琼斯．加拿大高等教育——不同体系与不同视角［M］．扩展版．林荣日，译．福州：福建教育出版社，2007：72-73.

② Glen A. Jones, Theresa Shanahan, Paul Goyan. University Governance in Canadian Higher Education［J］. Tertiary Education and Management, 2001（7）：135-148.

程序、终身制以及工作安全等问题，都成为工会与大学谈判和协商的事项。虽然不同大学的教师工会对大学治理决策的影响程度不同，但作为保护教师利益的组织，教师工会在平衡治理机构其他权力中发挥着重要的作用。这无疑打破了大学原有的治理结构和力量的平衡，并使决策天平倾向于教师群体。

学生联盟是对大学治理发挥正式合法作用的活跃组织，并逐渐成为大学决策的主体之一。大多数加拿大大学生联盟都是独立于学校、具有法人地位的非营利性机构。虽然学生起初在博弈中不具谈判能力，但他们一直在积极争取参与大学决策的权力。如经常性地向董事会和评议会派驻学生代表，进行互动和磋商，[①]在大学咨询委员会以及其他机构中占据一席之地，甚至提出了大学的教师组群、学生组群与行政人员组群应享有同等的参与大学管理权力的“三者同权”思想。

通过联盟并组成工会的方式，把分散的师生个体集合成一个人数众多的整体，这无疑加大了师生群体在学校决策中的发言分量。在他们的博弈下，大学的正式治理结构中由少数教师和无学生成员的情况转变为教师占相当大的比重，学生代表也能占到一定席位。除了教师工会和学生联盟，还有其他组织，诸如校友联盟、职工代表大会以及助教联盟等，也会对大学治理发挥作用。加拿大大学组织治理结构的不断调整，表明加拿大大学治理模式正在向“多院制”治理模式转型。

（二）“多院制”治理体系改革背后的权力博弈

从20世纪70年代至今，加拿大大学的治理结构基本按照20世纪60年代改革调整的框架稳步运作。但各决策主体之间的博弈并没有停止，这种博弈主要体现在省政府与大学正式治理机构之间、大学内部行政权力与学术权力之间、大学正式治理机构与教师和学生联盟之间的博弈。

加拿大大学治理结构的变迁主要是省政府、董事会、评议会、校长及行政管理层、教师与学生多方参与的复杂博弈过程。对加拿大大学来说，“多院制”治理结构下主要存在三种权力的博弈。

---

① 孙伦轩，陈·巴特尔．加拿大大学治理：传统与变革［J］．高教探索，2013（4）：59.

1. 政府控制与大学自治之间的博弈

在20世纪后半期，加拿大大学都保持了高水平的自治传统。虽有一些省政府在不同时期试图掌控大学的决策权，但20世纪末之前，加拿大各省政府因经济衰退，极力避免在大学治理结构中体现其权力。总体上看，大学自治还是得到了绝大多数政府的尊重。21世纪之后，高等教育的扩张所引起的费用支出的扩张和复杂性，增强了加拿大社会克服混乱现象、恢复秩序的需要，政府则又因为高等教育的发展积极扩张权力。于是，各省政府有时会通过与资助政策挂钩的其他要求影响大学的决策。总体而论，加拿大政府总是试图影响和控制大学的决策，而大学却坚守高度自治的原则，于是政府控制与大学自治之间产生了博弈。

2. 大学内部行政权力与学术权力之间的博弈

在当时多数大学，董事会和学术评议会的权力界限长期处于争议之中。董事会所做的预算决策都会对大学的学术工作产生影响，而评议会的学术决策又都与资源配置相关，董事会与评议会的权力互相牵制。此外，大学校长及核心管理层的行政权力与董事会和评议会的治理权力之间同样存在博弈，校长及核心管理层能够影响董事会和评议会做决策时需要接受的信息，而董事会有时也会超越自己的职责插手大学的日常管理事务。随着大学入学率的提高，很多大学发展成为了巨型大学，大学的日常管理日趋复杂。许多大学开始通过雇用专职的行政管理人员管理大学和提供大学治理的建议，来加强其行政能力，以应对管理环境中日益增加的不确定性和复杂性。在这种背景下，大学开始建立专业化的行政管理网络。于是，行政组织开始成为大学治理中的重要一极。这无疑会导致校长权力的分散和流失，而教师则认为行政权力的过度增长会直接损伤其学术权力。这日渐引发了大学高级行政官员和教师的警惕。①

3. 师生权力与大学管理权力之间的博弈

教师工会的成立，使大学董事会不再能够单方面决定教师薪酬及其他事项，改变了加拿大大学的治理决策程序。随着高等教育大众化的推进，学生

---

① Glen A. Jones, Theresa Shanahan, Paul Goyan. University Governance in Canadian Higher Education [J]. Tertiary Education and Management, 2001（7）：135–148.

为了在大学决策中发声，也成立联盟。教师和学生都通过联盟的方式，把分散的师生个体集合成一个人数众多的整体，从而加大了在学校治理决策中的分量，成为大学决策的主体之一。此外，在财政紧缩的背景下，一些大学为了节约开支，启用兼职教师或研究生授课，基础设施建设也大打折扣，这必然会降低教育质量，也损伤了教师和学生的利益。教师工会和学生联盟因此成为师生与大学磋商的途径，师生群体也以此为突破口，以非正式治理机构的身份，参与到大学治理决策中来，并在决策人数中占有相当的比重。

总体上看，加拿大大学治理模式变迁是政府、社会、董事会、校长、行政人员、教师与学生多方参与的复杂博弈过程，权力冲突是大学治理模式变迁的动力机制，权力对比在制度变迁中发挥了很大的作用。在多方的权力博弈下，大学的正式治理结构不断进行调整。通过博弈，不同历史阶段某些权力占了上风，而另外一些权力则暂时受到压制，冲突各方的博弈成功地塑造了新的大学治理制度，直接促使加拿大大学治理结构实现了由“两院制”到“一院制”和“多院制”的转变。与此同时，各决策主体的权力比重也在不断地调整。任何一方权力比重过大都会导致决策失衡，并引发其他方采取措施维护自身权利。如此循环往复，保持各决策主体在治理结构中权力的相互牵制，并趋于平衡，最终形成一种兼顾多方决策主体并保证权力之间的互相制衡的共享治理模式。这是加拿大多数大学能够跻身世界一流大学的根本所在。①

四、当代大学治理面临的问题与挑战

随着高等教育国际化进程不断加快，加拿大大学外部环境日益复杂，大学内部治理结构向更有参与性、分权性和复杂性方向发展。随着政府对大学的财政拨款的日渐减少，大学不得不直面办学经费萎缩的危机。外部环境的日趋复杂性与大学财政状况的日渐紧张，给加拿大的大学治理带来一系列新的挑战。

① 黄蓉，鲁军：加拿大大学治理结构变迁中的权力博弈［J］. 高校教育管理，2010（4）：46-47.

1. 大学的自治权受到挑战

在大学与政府的关系问题上，政府越来越多地插手大学事务，大学自治受到严重的挑战。20世纪，加拿大高等教育几乎都享有高度的自治权。大部分省政府都尊重或容忍大学的这种自治行为。加拿大70多所大学绝大部分是公立的，只有少数几所是私立的。所有大学都得到政府的财政资助，大学在政府的法制框架下生存，大学50%的运行经费来自于省政府，但大学又有自己的章程，并认定自己独立于政府，不属于任何政府部门，只是一种社会福利体系，是非营利机构。然而，近年来，由于日趋激烈的高等教育竞争形势和各省的教育发展需求，各省政府越来越试图将大学教育经费拨款与大学的招生预算和科研项目捆绑在一起，以迫使大学按照政府的意图进行相应的改革，致使人们对政府试图逐渐控制大学的质疑越来越多，大学自治的压力与日俱增。

2. 大学的市场化趋向日渐加强

受市场思维的影响，大学专业开始有冷门与热门之分。各大学也根据市场需求来做专业发展规划，专业设置由市场来调节，专业的扩充和压缩也由市场需求来决定。市场化的结果是在大学各专业之间形成了竞争机制。省政府改变了拨款的方式，开始根据大学各个专业的广度与深度进行拨款，政府的科研基金也由市场调节。同时加强质量监控，强化社区问责制。市场化的运作与社区问责制紧密地结合在一起。比如安大略省成立了一个高等教育质量监督委员会，建立各种机制来保证高等教育的质量。大学的市场化趋向直接导致了大学的经济理性的盛行，使大学的功利性日益突出，而大学应有的公共性、批判性日渐微弱，大学的适应性与批判性日渐失衡。

3. 大学的公益性与私利性的矛盾日益凸显

随着财政拨款的减少，大学不可能在经费上获得很大增长，为了应对办学经费减少的危机，大学开始讲究效率，开源节流。很多大学一方面通过增加学费和延长学制以提升大学的经费收入，另一方面又通过压缩大学的日常开支来节流，这些举措虽然有助于帮助大学渡过经费紧缩的危机，但却也严重损害了加拿大高等教育所宣扬的公益性质。为了节约开支，一些大学启用兼职教师或研究生授课，基础设施建设大打折扣，严重降低了教育质量，直接损伤了师生利益。教师工会和学生联盟得以非正式治理机构的身份参与到大学治理决策中来。随着政府投入的研究经费不断增加和相关政策导向，大学教师能从科研活动中获得更大的收益，导致大学科研日趋中心化，而作为大学中心工作的教学日益边缘化，教学与科研的矛盾日益突出。

4. 大学内部对资源的争夺加剧

经费短缺致使对募集资金负主要责任的董事会，不得不逐渐改变原有的学术团体的治理风格，而更像是商业团体。董事会常将科研项目和经济利益紧密联系起来，从而违背了大学作为自治的非营利性机构的基本原则。学术评议会是对科研项目和学术标准决策的组织，而学术决策往往与资源特别是经费的分配密切相关，但是经费问题却是董事会的决策范畴，这样，大学评议会在重大学术政策、募捐筹款和大学战略发展的决策上未能起到应有的重要作用。行政人员与董事会和评议会的冲突也时有发生。由于董事会和评议会的决策有时会损害行政人员的利益，政府出台的许多政策使行政人员的重要性凸显，迫使董事会做出相应的让步，对行政组织让渡部分权力，以使其能快速投入到复杂的谈判中，以应对不断变化的政策环境。大学的高级管理层由此会利用职务之便，影响各治理主体接受决策信息的范围，以实现组织利益的最大化。①

总之，在政府财政资助逐步减少的环境下，加拿大大学治理正面临着诸多挑战：随着政府对大学投入的科研经费不断增加，大学科研日趋中心化，而教学日益边缘化，大学教学与科研的矛盾日益突出；随着大学获得的财政资助逐渐减少，大学筹集经费的压力骤增，大学市场化、功利性、适应性、经济性日益强化，而大学的公益性、超然性、批判性日益变得孱弱，大学的公益性与私利性的矛盾日益凸显，大学的适应性与大学的批判性渐趋失衡。加拿大高等教育又走到了改革的十字路口，何去何从，人们拭目以待。

---

① 孙伦轩，陈·巴特尔．加拿大大学治理：传统与变革［J］．高教探索，2013（4）：59-60.

第三节　高等教育质量保障体系

20世纪90年代以来，加拿大国内财政紧缩所引发的高等教育质量危机，引发了加拿大社会各界对高等教育质量及其保障问题的关切。于是，加拿大政府、社会中介组织以及高等院校等主体之间开始以多种路径对高等教育质量进行监控和评估，并在实践中逐步形成了分工协作的高等教育质量保障体系。高等教育质量保障的根本目的是确保高等教育人才培养质量的稳步提升，及其对社会需要的适切性。高等教育质量所涉及的对象是多方面的，包括人才培养、知识创新及社会服务等。加拿大重视对高等教育人才培养质量的评估和监控，外部保障体系和内部评估体系协同作用，政府组织、中介机构及高校内部相互合作，以及多样化的评估方法、健全的评估程序，为大学教育质量保障树立了良好的典范。加拿大的高等教育质量保障机制既包括国家及省级层面的评估和认证，也包括院校的内部评估。下面，将从外部保障和内部保障两个方面考察加拿大高等教育人才培养质量保障体系。

一、高等教育质量外部保障体系

现代意义上的高等教育质量保障是一个系统工程。加拿大没有国家层面的教育质量保障机构，主要通过立法、绩效考核、会员资格认证、大学排名、专业认证以及学位质量评估等形式和途径实现对高等教育质量的外部保障。

1. 定期开展高等教育质量评审工作

在国家层面，加拿大联邦政府通过立法确定省政府和地区政府评估、监控高等教育人才培养质量的权力和职能。宪法规定将教育管理权限赋予各省。在省级层面，各省政府通过制定法律法规设置高等院校各专业的质量标准及学位授予标准，并对高校申报的专业及学位进行严格审批。2000年，安大略省政府出台的《中学后教育选择和优秀法案》（Post-Secondary Education Choice and Excellence Act），规定加强对安大略省高等教育质量的评估与监控。[①]2004年，艾伯塔省政府出台的《中学后学习法案》（Post-Secondary Learning Act），则允许将学位授予权赋予通过省质量评估委员会（Quality Assessment Council）认证的中学后教育机构。[②]

2. 绩效考核督导高等教育质量

近年来，加拿大的一些省份，如安大略省政府建立了与高等院校的“绩效”直接挂钩的拨款机制，如绩效拨款、目标拨款等。省政府通过关键绩效指标考核和资金引导实现对高等教育人才培养质量的评估和监控。1995年，加拿大高等院校联合会在“A Primer on Performance Indicators”的报告中指出“绩效指标可用于提高大学内部教学、科研和社会服务等职能的质量”。“绩效考核”的科学性在很大程度上取决于对“绩效指标”的认识及其制定。安大略省高等教育质量委员会（The Higher Education Quality Council of Ontario）认为，绩效责任体系是一个向公众、教育管理部门以及高校自身提供有关评价高等教育系统是否达到预期绩效信息的工具。绩效责任是安大略省2005年推出的“迈向新高度：麦坚迪政府高等教育发展计划”（Reaching Higher: The McGuinty Government Plan for Post Secondary Education）追求的主要目标之一。为此，安大略省高等教育质量委员会提出了一个高等教育绩效责任基本框架，该绩效责任框架由绩效责任体系、院校绩效责任和绩效计划构成。[③]其目标为：①为高等教育体系设立一个明确、具体的目标；②为目标体系的建立提供一个磋商程序；③为院校提供一个两部分（一个面对整个高教体系，一个面向单个学校）的绩效报告框架；④允许不同院校根据自身特性调整其核心指标的构成；⑤为核心绩效指标提供连贯的定义和数据；⑥促进安大略省教育厅和院校之间的交流和沟通；⑦鼓励对绩效结果进行定性和定量的评价；⑧强化绩效责任和计划内容之间的联系。安大略省高

---

① Post-Secondary Education Choice and Excellence Act, 2000 [EB/OL]. http://www. Edu. gov. on. ca.

② Dave Marshall. Degree Accreditation in Canada. International Consortium for Education and Economic Development Annual Conference, 2004. 24.

③ Reaching Higher: The McGuinty Government Plan For Post Secondary Education [EB/OL]. http://news. ontario. ca/opo/en/2005/05/reaching-higher-the-mcguinty-government-plan-for-postsecondary-education. html.

等教育质量委员会期望通过设立明确的目标和途径以监督高等学校不断提升教育质量，省政府将和高校签订协议，以保证目标的实现，并借以对安大略省高等学校的人才培养质量进行绩效考核，政府资金的分配将与绩效考核结果挂钩。[①]

3. 高校行业协会会员资格保障教育质量

加拿大高等教育机构行业协会入会与审核的标准与原则，也是重要的高等教育质量保障标准。因此，一些全国性非政府性高等教育行业组织的会员资格，也是判断高校办学层次与人才培养质量的重要标志。如加拿大高等院校联合会（The Association of Universities and Colleges of Canada）是加拿大最为重要的高等教育行业协会组织之一。该协会明确规定了会员资格标准和具体的评价指标，涉及学术自由、科研水平以及学术贡献等，其成员必须符合协会成员的条件。自2005年开始，所有的加拿大高等院校联合会成员均须每5年一次接受常规性会员资格的重新认证。加拿大高等院校联合会的成员标准共分为正式成员、省级或者地方成员以及附属成员三类。正式成员是经过加拿大高等院校联合会委员会认可或批准的高等院校。省级或者地方成员主要包括安大略大学委员会、魁北克校长会议、大西洋大学协会以及其他省级或者地区高校组织的成员，这部分会员一般通过委员会推荐投票产生。附属会员是通过委员会推荐投票产生的全国性的高等教育机构。不同层次的会员有不同的标准，其中，正式成员标准条件大致可分为：①通过加拿大高等院校联合会批准；②具有学校治理机构；③具有大学使命与学术目标；④具有核心的教育目标；⑤具有本科及研究生教育；⑥具有可获得外部同行审核与出版的学术与研究成果；⑦保护学术自由；⑧非营利性组织；⑨提交的报告符合加拿大高等院校联合会委员会的要求。[②]

加拿大高等院校联合会要求会员单位必须符合省级、地区级等有关权威机构质量保障的审核标准。其质量审核要求自评与同行审核相结合。审核的

---

① 柏檀．让高等教育质量迈向新高度——加拿大安大略省《高等教育质量回顾与研究报告》解读［J］．江苏高教，2011（5）：154-155．

② 张胜利．加拿大 B C 省高等教育机构外部质量保障制度简介——以西三一大学实践为例［J］．教育与教学研究，2015（8）：14-15．

过程必须由学校内外的利益相关者，即学生、院系、学校行政部门、社区代表等参加。质量保障程序指导文件必须公布，质量审核的结果必须向社会公开，以增强审核的可信度。由于加拿大没有国家层面的院校认证体制，因此，加拿大高等院校联合会会员资格被视为高质量高等教育的标志，并起到了替代正规的院校认证的作用。

4. 专业认证、评估和学位质量保障确保高等教育质量

2007年，加拿大教育厅厅长理事会发布了《加拿大学位教育质量保障厅厅长宣言》（Ministerial Statement on Quality Assurance of Degree Education in Canada），该报告从“知识的广度和深度、方法论、知识的应用、表达技能、对所学知识的局限性的了解、专业能力及自我发展能力”六个维度规定了学士、硕士和博士的三级学位“水平标准”，并通过对各级学位获得者“竞争能力、创新能力、独立工作能力，及与所学专业前沿学术水平的接近程度”这四项指标的评价，实现对各学位人才培养质量的评估与监控。①

加拿大有近20个全国性的专业认证机构，如加拿大专业工程师理事会等。这些专业认证机构对大学设立的专业学位教育进行专业认证评估，其认证结果具有权威性，并得到社会的普遍认可，因此在保障加拿大高等教育质量方面发挥了重要作用。

在省级层面，加拿大各省通过建立评估监控机构等措施，保障各高校的学位授予质量。加拿大几乎每个省（或几省联合）均设立了高等教育质量管理机构。如不列颠哥伦比亚省教育厅在2003年设立学位质量评估委员会（The Degree Quality Assessment Board），作为学位质量主管机构，负责实施不列颠哥伦比亚省高等教育机构专业学位的质量审核工作。②为推进“迈向新高度”计划的实施，安大略省特别成立了安大略省高等教育质量委员会（The Higher Education Quality Council of Ontario），以支持和协调与高等教育质量改进和完善相关的各方面工作。此外还有艾伯塔省大学教育质量委员

---

① Council of Ministers of Education, Canada. Ministerial Statement on Quality Assurance of Degree Education in Canada [EB/OL]. 2007-01-13. http://www. cmec. ca.

② 张胜利．加拿大BC省高等教育机构外部质量保障制度简介——以西三一大学实践为例[J]. 教育与教学研究，2015（8）：13.

会、魁北克省大学学程委员会。新不伦瑞克省、新斯科舍省、爱德华王子岛省因大学数量少，就联合成立了统一的学位质量管理机构——海洋省份高等教育委员会（Maritime Provinces Higher Education Commission）。这些机构均是各省政府下属的行政机构，负责管理辖区内高等教育，在高等教育质量保障方面发挥了重要作用。

安大略省分别通过安大略研究生教育委员会和本科项目评估委员会对学士、硕士和博士学位水平标准进行质量评估和监控。安大略省研究生教育委员会负责研究生（包括硕士和博士）专业质量评估工作。本科专业评估包括大学自评和省级政府部门审核两个环节。其中，省级政府主要对大学内部评估政策与程序进行宏观指导和定期审核。而对专科专业质量的评估和审定，省政府仅授权省高教和培训厅制定包括职业标准、基本就业技能和一般教育要求等专业标准，而不负责评估。评估以7年为1个周期。评估结束后，必须要提交评估报告。通过专业评估，保障了各高校各专业的教育质量。[①]

5. 大学排名激发大学提升质量

自1991年起，加拿大《麦克林》时事杂志，按照“医学院和博士类大学”“综合类大学”和“以本科教育为主的大学”三类，每年对加拿大大学的办学绩效进行分类评估排名。由于参与排名的大学就能够与同类院校进行比较，因此，在某种程度上能为学生在院校选择上提供信息和指南，由于排名的提升可以明显增加申请入学的人数，因此，大学排名起到了一种社会舆论监督的作用。加拿大13所研究型大学每年把办学基本数据和统计分析报告定期公布于众。因而这种大学排名成了一种社会力量监督高校人才培养质量的重要手段，对加拿大各大学的人才培养质量起到了一定的监督作用。

二、高等教育内部质量保障体系

人才培养质量是高等教育发展的生命线。大学教学是大学人才培养质量的核心环节。在社会外界开始审视高等教育的人才培养质量的同时，高等学

---

① 李中国，皮国萃．加拿大高等教育质量保障体系及其改革走向［J］．黑龙江高教研究，2013（2）：43．

校也开始关注自身的发展特色、水平和经费使用效益。加拿大大学通过完善大学内部的质量保障管理机构，实行定期的学位点评估，设立教学质量保障咨询服务机构，形成了完善的大学内部教学质量保障机制。

加拿大大学教学实行学校、学院和系三级管理体制，教学质量由学术副校长兼教务长负责，校长助理或若干副教务长协助。各学院院长是本院教学质量的唯一负责人，直接归教务长领导。部分大学的校务委员会或学院设有专门的课程委员会，是新课程、新学程申报及定期学位点评估的审议机构。①

在加拿大，大学基于各自的政策和程序对人才培养质量进行内部评估。学位点评估，是省内大学的自律性组织按照全省统一的各学科的评估计划安排，对各大学学位点的教学质量进行的定期评估。按照多伦多大学的评估指南，评估一般由来自校内外（包括美国人）非本院3名专家负责实施。在评估之前，被评单位应向评估专家提交自评报告，以及前一轮的评估报告。评估专家组到被评单位后，通过参观教学设施，与师生及教辅人员座谈，最后提交评估报告。评估报告应客观评价该学位点的实力和质量，诊断该学位点存在的问题，并提出改进建议。评估报告直接送交学术副校长。学术副校长、院长收到评估专家所提交的评估报告后，要对出现的问题提出整改要求和措施。②

加拿大大学普遍设立了隶属于学术副校长的教学质量保障咨询服务机构。该机构聚集了若干教育学、心理学和教育技术的专家。其基本职能：①组织、推广教学法改革；②开展新教师培训；③为师生改革教与学的方法提供咨询服务；④组织教师同行交流教学经验；⑤学期末组织学生评价教学效果。麦吉尔大学的教学服务中心、不列颠哥伦比亚大学的教学与技术中心均属此类。

为了应对世界高等教育发展带来的挑战，在加强高等教育质量保障建设的同时，加拿大开始重视评估方式与评估程序的科学化及有效性建设，注重

---

① 吴言荪，刘晢玲 . 加拿大大学教学质量保障机制浅析［J］. 高等工程教育研究，2011（1）：107-108.

② University of Toronto: Guidelines for Reviews of Academic Programs and Units, June 23, 2008.

对人才培养的专业自治能力和学术独立能力的评估，同时注重对评估过程实施监控，以发挥质量评估的引导作用和发展功能。

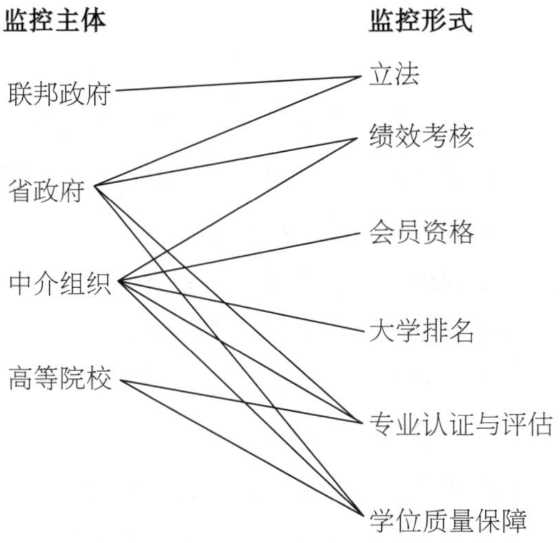

图 4-3　加拿大高等教育质量监控主体与形式对应图①

虽然加拿大实施一系列的评估方案和措施在全球范围内取得了很好的反响，但加拿大在高等教育方面缺乏一个持续的、全面的质量保障制度，以使加拿大的高等教育能够在制度的要求下，进行教育质量的认证、评估。由于制度的缺失，让加拿大的一些高等教育机构不得不去美国的认证机构寻求认证，但由于美国的认证脱离加拿大本土的教育背景特质，对于加拿大高等教育质量的保证并没有实质推进。这个制度缺失导致加拿大的高等教育很难成为世界教育舞台的中心，引领世界高等教育的发展潮流。

① 李中国，皮国萃 . 加拿大高等教育质量保障体系及其改革走向 [J]. 黑龙江高教研究，2013（2）：43.

第五章 加拿大教师教育治理

教育是社会经济发展和科技进步的基础，教师教育则是教育事业发展的基石，教师教育质量直接决定了教师的培养质量。因此，学校教育质量首先取决于教师教育与教师发展的质量。从一定意义上讲，教师是决定教育改革成败的关键因素。正如1950年加拿大安大略省皇家教育调查委员会在报告中称："教育目的的最终实现取决于教师。"[①]加拿大是一个非常重视发展教育事业的国家。由于加拿大不设联邦教育部，教师教育事务都交由各省级政府负责管理，因此，在国家层面，加拿大没有制定统一的教师培养培训的宏观政策，各省在教师教育学制的制定、教师教育课程设置以及教师标准的制定上不尽相同，但各省对教师教育及教师队伍建设都相当重视。在教师培养培训及管理上，从教师专业标准的制定，到教师教育课程设置各个环节都设计了一套完整的制度体系，同时将有关制度上升到法律层面加以贯彻实施，并能根据社会发展变化而与时俱进地进行修订。由于加拿大各省对教师职前培养和在职培训的要求都比较严格，所以各省的教师专业化发展水平都比较高。

第一节 教师教育治理的发展历程

在北美大陆，加拿大的教师教育起步较早。由于加拿大曾经是英、法两国的殖民地，因此，早期加拿大的很多教育制度包括教师教育在内，均深受欧洲师范教育的影响。20世纪以来，加拿大教师教育在受欧洲教师教育传

---

① Royal Commission in Ontario, Report of the Royal Commission in Ontario, Toronto King's Printer, 1950: 564.

统影响的基础上，又深受近邻美国教师教育发展的影响，加上自身的不懈探索，完成了由师范学校发展到综合大学的教师教育大学化的历史进程。20世纪80年代以后，为了应对社会发展对教师提出的更高要求，加拿大教师教育又兴起了教师职前、入职和在职教育一体化的变革。[①]教师教育开始逐步转向由大学与中小学合作培养教师的新模式。

一、早期教师教育治理的萌芽

随着社会对教师的专业水平要求逐渐提升，教师教育随之逐渐升温。1846年，加拿大省联合会通过了《师范学校法案》。加拿大各省如安大略省（1847年）[②]、新斯科舍省（1855年）、魁北克省（1857年）[③]、爱德华王子岛省（1857年）相继建立师范学校。至19世纪60年代，加拿大东部省份大多采取了这种教师培养形式。与此同时，加拿大还出现了另一种教师培训形式——地区办理的“模范学校”。这种学校最早产生于1843年，通常由地方出资，在指定的公立学校里进行。教师培训形式主要是学员在校长及其助理的指导下观摩并承担一些实际教学任务，培训时间由最初8周增至15周，学员毕业可获得三级教师资格证。由于偏远地区教师短缺，该模式一直延续至1924年。

这一时期，教师教育的主要进展体现在：师范学校广泛开设了教育学、心理学课程；现代教学方法随着教育学、心理学的发展和普及已渐成体系；建立教师教育制度体系，对教师进行专门的教育训练，逐渐进入教育改革者的视野。

---

① http://en. wikipedia org/wiki/nova_scotia_Teaclers_college.

② https://en. wikipedia. org/wiki/Toronto_Noronto_School.

③ The Journal of Education for the Province of Québc,Volume 21［EB/OL］. https://books. google.ca/books?id=hF09AQAAMAAJ&pg=PA113&dq=the+first+normal+school+in+québec&hl=en&sa=X&ved=0ahUKEwikhLjp5vTcAhUhxYMKHXJjBdwQ6AEILjAB#v=onepage&q=normal%20school%20in%20québec&f=false.

二、20世纪初教师教育的起步

20世纪初，加拿大在全国推行八年制义务教育。为了解决学校扩张而带来的师资数量和质量的双重不足，加拿大各省政府和学区大力开展教师职前培养和在职培训工作，各地中等师范学校承担了这一时期主要的教师培养培训任务。为了提高义务教育的发展质量，加拿大各省政府不断提升教师的培养规格标准。如表5-1所示艾伯塔省教师培养规格提升情况。

表5-1　20世纪初至20世纪40年代艾伯塔省教师培养规格一览表[①]

年　代	教师培养规格
20世纪10年代	8年制中学毕业生加1年的师范教育
20世纪20年代	9年制中学毕业生加1年的师范教育
20世纪30年代	12年制中学毕业生加1个暑期的师范教育
20世纪40年代	12年制中学毕业生加6个月的师范教育

1897年，安大略省率先规定，公立中学教师必须接受教师专业培训。公立中学教师的专业培训最初由师范学校负责，随后逐渐转由大学承担，例如，麦吉尔大学（1898年）、多伦多大学与女王大学（1907年）等均承担过培训公立中学教师的任务。

20世纪初，加拿大西部大开发以及对公立学校教师的迫切需求，使加拿大东部省份的师范学校模式开始在全国普及。由于当时师范学校学制过短，培养的师范生难以满足教育工作需要。为了弥补这一缺陷，同时也为中小学教师提供培训机会，加拿大不少省份开办了教师暑期进修学校。至1939年，除爱德华王子岛省外，加拿大其他省份都开办了这种教师暑期进修学校。

这一时期，加拿大的教师教育也取得了一些进展。随着师范学校入学标准的提高，师范学校逐渐不再讲授中学课程，而是主要将精力放在中小学教材的复习、各科目的教学方法的学习，以及辅之的教学实践上。教育心理学

① 何平．加拿大的师范教育［J］．教育科学，1991（1）：51.

开始融入到加拿大教师教育之中。20世纪二三十年代，美国心理学家、教育家爱德华·李·桑代克（Edward Lee Thorndike）的学习三大定律①一度对加拿大师范学校的教师教育产生了重大的影响。至二战前夕，美国心理学家华生（J. B. Watson）的行为主义理论又深受加拿大教师教育界的大力推崇。

三、20世纪中期教师教育的发展

为了适应社会经济发展特别是现代科技进步对人才的需求，从20世纪40年代起，加拿大开始在全国实施12年义务教育。在新的教育体制下，原有的师范学校已难以胜任新型教师的培养和培训任务。于是，各省先后取消了中等师范学校，将其并入综合大学，成立了教育学院，或改建为独立的社区学院，以承担基础教育师资的职前培养和在职培训任务。1942年，艾伯塔省将当地原有师范学校合并组建为省立大学教育学院，每年从12年制中学毕业生中选拔新生入学。②从1945年起，该省师范教育学制逐步延长。从20世纪50年代起，安大略省、新不伦瑞克省、新斯科舍省以及马尼托巴省也相继把各自的师范学校升格更名为“师范学院”。

表5-2　20世纪40年代起艾伯塔省教师培养规格一览表③

年　　代	师范教育学制
1945年	1年制
1958年	2年制
1961年	3年制
1966年	4年制加1年教育实践

① 这三大定律是效果律、练习律、不准备律，是爱德华·李·桑代克根据动物心理实验提出的有关人类学习的规律。

② Chalmel's, J. W. Development of Alberta's First Faculty of Education [J]. Alberta History. 2006（10）：55-62.

③ 何平．加拿大的师范教育 [J]. 教育科学，1991（1）：52.

二战以后，除上述四省之外，加拿大其他省份大多选择将公立小学教师教育直接纳入到大学教育体系。这些省份或者关闭省内师范学校，并将教师教育纳入大学（艾伯塔省，1945年；不列颠哥伦比亚省，1956年），[①]或者大学将其开设的教师培训课程改为颁发教育学士学位的教育计划（纽芬兰-拉布拉多省的纪念大学，Memorial University of Newfoundland，1946年），[②]或者制订教师教育本科计划（萨斯喀彻温大学、魁北克省的麦吉尔大学，1953年）。[③]

进入20世纪60年代，加拿大各省基本将教师教育纳入到大学教育体系。蒙特利尔大学、拉瓦尔大学（Laval University）、舍布鲁克大学（University de Sherbrooke）以及麦吉尔大学都相继设立了教育系（Faculty of Education）。1967年，安大略省教育厅厅长戴维斯宣布，从1968年开始，部分小学教师将不必遵循以往的师范学院传统，而是在大学接受教师教育。教师教育课程也逐渐从最初的2年延长为4年的学位课程。此举标志着该省长期以来一直沿袭的师范学校传统被打破。[④]

四、20世纪80年代后教师教育治理的变革

加拿大的教师教育经历了一个曲折的发展历程。第一所师范学校建立之后，加拿大师范教育很快陷入低潮，发展几近停滞。一战至二战期间，加拿大中小学校教师一度严重紧缺，各省进一步降低了对小学教师原本就相当低的标准，师范教育取得了一些进展。二战后，受美国教师教育高速发展的影响以及国内教育发展对教师的迫切需求，提高教师教育质量成为加拿大公共教育领域的当务之急，加拿大各省教师教育的发展速度开始明显加快。此后，许多省份把教师教育直接纳入大学教育体系，延长教师教育年限，开设

① https://books. google. ca/books?id=HxIwDwAAQBAJ&pg=PT238&dq=normal+school+history+in+alberta&hl=en&sa=X&ved=0ahUKEwiI-KSd6_TcAhWNxIMKHc5YAV8Q6AEILjAB#v=onepage&q=1945&f=false.

② http://www. mun. ca/memorial_history/70s/Morgan. html.

③ https://www. mcgill. ca/education/about/history.

④ 许江媛．加拿大公共教育发展史研究［D］. 华东师范大学 2007 年博士学位论文．

教育学位课程，不少大学都有权授予教育学学士学位。

20世纪80年代，加拿大各省教师教育基本完成了从初等、中等师范教育到高等师范教育的转变，师范教育也已经完成从单一、封闭式的师范院校教育向综合性大学的开放式教师教育的转变。加拿大已经实现了教师教育大学化。这一时期，各综合大学都设置了教育学院，开始承担起教师教育的主要任务。从此，大学本科毕业，已成为中、小学教师必备的学历条件。20世纪80年代以后，为了应对社会发展对教师的素质和能力提出的更高要求，加拿大教师教育又兴起了教师职前和在职教育一体化的变革。由此，加拿大的教师教育大学化开始逐步转向由大学与中小学合作培养教师的新模式，这种模式将中小学纳入教师培养系统，并作为重要的一极，在大学与中小学之间建立密切的合作伙伴关系，协同完成教师的培养培训任务，已逐步成为加拿大教师教育发展的新趋势。

第二节　教师教育治理体系

加拿大非常重视教师队伍建设工作。各省对师范生的入学标准和要求非常严格。注重职前教师教育改革，不断完善职前教师教育的培养模式、课程设置，同时注重教师在职教育，已发展形成了一套完善的职前、在职教师教育治理体系，保证了教师培养和培训质量。

一、教师职前教育治理体系

职前教师教育是教师培养的重要工作范畴。为了确保教师的培养质量，加拿大各省对师范生入学标准、培养模式以及课程设置做了详细的规定。目前，加拿大已经没有专门培养教师的师范院校，师范教育一般由综合大学的教育学院承担。一般而言，要获得教师资格，需要在完成高等教育之后，继续攻读相关的教育学专业课程。

（一）明确师范生入学标准

加拿大各省对师范生的入学标准和要求非常严格。目前，加拿大的师范生主要有三个来源：①12年制中学毕业、考试成绩平均在70分以上的学生；②大学本科一年级学生；③已完成某一学科学士学位学业的学生。这三类学生均可向综合大学的教育学院提出个人申请，经审核合格后进入教育学院学习。学生进入大学之后，也可申请进入教育学院就读，以获得教师资格，其基本程序和要求如下：①申请者大学期间学习成绩平均分在“B”以上；②申请者个人陈述，主要陈述自己申请教师职位的动机和对教师职业的认知；③提供与工作经验相关的两封推荐信。如果申请者具有相关的教师或教师志愿者的职业经验，申请的通过率会更高。[①]加拿大还有一些非营利机构，如位于多伦多市的安大略省教师教育申请服务中心，为申请入读师范教育的学生提供入学申请服务。各省的大学入学申请中心和一些大学的教育院（系）也都设有类似机构。

（二）创新师范教育培养模式

从20世纪90年代起至今，加拿大教师职前培养基本上延续了并行制和连续制两种培养模式。[②]所谓并行制，是指在学科专业知识和教育学相关专业知识的学习时间和顺序上，二者同时进行，其主要优势是将专业的学术性课程与教师教育课程穿插学习，有利于促进二者的有机整合。该模式学制一般为4年。[③]所谓连续制是指学生在学习某一学科的本科课程，并取得专业学士学位之后，再进行1—2年的教育学专业知识的学习（各省略有不同，有的是1年，有的2年），该模式的优势是将教师教育课程与学术性课程分开学习，有利于学生习得扎实的专业基础知识和宽广的学术基础，又能系统地习得熟练的教育学专业素养，为教师提供丰富的经验。[④]该模式学制一般为5—6年。从实践上看，加拿大各省在实施这两种培养模式时的具体做法又各

① 胡军，刘万岑．加拿大基础教育［M］. 上海：同济大学出版社，2015：172.

② Xiaobin Li, Preparedness to Teach：A Comparison Between Consecutive and Concurrent Education Students.［J］. The Alberta Journal of Educational Research, VOL. XLV, No. 2, Summer 1999, 184-197.

③ Strategic Plan for the Faculty of Education Concurrent Degrees Program. DR, Mike.［EB/OL］. http://www. mala. ca/Educational Planning/SignPosts/PlansEDUC/AbodginalEd2005. pdf. 5-8.

④ 谌启标．加拿大教师教育大学化的传统与变革［J］. 比较教育研究，2015（11）：60-63.

不相同，归纳起来，大致有以下6种形式：

表 5-3　加拿大教师职前培养模式一览表 [①]

培养模式	基本做法	实施学院示例
4 年制	师范生在综合大学教育学院同时进行学科知识与教育学专业知识的学习，为期 4 年	马尼托巴省立大学教育学院
“1+3”并行制	完成 1 年的大学学业准备后，再进行 3 年的并行制教师培养	安大略省约克大学教育学院 [②]
“1+4”并行制	大学本科 1 年级学年结束后进行 1 次筛选，成功通过筛选的学生还需要进行为期 4 年的并行制学习。不过这种模式主要是培养具有较高学科水平和教育技能的高中教师	安大略省约克大学
“4+1”的连续制	学生 4 年时间取得学科学士学位，再用 1 年时间学习教育学专业知识和实践	多伦多大学教育学院、艾伯塔大学教育学院
“4+2”连续制	学生进行 4 年时间的学科知识学习，再用 2 年时间进行教育学专业知识的学习和实践	马尼托巴省立大学教育学院、布鲁克大学教育学院
“3+2”连续制	学生利用 3 年时间学习某一学科知识，并取得学士学位，再向教育学院提出申请，经过审核合格后进入教育学院学习 2 年的教育学专业知识，并参加教育实习	艾伯塔省的莱斯桥大学教育学院

（三）不断完善教师职前教育的课程设置

如前文所述，加拿大教师职前教育大致可以分为并行制和连续制两种模

① Initial Teacher Education in Canada-The Practicum. Sybil Wilson [EB/OL]. http://www. see-educoop. set/education_in/pdf/initial teacher_educ_Canada-oth-enl-t03. pdf. 2006-3-11.

② http://edu. yorku. ca/academic-programs/bachelor-of-education/concurrent-bed//.

式，与之相对应，加拿大职前教师教育课程设置也可分为并行制和连续制两种模式。

1. 并行制课程设置

并行制课程设置可以分为4年制和5年制两种模式。前者课程方案主要是培养8年级以下的教师为主，其学科专业课程和教师教育课程（包括教育实习）的学分比例大致为3∶1，学生修完规定课程，毕业后可获得学科学士学位和教师资格证书；后者则是以培养9年级以上的教师为主，其两类课程学分的比例大约为4∶1。学生毕业后除了可以获得学科学士学位和教师资格证书以外，还可以获得教育学士学位。

2. 连续制课程设置

20世纪90年代，实行连续制课程设置的综合大学教育学院，一般都招收已取得某个学科学士学位的学生。学制一般为1—2年，主要攻读教师教育课程并进行教育实习，考试合格者可获得教育学学士学位和教师资格证书。由于1年制的教师教育课程的学习和教育实习时间较短，师范生的教育理论基础和专业技能难以满足教师工作需要。为此，目前加拿大大部分省的教育学院，已经开始实行“3+2”或“4+2”的连续制课程方案，前者是学生在3年内取得某一学科学士学位，再进行2年时间教师教育课程学习和教育实习；后者是在4年专业学习并取得某一学科学士学位的基础上，再进行为期2年的教师教育课程学习和教育实习，二者毕业后都将取得教育学学士学位和教师资格证书。如布鲁克大学教育学院就将“4+1”模式延长至“4+2”模式。①多伦多大学教育学院小学教师教育课程有六大模块：教师教育研讨、学习心理学理论与发展、学校与社会、课程与指导、教学研修、教学实习与实践。②各学院每年都会提前把下学年所开设的课程名称、学分、教学语言以及课程介绍公布在网络上，以方便学生了解课程结构，制订课程选修计划。

---

① Initial Teacher Education in Canada–The Practicum. Sybil Wilson［EB/OL］. http://www. see-educoop. set/education_in/pdf/initial teacher_educ_Canada–oth–enl–t03. pdf. 2006–3–11.

② Elementary Program Core Course Components［EB/OL］. http://www. oise. utoronto. ca/preservice/elementary/program_overview. php.

教育实习是加拿大各省都非常重视的一个环节。加拿大各大学教育学院都有比较稳定的教育实习基地，基地学校都将辅导学生实习作为学校的主要职责之一。学生在校期间必须完成90天的教育见习与实习。教育实习贯穿职前培训全程，大多采取以下模式：我做（I do），你看（You watch）→我做（I do），你协助我（You help me）→你做（You do），我协助（I help）→你自己做（You do alone），我适时从旁协助（I help or assist）。大学实习指导教师和中小学辅导教师一般都是由经验丰富的教师担任。对学生实习成绩的考核比较严格。对学生实习成绩评定的主要依据如下：①实习生的整体实习表现；②实习生是否具有专业精神；③实习生了解教学内容、掌握教学技巧的情况；④实习生对学习困难学生的了解情况；⑤实习生的课堂教学组织、师生互动情况；⑥实习生的口头表达能力等。对不同年级的师范生的评估标准因各有侧重而有所不同。[①]凡教育实习不合格者，不能取得教师资格证书。

二、教师在职教育治理体系

随着国际竞争的加剧和知识经济的快速发展，加拿大联邦和各省政府越来越重视教师在职教育，并把教师在职教育作为教师教育的重要组成部分。就教师而言，面对不断加剧的工作竞争压力，越来越多的教师投入更多的时间、资源接受继续教育和进修提高，这为加拿大基础教育质量的提升创造了有利条件。

加拿大教师在职教育体系比较多元化。相关政府部门、大学、行业协会/联合会、其他非营利私营（民间）机构乃至出版社等，通过制定政策，颁布标准，提供正规教育或网络教育及信息资源，出版培训教材和应用软件等形式为教师在职教育提供服务。

加拿大教育厅厅长理事会以年会和不定期会议的形式负责协调、指导各地教育厅之间的工作，还与联邦和地方政府有关机构如统计局教育委员会、人力资源部教育委员会等合作，开展全国范围内的调查统计，召开教育发展

① 胡军，刘万岑．加拿大基础教育［M］．上海：同济大学出版社，2015：175-176.

研讨会，制定教师教育及培训工作的指导性原则。大学，社区学院，开放大学包括广播电视大学、网络远程教育学院和函授大学通过开发课程资源，提供培训服务等，在教师在职教育中起着不可或缺的作用。

目前，加拿大教师在职教育主要以专业能力提升和学历提升教育为主。专业能力提升型教育，主要是为了扩大教师的知识面，帮助教师更新教育理念，习得最新的教学模式和方法，掌握现代信息技术，提高教育能力而进行的培训。学历提升型在职教育，主要是教师为提升学历而进行的在职进修。由于加拿大是一个重视学历的国家，教师的学历与教师的职务和薪酬密切相关。学历提升，不仅可以增加工资，而且可获得更多的晋升机会，因此，这吸引很多教师通过在职进修攻读硕士、博士学位。

加拿大各省政府都不断加大教师在职培训的人力和财力投入，不断完善培训体系，强化政策导向，完善激励机制，加强相关教育理论研究，为中小学教师接受在职教育广开渠道，创设条件。如安大略省出台了《教师学习计划》（Teacher Learning Plans），[①]从立法上鼓励和要求教师参加在职培训。根据该计划，从2007年起，各学区董事会有责任为每一名教师制订在职培训计划，包括设定教师培训目标、培训计划及时间表。在具体的举措上，安大略省政府及教师协会开设了系列教师培训课程。这些教师培训课程主要包括基础资格课程、专业资格课程和校长资格课程三类。基础资格课程是为新入职教师提供的，旨在培养教师基本的专业技能，帮助新教师尽快胜任本职工作。专业资格课程主要是对教师进行某科目的专业知识及教学实践的培训，旨在培养教师特定的教学能力以及提升教师的领导力。校长资格课程就是为教师具备校长任职资格而开展的学校管理方面的专题培训。[②]

加拿大各省对中小学教师进行在职培训，针对性强，教学方式灵活多样。除了各类资格证书培训课程之外，各省教育厅、学区董事会、教师学会、工会以及其他机构还会组织形式多样的各种讲座、研讨会等培训活动。

---

① Education Act ontario regulation 98/02 <Teacher learning plans> https://www. ontario. ca/laws/regulation/020098.

② 胡军，刘万岑．加拿大基础教育［M］. 上海：同济大学出版社，2015：183-185.

如安大略省开展的生态学校（Ontario ECO Schools）项目，就是定期在不同生态学校开展教师培训，旨在让参训教师了解学区内生态学校开展环境教育的途径、方法和进展。安大略省各学区董事会还会安排一定的培训任务，组织全体教职员工就某一或某几个主题开展学习讨论。此外，为了解决工学矛盾，利用现代远距离教育技术和送教上门的教学方式开展培训，也深受中小学教师欢迎。

三、教师资格认证体系

加拿大一直实行教师资格审定制度。自20世纪90年代中期起，为了加强中小学教师资格审定的行业化、专业化管理，加拿大各省区教育厅不再直接参与教师资格审定和管理，各省区陆续设立了非政府管理的教师管理协会来承担原属于教育厅职权内的对中小学教师资格审定的工作，政府仅通过立法形式进行宏观调控。

（一）建立管理机构

根据加拿大联邦宪法，教育是由各省负责。尽管各省之间因为历史成因、文化传统和地域特征方面的不同而导致各省教师资格审定体制和管理机制上存在一些差异，但总的要求基本是一致的。加拿大各省教师学院采用类似于律师和医师等行业管理的模式和经验，自主建立教师注册资格证制度，加强教师资格证管理。如1996年，安大略省在皇家教育委员会的建议下，通过了一项教育法令——《安大略省教师学院法案》（Ontario College of Teachers Act），决定成立非政府的安大略省教师管理机构——安大略省教师管理协会，以取代原省教育厅教师管理的相关机构，负责全省的教师管理工作，并对教师的培养教育提供支持。教师管理协会内设有决策和执行机构。决策机构包括教师代表大会、由37人组成的理事会和11个专门委员会。理事会中的14人是由教育厅厅长提名、省督导任命的社会各界代表，余下的23人则由会员选举产生。教师管理协会的执行机构总负责人是秘书长，由理事会任命，并对理事会负责，其主要职能是负责教师学院的各项行政工作以及理事会布置的其他工作。执行机构下设行政部、会员事务部、调查与听证部、行业事务部四个职能部门。专门委员会成员分别由理事会或行政部门任命，负责制订各领域的决策方案。[1]

安大略省教师管理协会的主要职责如下：①审批、延续教师资格。凡希望在安大略省公立学校任教的教师，都必须向教师学院申请注册教师资格证书，并且每年办理审核手续。②建立健全教师业务进修培训制度。③审定大学设置的教师培训机构的资格和教学大纲。④制定和修订教师从业行为规范，并监督执行。⑤受理各种有关教师违规行为的投诉，组织听证会，惩戒违规行为。

加拿大教师学院实行教师资格行业管理。教师学院按照医生和律师等行业协会的管理模式而建立，自主建立教师执照即资格证书制度，依法实行自治管理，而不受省政府立法手段之外的直接行政干预。这种行业管理模式，将教师资格认定、执照（证书）的颁发与教师的业务培训相结合，将执行教师行业规范与纪律惩戒相结合，同时将处理教师违规行为与保护广大教师的合法权益相分离，将教师资格与聘用分离（教师能否被聘任，完全由学区董事会按聘用教师的程序办理）。[2]总之，在教师专业管理上，加拿大教师管理协会将行政式的教师资格证书管理，变成了教师行业的管理，确保了教师资格认证的质量。此外，教师管理协会还通过组织对师范教育机构的质量认证工作，确保了教师培养源头的质量；通过对教师资格证书的定期再认证，使资格证书管理真正成为了提升教师质量的有效途径。

（二）制定教师职业标准

加拿大各省区对教师都有明确的职业标准。一般而言，教师职业标准主要包括学历标准、职业伦理标准和职业实践标准三个方面。加拿大没有一个全国通用的基础教育（K-12年级）教师认证体系，但各省的标准大体相当。对于学历标准，要求必须具高等教育学历，即如有大学本科或研究生学位，并要经过1年以上的教师职业培训，或获得教育学学士学位。职业伦理

① Committees of Council. [EB/OL]. https://www. oct. ca/about-the-college/governance.
② What the College Does. [EB/OL]. https://wvav. oct. ca/abouO? lang=en. ca.

标准和职业实践标准阐明了社会大众对教师职业的期望，也是指导教师日常教学的道德行为准则。教师教学专业伦理标准（the Ethical Standards for the Teaching Profession）旨在明确教师职业的伦理责任与义务，激发教师不断反思和保持从事教师职业的荣誉感和尊严，指导教师专业伦理的决策与行动，提升教学专业人员的公信力。它主要涉及教师履行教职应具备的职业信念和价值观，并作为教师专业角色、专业联系、教育决策和专业行动的指南。教师教学实践标准（the Standards of Practice for the Teaching Profession）则明确规定了教师应具备的专业知识、能力和价值观。加拿大各省都有教师职业标准，其基本内容差异不大。以下将以安大略省教师学院制定的教师职业标准为例，介绍加拿大中小学教师职业道德标准和教师职业实践标准的构成。安大略省教师教学专业伦理标准由安大略省教师学院于2000年2月发布，2010年进行了修订。教师教学专业实践标准则由安大略省教师学院于2000年10月发布，2010年进行了修订。安大略省教学专业实践标准描述了教师应具备的知识、技能和价值观。该标准阐释了教学的专业目标与使命，旨在激发教师在教学专业中共享愿景，识别教师专业独有的价值、知识和技能，指导教师进行专业判断和专业行动，促进教师形成共同话语和相互理解。

表 5-4　安大略省教师职业伦理标准[①]和职业实践标准明细表[②]

教师职业伦理标准		教师职业实践标准	
基本原则	内涵	基本原则	内涵
关爱	为提升学生潜能所表现出的同情、包容、兴趣与洞察力、责任	致力于学生和学生的学习	教师承诺对学生的学习负责；公平地对待和尊重每位学生，并捕捉影响每位学生学习的因素，帮助学生成长为合格公民

① Ontario College of Teachers. Foundations of Professional Practice [M]. Toronto: Ontario College of Teachers. 2010: 9.

② The Ethical Standards for the Teaching Profession [EB/OL]. https://www.oct.ca/public/professional-standards/standards-of-practice.

续表

教师职业伦理标准		教师职业实践标准	
基本原则	内涵	基本原则	内涵
尊重	信任和公正是尊重的内在标准。教师以身作则，尊重人的尊严、情感、意愿和认知发展，教师在专业实践中尊重学生的精神与文化价值观、社会公正、隐私权、自由、民主和环境	专业知识	教师要努力拓展更新专业知识，理解并反思学生发展、学习理论、教学法、课程、道德规范、教育研究以及相关政策法规，在实践中形成专业判断，并能应用于教学实践
信任	教师与学生、同事、家长、监护人和公众的关系应建立在公正、开放和信任的基础上	教学实践	教师运用专业知识和经验促进学生学习；运用合理的教学方法、评价手段、资源和技术，设计学生个体和共同体的学习；教师通过持续探究、对话和反思，提高专业实践
正直	教师在履行职业义务和责任时做到正直。包括承诺帮助教师同行，并落实行动	学习共同体的领导	教师促进并参与建设合作、安全、支持性的学习共同体；承担共同的领导角色责任，确保学生学习成功；教师维系和认同学习共同体的伦理标准
备注：这4项原则是教师专业伦理标准的核心，其核心标准是教师对学生的学习和成长持诚心关注和全力投入的工作态度		持续的专业学习	教师承诺持续学习，并将有效的实践和学生学习进行统合。教师通过体验、研究、合作和认知进行专业实践和自我导向的学习

（三）定期审定教师资格

教师资格是教师从事教师职业的准入资格。加拿大教师资格不仅需要按照严格的程序申请认证，而且还需要通过教师资格考评项目。另外，教师资格证还需要每5年重新认定1次。加拿大严格的教师资格认证制度，保证了师资队伍的整体素质和质量。加拿大中小学教师资格的申请审定程序如下：

第一，学生完成本科及以上学习，参加1年以上的教师职业培训，或获得加拿大大学教育学学士学位。如安大略省教师管理协会就要求申请人必须在该院认可的高校获得3年或3年以上的大学学位，并修完安大略省教师管理协会认可的、为期2年的教师教育专业（包括教学实习、理论课程、教学法课程和其他基础课）的学习，获得教育学学士学位，才能接受认证。

第二，到所在省教师管理协会，申请教师初级职业资格证。各省教师管理协会会对每位申请人的教育背景、教学经历等进行严格审查，颁发相应级别的教师资格证书。该证书会注明该教师所能胜任的教学或管理内容。拥有教师资格证书是教师担任教职的必备条件。经过认证，成为省教师管理协会的注册会员，才能到公立学校求职任教。

第三，到各省教师管理协会认可的高校教师教育专业继续进修，获得更高级别的教师资格证。如安大略省中小学教师认证分为：初/低级（幼儿园到6年级），低/中级（4—10年级），中/高级（7—12年级）。教师申请资质需要通过评估，教师晋级既有工作年限要求，又要综合考虑教师年度绩效考核结果以及学科专业课程学习进修情况。教师管理协会根据教师资质将教师分级，教师资格证书列举了教师的学位、教师教育专业的学习情况、所能任职的基本资历和更高资历4个方面的内容，学区董事会根据级别和教师工龄决定薪资。

第四，参加教师资格证再认证。加拿大教师资格需要每5年再认证1次，若认证不通过，就取消教师资格。认证主要是评价教师的专业水平及进修培训的情况。

第五，跨省任职，须重新申请认证。按照加拿大有关法律规定，中小学教师资格证书通常只在本省区内有效。教师想跨省任教职，必须重新向希望任职的省份的教师管理协会申请教师资格证书。只有获得当地教师学院颁发的教师资格证书后，才能在该地区谋求教职。

值得一提的是，想获得加拿大教师资格证书者，还必须经过一定的测评。2000年5月，安大略省公布了安大略省教师测评项目，其主要内容如下：①新教师必须要通过教师资格证书考试，获得教师资格证书。其考核方式和内容参照律师资格考试。②母语为其他语言的教师，若在英语学校或法语学校教学，必须通过高等级英语或法语的口试和笔试。③家长和社区也将参与教师评估。考评不合格者，将被吊销教师资格证书。④所有获得教师资格证书的教师每5年必须进行资格再认证。总之，该项目通过一系列措施为新老教师提供专业帮助，包括为新教师的专业见习提供指导。[①]

教师管理协会不负责教师聘任工作。加拿大对教师聘任有规范的选拔程序和要求。持有教师执照的人能否被聘任，要由各学区董事会按教师聘用的程序办理，经过学校按照教师职业标准面试考察来决定。因此，拿到教师资格证书只是具备了教师职业的资格执照，并不代表就可以成为一名正式教师。在加拿大，要想成为一名全职的公立学校教师，还有很长一段路要走。如新毕业的大学生取得教师资格证书后，先要在学校做教师志愿者，等到教师职位有空缺时，才能获得志愿服务的学校或教师的推荐，参加当地的学区董事会安排的面试。当然，新毕业教师一般会先把自己的简历发至所在地学区董事会的职位申请网站上，等待挑选面试。但新教师的优先权不高，因此，能够得到一份代课教师工作是成功聘任教师岗位的不错的开端。新录用的教师试用期为1—2年，试用期满后可获得终身职位直至退休。从整体上看，一般教师都要经历“志愿者—临时教师—长期教师—全职教师”这样一个任职聘任过程。临时教师主要是负责因教师请假等而出现的教师临时短缺的教学工作，临时教师要先在学区董事会登记，当教师出现临时短缺时，学区董事会会根据登记情况安排临时教师在区内的不同学校短期任教。[②]

在加拿大，不仅省教育厅、学区董事会、学校重视教师专业发展，教师专业组织也非常关注教师的专业成长。因此，加拿大教师不仅可在各学区、

① 洪成文．加拿大教育质量保障的实践探索［J］．比较教育研究，2001（9）：55-56．
② 胡军，刘万岑．加拿大基础教育［M］．上海：同济大学出版社，2015：177-181．

学校提供的指导培训项目中获得专业发展，还可借助专业组织来提升专业素质。各省都有教师协会。教师协会是各省教师管理协会的职能部门。在公立教育系统任职的教师均可成为所在地的教师协会的会员。作为教师的专业性组织，加拿大境内的教师行业协会，有省区级、国家级、国际级三级。根据所属学校类别不同，又有不同的教师协会。如在安大略省，分为小学教师协会、中学教师协会、英语天主教教师协会、法语教师协会等。教师协会在促进教师专业成长方面发挥着重要的作用，其职能主要包括：①督促会员单位为教师提供培训、技术指导、新教师实习指导；②直接组织教师专业、技能技术培训；③召开专题研讨会，出版刊物，建立资源中心；④敦促会员单位积极参与全球教育发展规划；⑤帮助本国学校与国外学校建立友好合作关系，开展教师互访和短期互换任教活动。①

保护教师福利待遇的责任则由教师工会承担。加拿大各省教师工会势力非常强大。如在安大略省，就有天主教教师工会、中学教师工会、小学教师工会和法语教师工会，其主要职能是争取和保障教师的福利待遇与合法权益。在安大略省，教师工会与省教育厅、学区董事会一起共同协调教师利益。②

教师管理。加拿大中小学教师是政府雇员。教师管理主体有省政府、教师学院、学区董事会、教师工会和学校。省政府主要是提供经费和进行宏观调控。教师学院是经省政府授权管理教师资格的非政府组织，负责制定教师职业标准，组织教师培训和考试，审定教师资格。学区董事会负责招聘、管理中小学教师。中小学校校长负责督促教师工作，但对影响教师个人权益的事宜只有建议权，没有决定权。中小学教师组成教师工会，与学区董事会签订集体协议。教师工会代表中小学教师与学区（或省）董事会联合会商定中小学教师的工资标准、福利待遇、医疗保险、劳动保护、工作条件、工作量和工作标准、奖惩办法等。集体谈判后订立集体协议，即集体劳动合同。一旦合同关系成立，作为工会成员的教师必须严格遵守这一劳动合同。中小

① 颜桂花．加拿大中小学教师教育与资格制度［J］．教师教育研究，2008（4）：76.
② 黄正平．加拿大安大略省的教师教育及其启示［J］．教育评论，2015（1）：49.

学教师每年直接投票选举产生学区教师工会委员，学区教师工会委员每两年选举产生省教师工会委员。委员候选人必须是教师，但当选后就专职从事工会工作。教师工会主要靠会员缴纳的会费维持运转。中小学教师的集体谈判在学区教师工会和学区董事会之间进行，或者省教师工会与全省学区董事会联合会谈判后，再由学区董事会和学区教师工会协商未尽事宜。集体谈判的周期取决于集体协议的期限，一般每3年1次。由于涉及内容多，双方都要不断协商，谈判往往持续数月甚至1年。如果长时间不能达成一致，工会就组织教师罢工，届时政府一般会出面调解或仲裁。按照有关法律，中小学校长不能组织或参加工会，但可以参照教师的集体协议享受工资福利。

加拿大这种把教师资格认证与聘用分离，把处理教师违法行为与保护教师合法权益分离的体制，促进了教师专业化发展，规范了教师队伍管理。

第三节　教师教育质量保障体系

加拿大没有独立设置的专门培养教师的师范院校，教师教育一般都由综合大学承担。为了保证和提升教师教育质量，在教师教育实践中，加拿大逐步形成和发展了一套综合大学教师教育质量专业认证体系，来验证其师范教育是否符合教师教育专业标准。由于加拿大没有全国统一的教师教育质量管理机构，因此，一般都由各省政府通过统一立法，对承担教师教育的综合大学开展教师教育专业质量认证工作。加拿大教师教育质量认证体系可以从外部和内部两个维度来考察。从外部来看，加拿大教师教育质量保障体系是多层次的。各省政府，省政府授权的认证机构、中介组织等在各自职责范围内开展工作，协同保障教师教育质量。就内部而言，加拿大教师教育质量保障体系主要体现在综合大学内部的学院委员会对教育管理协会的教师教育课程和教学所做的评估。这种质量认证体系，对提升教师教育质量起到了重要的保障作用。

一、教师教育外部质量认证体系

在教师教育质量外部认证上，加拿大多数省份如安大略省一样，认证工作主要在省政府的协调下，由各省的教师管理协会承担。凡申请设置教师教育机构的综合大学必须经过该省教师管理协会的专业认证，才能开展教师教育培养活动，而已经取得教师教育资格的综合大学也要定期接受教师管理协会的专业再认证。在安大略省，教师管理协会组织的教师教育质量认证包括新的教师教育培养计划的认证和已有的教师教育培养计划的再认证两类。认证过程主要由认证小组具体实施，其运作程序如下①：

第一，认证委员会组织认证小组。认证小组作为认证程序的执行者，成员在6人以上，皆由省教师管理协会认证委员会委任产生。其职责主要有实施认证和提交认证报告及建议两方面，具体如下：①在认证委员会的指导下，具体实施教师教育培养计划的认证工作；②向认证委员会汇报认证情况，提交认证报告书以及修改建议。②

第二，申请机构递交认证材料。申请设置教育管理协会的综合大学或已有的教育学院须向教师管理协会递交认证申请材料，这些材料具体包括：①机构合法性证明材料；②自我评估材料；③概念框架描述材料；④教师教育课程设置情况；⑤教育实习资料；⑥资源；⑦研究成果；⑧教师教育评价；⑨为学生提供的信息；⑩教师教育者档案；⑪管理框架及责任；⑫其他材料。这些材料作为教师教育专业认证的依据。③

第三，认证小组组织专业认证。认证小组根据认证委员会制定的认证标准，具体组织实施专业认证工作。在认证形式上，则主要采用审查认证材料、现场考察和访谈以及听取公众关于教师管理协会教学质量的评价意见等，检验申请单位教师教育培养计划的教学成果。认证结束后，认证小组还要向认证委员会提交认证报告书。④

---

① https://www.oct.ca/public/accreditation/decisions/brock-2012#introduction.

②③④ Accreditation Handbook For Programs of Professional Education [EB/OL]. http://www.oct.ca/publications/pdf/accreditation_e.pdf. 2003-4-13.

第四，认证委员会确定专业认证结果。专业认证委员会将根据认证小组提交的认证报告书以及教育管理协会提供的认证申请材料，确定认证结果。加拿大安大略省教师管理协会所做的认证结果通常可以分为三类，即通过认证、修改后通过认证、拒绝通过认证。具体要求见表5-5。

表5-5 安大略省教师教育认证结果表[①]

认证结果	新的教师教育培养计划	已有的教师教育培养计划
通过认证	完全符合认证指标的要求，可以承担起教师专业教育的任务	在结束作为新教师教育培养计划的认证以后，完全符合认证指标的要求
修改后通过认证	充分符合认证指标的要求，且认证委员会相信通过修改后，能够完全符合认证指标的要求	在结束作为新教师教育培养计划的认证以后，充分符合认证指标的要求；认证委员会相信通过修改以后，已有的教师教育培养计划能够完全符合认证指标的要求；教育学院必须在一定时间内完成修改任务
拒绝通过认证	不充分符合认证指标的要求	已有的教师教育培养计划不充分符合认证指标的要求

二、教师教育内部质量认证体系

加拿大教师教育内部质量认证体系的运作程序相对简单，主要是由承担教师教育的综合大学的学院委员会，对教师管理协会教师教育专业的教学过程以及课程结构进行评估。加拿大综合大学内部都设有学院委员会，负责全校的教学与科研工作。以下将以艾伯塔省立大学的学院委员会为例，介绍加拿大教师教育内部质量保障体系。

该学院委员会承担着对艾伯塔省立大学教育学院的教师教育专业教学专

① Accreditation Handbook For Programs of Professional Education [EB/OL]. http://www. oct. ca/publications/pdf/accreditation_e. pdf. 2003-4-13.

业评估的责任，由校长、副校长、各学院院长、教务主任、图书馆馆长、教师代表等组成，[①]主要通过定期组织现场考察和组织学生评教两种方式对该校的教师教育教学过程以及课程结构进行评估。

（一）定期组织现场考察

为了解教师教育课程的实施情况，艾伯塔省立大学学院委员会对教育学院组织现场考察，考察点主要有：评价教师教学过程、测试师范生的专业能力和考察师范生教育实习情况。

1. 评价教师教学过程

对教师教学过程的评价，主要通过听课的形式展开。这种评价可分为过程性评价和总结性评价。评价指标包括：教学计划的完成情况，教学内容与课程体系改革，教学方法的使用情况。具体包括：教师能否按时完成教学计划；能否合理使用讲授、讨论、案例教学、探究等多种教学方法，创造良好的学习氛围；能否熟练地使用现代多媒体教学工具；师生间能否互相尊重并产生共鸣；教师能否参与教育科研活动；等等。[②]通过评价，帮助教师认清自身不足，从而改进教学，提高教学效率。

2. 测试师范生的专业能力

考试、座谈和调查用人单位对师范生的评价，是学院委员会对师范生能力测试的主要方式。为了保证测试信度和效度，考试和座谈对象随机抽取。评价指标可分为课程通过率、师范生修完课程后的自我发展评价和用人单位评价三类。其中，课程通过率又分为两项指标，即教师教育课程完成率，以及学生成绩中核心课程平均优秀率，前者要求达到85%，后者要求达到40%，才算合格。师范生的自我发展评价的考核指标则分为三项：①教育教学理论知识掌握情况；②教育教学技能掌握情况；③教师专业意识和职业道德情况。学生能够掌握这些技能、具有良好职业道德者为合格。用人单位评价的考核指标，主要是看师范生满足中小学教学要求的程度，要求满意和比

---

① Xiaobin Li. Preparedness to Teach：A Comparison Between Consecutive and Concurrent Education Students. The Alberta Journal of Educational Research, VOL. XLV, No. 2, 1999：184–197.

② An Integrated Framework to Enhance the Quality of Teaching in Alberta [EB/OL]. http://www. Education. gov. ab. ca/news/1996nr/june96/qt frame. pdL2005–5.

较满意度达85%，才算达标。[①]对师范生能力测试大致包括批判性、创造性思维能力，沟通能力、团队合作能力以及领导能力，综合分析与专业发展学习能力，解决教学问题的能力等。

3. 考察师范生教育实习情况

通常由各大学学院委员会调查师范生实习学校，了解并与实习基地学校的中小学指导教师一起，综合考察评估师范生的教育实习情况。如艾伯塔省立大学学院委员会对师范生实习情况的考察测评指标主要包括师范生的语言表达能力（包括口头和书面）及沟通交流能力、教学组织管理能力、教学研究能力及教育机智等。

（二）组织学生评教

问卷调查，是各大学学院委员会组织学生评教的主要方式。这种方式一般在每学期末进行。如艾伯塔省立大学学院委员会组织的问卷内容，包括评价和建议两个部分，主要是对该学期教育学院开设的各门课程和教学状况进行评价。[②]问卷采用匿名的形式，旨在鼓励学生大胆客观评价，提出中肯建议。为了保证问卷的针对性，问卷内容设置每年都不相同。问卷调查旨在改进教育学院的课程设置，提高教学效率。

评价内容涉及课程、学生、教师三个维度。课程方面的测评指标，包括课程目标是否清晰，课堂时间是否得到有效利用，学期课程设置量是否恰当。涉及学生方面的测评指标，主要包括学生对课堂教学内容感兴趣的程度，学生课程学习效果，学生对教师教学的总体满意度。涉及教师的测评指标，包括教师口语表达是否清晰，备课是否充分，是否尊重学生，并能及时对学生提出的问题进行反馈。客观评价部分采用等级制，学生针对不同的内容，分别在坚决不同意、不同意、中立、同意、非常同意五个等级中进行选择。建议部分主要是收集学生对课程设置和教学改进的建议。因此，设置的是开放性的问题。问卷调查结果并不向学生公布，仅作为学校制订课程及教学计划以及教师任免的参考依据。

---

① General Faculties Council Policy Manual [EB/OL]. http://www. uofaweb. Ualbcrta. ca/gfcpolicymanual/index. cfm.

② An Integrated Framework to Enhance the Quality of Reaching in Alberta [EB/OL]. http://www. Education gov. ab. ca/news/1996nr/junc96/qtframe. pdf. 2005-5.

由加拿大各省政府，政府授权的认证机构、中介组织以及新闻媒体、学院委员会、教师协会等共同构成了特色鲜明的加拿大教师教育质量保障体系，其基本运作框架设计合理，分工明确，运作过程公正透明，客观高效。这种教师教育质量认证体系，对促进教师教育专业发展，保障和提高教师教育质量，促进加拿大教育健康发展，起到了积极的推动作用。

第六章　加拿大原住民教育治理

加拿大是一个由移民和原住民组成的多民族、多种族聚居的国家。历史上加拿大历经了多次移民潮，大批移民从世界各地相继涌入加拿大，促进了加拿大民族结构与文化构成的巨大变革，并客观使加拿大社会逐步具有了多民族性和多元文化的特征。[①]从人口构成情况来看，除了原住民以外，加拿大其他居民都是移民，导致其民族构成相当复杂。目前，加拿大居民民族成分达100多个，宗教信仰有50多种。在民族构成中，英裔居民所占比重最大，其次是法裔居民，再次是其他欧洲人后裔，原住民所占比例较小，大约为3%—4%，其余为亚洲裔、拉美裔、非洲裔等。[②]由于多民族、多宗教、多元文化在加拿大这片大地上共存，因此，加拿大又被称为“马赛克”国家。虽然加拿大民族众多，但教育发展却世界领先，尤其是1988年颁布了《加拿大多元文化法》之后，加拿大的教育发展取得了令世界瞩目的成就。加拿大在原住民教育治理上也颇有建树。原住民教育治理政策的价值取向是随着加拿大联邦政府、省或领地政府，与原住民之间关系的不断调整，以及加拿大社会民众与原住民对教育的认识不断深化而进行相应的调整。总体上看，加拿大原住民教育治理政策先后经历了从同化到整合，从以赋权自治为主的诉求转向在自治体制下培养与建构原住民担当和发展教育的现实能力的新路向。

① 王明娣．加拿大民族教育政策演进及其新趋势［J］．当代教育与文化，2015（1）：41.

② 吴明海．中外民族教育政策史纲［M］．北京：中央民族大学出版社，2006：196-218.

第一节　原住民教育治理的发展历程

加拿大原住民一般是指较早定居在加拿大的族群（最初被称为“印第安人”，Indian）。根据1982年的加拿大宪法规定，加拿大的原住民包括因纽特人（Inuit）、梅蒂斯人（Métis）和第一民族（First Nations）这三个群体。其中，因纽特人是指生活在加拿大北极地区的原住民，主要分布在北极圈周围，从东海岸拉布拉多地区延伸到西海岸育空地区的大片地区。梅蒂斯是法语“Métis”，意思是“混合的”，指欧洲殖民者与原住民的混血子女以及这些混血人的后裔。第一民族是指除了因纽特人和梅蒂斯人以外的原住民，是最初居住在北美这片土地的人，生活在北极以南的土地上。

根据第一民族教育家伊伯·汉普顿（Eber Hampton）的观点，原住民教育有五层含义，分别是传统原住民教育、同化教育、由印第安人进行的教育、自治教育、独特的原住民教育。[①]这揭示了加拿大原住民教育的曲折发展历程，同时也折射出加拿大原住民教育治理政策在不同时期的发展变革轨迹。加拿大原住民教育治理政策的变革，是原住民与加拿大联邦政府及各省政府之间，以及社会大众与原住民对有关教育议题的关注与互动博弈的过程中逐步演进的。纵观加拿大原住民教育治理政策的发展演变，大致可分为以下几个阶段：

一、从同化到整合

在欧洲殖民者到达美洲大陆之前，加拿大原住民已经在这片土地上生活了很长时间。在他们传统的生活中，既没有文字也没有学校。原住民的教育活动只是从父母等长辈那里学习生存技能，传承部落传统的风俗习惯和本民族的宗教文化。在通常情况下，这种教育主要以口授历史、讲故事、举行仪

① Eber Hampton. Towards a Redefinition of Indian Education [A]. First Nations Education in Canada: The circle unfolds [C]. Canada: UBC Press, 1995, p. 8-9.

式、学习狩猎技术等形式展开。归根结底，这种教育方式仅是传统的生存教育。随着欧洲殖民者的纷至沓来及其殖民势力的不断扩张，原住民正常的社会生活秩序经常被侵扰以致完全被打乱，原住民的生存教育很快被殖民者的同化教育所取代。

（一）强制同化教育治理政策（1867—1939）

1. 政策出台的背景及内容

英国殖民加拿大以后，加拿大原住民的教育就一直由英国政府负责。1830年以后，对原住民的教育控制权转交给加拿大各省级地方政府。1848年，加拿大各省级政府又将原住民的教育权转交给宗教机构。1867年颁布的《英属北美法案》，在授权地方政府管理地方教育事务的同时，还授予联邦政府拥有对“印第安法人及印第安人保留地”的立法权以及直接管理原住民教育的权力。此后，民族同化政策就成为加拿大对待外来移民和原住民的一项新的教育治理方式。所谓民族同化，是指“一个民族或一部分丧失民族特征而变成另一个民族的现象”。[①]由于加拿大是英联邦成员，因此，英国的“盎格鲁-撒克逊（Anglo-Saxon）”集团毫无疑问是加拿大社会的主导性力量，“盎格鲁-撒克逊”文化也就理所当然地成为加拿大社会的主流文化意识形态，并成为主导同化论的主要思想。这种民族同化政策，就是要求移民和原住民放弃本民族的文化和传统，接受“盎格鲁-撒克逊”集团的价值观和行为方式。[②]同化形式主要是要求少数民族学习英国主流社会文化，了解和适应其社会风俗、日常生活习惯和宗教信仰。比如学习英语，遵从英国的政治、经济制度，信仰基督教等。而这一时期的民族教育政策正是达成同化目标的主要工具。

1876年，加拿大联邦政府通过了旨在管控原住民的法案——《印第安人法》（Indian Act）。百余年来，该法案历经多次修订，最明显的改动是在1951年和1985年，取消了特别歧视性的部分条款。该法案只针对原住民中的第一民族，并不包含因纽特人和梅蒂斯人。这个法案赋予了联邦政府控

① 中国大百科全书·民族［M］. 北京：中国大百科全书出版社，1986：132.

② Eli Mandel, David Taras. A Passion for Identity［M］. Methuen Co. Ltd, 1987：209、212.

制第一民族的权力，标志着加拿大联邦政府开始压制和否认第一民族自治权，让几代第一民族的人民遭受了创伤、人权的侵犯以及传统民族文化的破坏。[①]

第一，该法案明确了联邦政府对第一民族的管辖权。[②]该法案赋予联邦政府管理无保留地第一民族的权力。授权联邦政府控制第一民族保留地的活动，对第一民族生活的各个方面，诸如法律权利、财产继承、税收、遗嘱等事项都做了明确界定。同时，还确定了第一民族资格，法案规定："只有在所确立的第一民族登记册上登记过的第一民族，才具有第一民族法律地位。"[③]法案对第一民族的土地赋予也做了规定："保留地是由女王持有的划给各个村落享用和受惠的土地……除非经由部长批准由村落议事会将土地分配给他，否则任何第一民族都不能合法地拥有该保留地上的土地。"[④]法案还限制居民随意迁出保留地。这些第一民族身份及土地赋权的确定，让部分第一民族原住民身份变得模糊起来，客观上压缩了第一民族拥有的土地支配权，给很多第一民族人的生活带来了很大的冲击。

第二，该法案规定了对第一民族的政府治理模式。该法案建议成立以选举为基础的西方式市民政府，以村落组织取代原住民传统的氏族部落制。这样，第一民族传承几千年的氏族部落制被废除了，部落的自治权力被剥夺，社会治理结构发生了根本变化。在公民权与政治权上，该法案却不赋予第一民族投票权，但制定了选举权标准，规定如被认为具有足够的文化水平，诸如曾受过欧洲教育和就业训练，即可成为具有参政投票权和私有财产权的完全公民。这些规定，使第一民族等加拿大原住民社会发展的固有进程和节奏被打断，第一民族社会发展的原动力深受影响。

---

① Background: The Indian Act from CBC NEWS [EB/OL]. https://www. cbc. ca/news/canada/background-the-indian-act-1. 1056988.

② John F. Leslie, The Indian Act: An Historical Perspective. [EB/OL]. http://www. revparl. ca/english/issue. asp?art=255&param=83.

③ K. P. Binda,Sharilyn Calliou. Aboriginal Education in Canada: A Study in Decolonialization [M]. Canadian Educators' Press,2001:225.

④ 马广利，傅俊．后殖民批评视角下的加拿大《印第安人法》[J]. 上饶师范学院学报，2010（1）：25.

第三，在文化教育上，将第一民族形式的文化和精神成果表现，视为一种犯罪行为。同时规定原住民儿童上学的时间和地点，并规定为第一民族设立寄宿制学校。①

《印第安人法》为将加拿大联邦政府的治理权力渗透到原住民内部提供了法理依据，为联邦政府此后推行强制同化政策奠定了法理基础。

2. 政策实施效果

自1867年至20世纪30年代末，加拿大联邦政府旨在以强制同化民族政策为手段来解决民族问题，企图用英国“盎格鲁—撒克逊”集团的价值观和行为方式同化和改造原住民，以让加拿大少数民族适应和接受英国的主流文化形态。其实质是试图通过强制手段要求加拿大原住民放弃本民族的文化与传统，尽快融入到以英裔为主的社会文化体系之中。

对原住民推行同化教育，是实现加拿大同化民族政策的重要途径之一。寄宿制学校是加拿大联邦政府采用的侵略性同化政策实施项目之一，也是加拿大联邦政府对原住民进行强制性同化教育的具体形式。于是，由加拿大联邦政府出资修建，教会主管，专为原住民子女设立的寄宿制学校，在加拿大每个省区广泛建立。达到入学年龄的原住民儿童均被强行送入这些学校就读。从此，大批原住民儿童不得不离开家人，寄宿在由联邦政府与基督教会合作创建的寄宿制学校内，与原来生活的社会文化环境相隔离，接受全西化的教育。

在这种寄宿制学校内，学校强迫原住民儿童学习英文、信仰基督教及接受加拿大主流社会的文化生活习俗。从他们入学直至中学毕业，学生的父母每年只能探望一次。教会对这些原住民学生拥有完全的监护权。因此，在寄宿制学校中，原住民儿童在语言、文化、习俗、情感、身体上遭受到种种不适应，长期受到歧视和虐待，内心饱受煎熬，遭受了极大的文化冲击，生活痛苦不堪。

第一，语言文化上，寄宿制学校强制推行法语和英语，原住民的语言在

① 林志鹏．加拿大印第安人民族教育的历史发展概况［J］. 中南民族学院学报，1991（6）：114-115.

寄宿制学校被禁止使用，违反者会受到严厉的体罚。语言的同化使得会讲第一民族语的第一民族人越来越少，间接造成第一民族语言文化的流失，并趋于消亡。

第二，寄宿制学校在教育内容、形式和方法上，与原住民学生的生活经验完全脱节，原住民学生遭受了极大的文化冲击。从教学内容来看，学校教材未能结合原住民的传统文化，与原住民学生的生活经验完全脱节。在教育形式与方法上，完全采用白人的教育方法来教育第一民族，原住民学生在极大的不适应中饱受煎熬。

第三，在宗教信仰上，寄宿制学校强迫原住民学生放弃本民族的传统宗教信仰，改为接受基督教，课程内容多为基督教教义。这给原住民儿童的身体、情感和心理等方面造成了严重的伤害。

总之，加拿大立国之初推行的原住民寄宿制学校教育，是贯彻强制同化政策的工具。原住民儿童被迫离开父母，被隔离在环境恶劣的寄宿制学校，强制要求这些儿童适应和接受主流文化并融入其中，这些原住民儿童经常遭受体罚和心理伤害，在身体和情感等方面饱受虐待和歧视。由于语言障碍、文化冲突以及政府补助不足等因素，以寄宿制学校教育为主要途径的同化教育，其实施效果是非常糟糕的。这项社会改革摧毁了原住民年轻一代对本民族的文化认同，导致原住民的文化、传统和语言遭到了长久的破坏性影响，并持续至今。据统计，自1831年安大略省南部布兰特福德市（Brantford）莫哈克（Mohawk）学院开始接收第一批原住民学生，至1996年最后一个关闭的寄宿制学校为止，一共有大约15万名原住民学生在寄宿制学校接受过同化教育，参考加拿大真相与和解委员会（the Truth and Reconciliation Commission of Canada）的不完全统计，死亡学生要多于6000人。[①]这种教育是以销蚀原住民的社会和文化根基为代价，强迫原住民硬性融入主流社会的文化，无形中加剧了民族歧视和社会不公平。

在《印第安人法》颁行之后，由于第一民族的政治组织形态发生了变

---

① J. R. Miller, Residential School in Canada [EB/OL]. https://www. thecanadianencyclopedia. ca/en/article/residential-schools.

化，第一民族人沿袭几千年的自治权被外来的欧洲人所剥夺，第一民族人传统拥有的土地被侵占，语言文化传承被迫中断，社会结构发生了很大的变化。因此，这部以管控原住民的活动为目的的《印第安人法》，最终成为压迫加拿大原住民的重要政治工具。原住民的生活由此遭受重创，面临着前所未有的挑战，生活环境日益恶化和失衡。因此，这种以强制手段的法规形式实施的同化教育政策，本质是殖民压迫，所以根本不可能实现政府希望达成的政策目标。这种社会治理改革，既没有帮助加拿大原住民尽快融入加拿大主流社会的生活方式，尽快走向文明，以推动其摆脱贫困生活境况，也没有实现原住民与主流社会民族之间建立平等友好的政治关系，反而使原住民的生活雪上加霜，加剧了加拿大社会族群的分裂，并最终导致第一民族争取民族自治权斗争的全面爆发，以及原住民政策的彻底变革。

加拿大联邦政府对原住民语言、宗教、教育等方面的同化政策，并没有让原住民屈服。为了不至于失去土地、文化传统和自治权，原住民从未曾停止过反抗殖民压迫和维护民族权益的斗争。在广大原住民的持续强烈地反对和抵制下，加拿大联邦政府逐步调整和修正了分而治之的同化与隔离政策，并采取新的民族治理策略与思路，力图将原住民重新整合融入加拿大社会。

（二）整合熔炉民族教育治理政策（1940—1970）

1. 政策出台的背景及内容

从20世纪30年代末开始，加拿大原住民反抗同化、要求自治的斗争愈演愈烈，预示着“对原住民文化的白人化”政策的失败。英裔主流文化受到了猛烈冲击，使“企图让加拿大保持英国特色的殖民愿望的英裔人，愈发加强了对盎格鲁一撒克逊血统衰落的担忧”。[①]在英裔加拿大人推行同化与隔离政策遭到失败的同时，加拿大原住民的力量迅速崛起。20世纪四五十年代，分布在各省的第一民族人先后获得选举权，并陆续出现了第一民族人的政治组织。长期推行的同化与隔离政策，造成了第一民族人对联邦政府的信任逐步丧失，并逐步形成了对政府的敌视态度，加拿大联邦政府由此深感

---

① Elimandel, David Taras. A Passion for Identity [M]. Methuen Co. Ltd, 1987: 215.

压力。

第二次世界大战结束后，随着世界形势的变化和加拿大国内条件的改变，加拿大联邦政府在教育、文化及社会福利等方面进行了全面的改革。在原住民政策方面，联邦政府开始着手进行修正和调整，从“隔离”逐步走向“融合”，即联邦政府逐步放弃长期实行的分而治之的民族同化隔离政策，力图将第一民族重新整合进加拿大主流社会，民族熔炉政策正是在此背景下出台的。这项政策是以承认加拿大国内民族多元化为前提的，倡导各民族的价值观、文化传统、风俗习惯乃至日常言行等方面相互容纳和接受，以期实现各民族融合成一个文化同质性的整体，将各少数民族重新整合进加拿大社会。

1946年，加拿大参众两院联合组成的修正印第安人法委员会建议，在尽可能的情况下，原住民学生应与其他民族的学生合校以接受教育，以促进原住民与白人的逐步融合。①

1966年，负责原住民事务的印第安人和北方事务部（Department of Indians and Northern Affairs）公布了《加拿大当代印第安人调查：一个关于经济、政治、教育需求与政策的报告》（A Survey of the Contemporary Indians of Canada：A Report on Economic，Political，Educational Needs and Policies），又称《豪松报告书》（Hawthorn Report）。报告书中检讨了整合与同化政策的不恰当，并提出印第安人自治的必要性。②

1969年，加拿大皮埃尔•埃利奥特•特鲁多（Pierre Elliott Trudeau）政府颁布了《加拿大印第安政策声明》（Statement of the Government of Canada on Indian Policy），肯定了检讨同化政策的导向，并宣告联邦政府对百年来原住民同化隔离政策的彻底结束。从此，联邦政府取消同化隔离制度，倡导原住民完全地融入到加拿大的文化中，与加拿大公民享受同等的待遇。

---

① Leslie, John F. Assimilation, Integration or Termination? The Development of Canadian Indian Policy, 1943—1963 [D]. Department of History, Carleton University, 1999: 65.

② Reva Joshee, Lauri Johnson. Multi-cultural Education Policies in Canada and the United States [M]. Toronto: UBC Press, 2007: 59.

与同化政策相比，熔炉政策联合各民族共同创建加拿大新型文化，具有一定的进步意义。这一政策反映在教育上，就是寄宿制学校被逐步废除，联邦政府鼓励建立公立学校，并鼓励原住民学童免费就近进入公立学校就读。这些学校隶属于加拿大各省级学校体系，或适用省级学校的课程标准，以使原住民的孩子与其他民族的孩子一样接受同等的教育。民族教育也随之出现新气象。

2. 政策实施效果

从20世纪50年代起，专门接纳加拿大原住民学生的寄宿制学校被逐步废除，原住民学生获准免费就近上联邦公立走读学校就读。这些公立学校大部分建立在保留区内，但也有部分学生仍然住在寄宿制学校，去最近的公立学校就学。有关统计数据显示，在实施合校教育体制的第一个十年中，入读公立学校的原住民适龄儿童占适龄儿童总数的将近25%，六年级以上的原住民学生人数的增幅达近20%。[①] 到20世纪70年代，加拿大政府成功地将大部分原住民学生转移到这种新型的公立学校中。

尽管保留区内的联邦走读学校及新的融合性合校教育体制有方便原住民学生就近入学的优势，并使原住民学生在入读学校上有了更多的选择权，但这一体制因其在教育过程中忽视原住民学生的特殊性，并没有给原住民学生带来预期的教育益处。尽管走读学校不像寄宿制学校那样，让学生离开家庭环境和文化，而是能和父母、兄弟姐妹在一起，但却仍需要让原住民的年轻一代离开世代生活的土地和传统的生活方式。由于加拿大联邦政府实行民族融合政策，注重各民族间教育的一体化，因而在学校课程设置、校园文化及管理上，往往容易忽略了原住民的个性化的文化、语言、历史、经历和兴趣，学校也没有相关体制为原住民的特殊性提供充足的呈现途径和空间，结果导致这些学校根本不会顾及原住民学生与白人学生的那种与生俱来的文化差异而实行差异化的教育。因此，公立学校实行的一体化的教育，同样会让原住民学生遭受强烈的文化冲击，而公立学校也根本不会采取措施改变这种

① Jean Barman, Don Mccaskill, Yvonne Hebert. Indian Education in Canada V. I. [M]. Vancouver: University of Britsh Columbia Press, 1987: 13-14.

状况。此外，原住民学生要接受更高一级的教育，还得要离开他们的保留地社区。因此，这种学校课程及文化设置并没有为整合原住民文化而做出改变，所以使“融合”仅停留在物质层面。这种教育治理政策对原住民文化和经济的独立性仍会造成严重的损害，引发了原住民的不满，大量的原住民学生因此辍学。

客观地说，与“同化”政策相比，“整合”政策因其所倡导的平等、公正的思想还是具有一定的进步意义。但《加拿大印第安政策声明》提出终止原住民的特殊法律地位，使学校没有提供足够的途径和空间来展示原住民的知识、语言和文化的特殊性，并将原住民事务管理权下放给省级政府，证明其实质上仍是一种“同化”的变相。在印第安部族的强烈要求下，加拿大政府急需寻找原住民教育治理的新机制。

二、从整合到赋权自治（1970—1996）

由于加拿大联邦政府坚持民族融合的基调，将原住民的教育权下放到各省，实行一体化的教育，而忽视原住民的语言、文化、历史的差异，引发了原住民的不满。20世纪70年代初，加拿大原住民充分意识到发展民族文化、提高民族素质、增强民族政治地位的重要性，民族感空前强烈，这激发了第一民族的教育自治运动。为了解决日益加深的民族矛盾，满足各个民族的权利要求，1971年，加拿大政府总理皮埃尔·埃利奥特·特鲁多宣布实行“多元文化主义”政策[①]。随着这一政策的贯彻实施，原住民的权利越来越多地得到了承认。在实践中，原住民也逐步认识到，要实现本民族复兴，必须培养有文化的新一代；只有先在教育上争得平等地位与权益，才能在政治上、经济上争得与其他民族的同等地位。在这种思想的指导下，原住民展示出前所未有的团结。他们随即成立了原住民团体——全国印第安人联合会。1972年，全国印第安人联合会的第一个重要决策，就是起草一份书面教育政策报告《印第安人管理印第安人

---

① Sarah V. Wayland. Immigration, Multiculturalism and National Identity in Canada [J]. International Journal of Group Rights 5, No.1,1997:46-47.

教育》（Indian Control of Indian Education），并提交给了印第安人和北方事务部。这是印第安组织第一次在加拿大发表声明。报告要求对印第安人的教育进行改革，主张扩大原住民对自身的教育管辖权，即“印第安人管理印第安人教育”，要求印第安人对自身教育拥有完全的管辖权和自主权，最终实现印第安人代表当地校董会服务于印第安学生的目标。

原住民团体认为，教育是联邦政府与原住民之间的事务，没有省政府涉足的空间。所谓教育责任，应该是由原住民主控，由联邦政府出资。印第安人坚持认为，教育的核心是独立，这形成了《印第安人管理印第安人教育》主要的实施原则。《印第安人管理印第安人教育》指出，重新确认原住民对教育的管辖权是有意义的，教育为全部生活做准备，作为自由选择在哪里生活和工作的一种手段，作为一种使原住民能够充分参与社会、经济、政治和教育进步的手段。原住民教育系统的能力增长，可以为原住民学生参与社区的经济生活和加拿大社会做充分准备，增强原住民运用各种自治权力进行社区建设的能力，并使加拿大主流社会的非原住民放弃对原住民社区文化的霸权。

该报告全面阐述了第一民族的教育哲学，要求按照第一民族的文化观念培养儿童，提出教育应以“为自己骄傲，了解每一个同胞，与自然和谐相处”[①]为目标。“我们希望在教育提供的环境中，我们的孩子能够养成正确的价值观，尊重第一民族传统和文化……我们相信，如果一个第一民族儿童充分认识到第一民族的重要价值，他将为自己的种族感到自豪，为自己作为一个第一民族人感到自豪。”[②]

该报告要求第一民族直接参与自身的教育改革，要求各省学区委员会中应该有足够的印第安人代表以保证其能够参与教育改革的决策过程。同时，提出由原住民自己管理学校的主张，要求父母和第一民族村落负责制定教育目标，由村落负责学校设施建设，管理原住民学校的财政开支，制订课程计划和雇用学校职员等，以便使他们在制定优先发展战略、为学校提供基础设

① Verna J Kirkness. Aboriginal Educational in Canada: A Retrospective and a Prospective [J]. Journal of American Indian Education, 1999 (3): 39.

② John W. Friesen, Virginia Agnes Lyons Friesen. Aboriginal Education in Canada: A Plea for Integration [M]. Deteselig Enterprises, 2002: 168.

施、开发财政资源、聘请合格教学人员等方面具有最终决定权。报告认为，第一民族在行使家长职责的同时，不仅要管理本部落的教育事务，而且要管理全国第一民族的教育。这表明加拿大第一民族要在本民族后代的教育中占据主导地位的决心。

在教育经费方面，这份报告指出，联邦政府应当向第一民族教育提供财政支持，“我们主张，只有第一民族才能在顺应现代社会要求的第一民族价值观的基础上，发展适应本民族的教育哲学；同时我们也坚信，联邦政府应当承担经济责任，向所有无论是否居住在保留地内的第一民族提供各级各类的教育”。

此外，《印第安人管理印第安人教育》还提出如下具体目标和要求：①制定以原住民文化为基础的教学大纲，开设原住民历史和文化课程，促进原住民儿童的民族自豪感，以赢得非原住民儿童的尊重；②开发与教学大纲配套的教材和其他教学资源；③加强原住民成人教育，丰富其课程内容；④设立各个级别的原住民研究项目；⑤剔除教科书和其他教学资料中对原住民具有否定、偏见和不准确的内容；⑥联邦政府从财政上资助在保留地上建立各类托儿所和幼儿园等；⑦制定明确的教学目标，提供教育咨询；⑧支持地方语言科研项目，鼓励精通原住民语言的人当教师从事原住民语言的教学和研究工作；⑨鼓励原住民学生完成高中阶段学习后继续深造，特别在护理、教学、法律、医学、工程学等专业方面；⑩成立联邦财政特别资助项目来帮助原住民学生。[①] 上述目标和要求主要针对保留地上的学校而提出的，但也适用于各省属学校。不仅如此，《印第安人管理印第安人教育》还主张让更多的原住民学生进入本地区的省属学校学习，并让其父母也有机会参与学校决策。[②]

总之，第一民族管理第一民族教育组织在儿童的教育方面，要求在加强儿童的身份认证的基础上，“对其进行在现代社会中良好生活的必要培

① National Indian Brotherhood.Indian Control of Indian Education [R]. Ottawa, ON: Author, 1972: 16–19.

② 王红艳，徐丹 . 试论当代加拿大土著人的教育改革及其意义 [J]. 历史教学，2011（2）：69–72.

训”。[①]而“父母责任”和“当地控制”是实现这些目标的主要手段，二者是紧密联系的。

1972年6月23日，印第安人和北方事务部部长克雷蒂安向加拿大教育厅厅长理事会发表了讲话，表示《印第安人管理印第安人教育》的主要建议将形成未来联邦政府对原住民教育的政策基础。1973年7月，加拿大联邦政府印第安人和北方事务部终于接受了原住民教育自治的建议，并决定以此作为未来发展原住民教育的基础。《印第安人管理印第安人教育》成为加拿大政府在原住民教育方面的官方文件。由于将“原住民印第安人可以在同一基础上与其他国家的公民享受同样的服务和生活水准”作为原住民教育的最终目标，政府将鼓励更多的印第安人参与管理自己的事务，直到他们能够自己承担全部责任。原住民教育开始向“由印第安人进行的教育”转变。

《印第安人管理印第安人教育》在1972年被正式确立为一项教育政策之后很快予以实施，并对加拿大原住民教育产生了巨大影响。在赋权自治政策导向下，加拿大原住民教育状况不断得到改善，取得了一系列积极的成果。原住民的教育观念和方法日益得到加拿大主流社会的认可，原住民的教育发生了巨大变化。

第一，在教育行政上，原住民的管理权力扩大。在原住民保留地建立由原住民管理的学校，学校有权制定教学大纲和颁发师资证书，教学人员由第一民族直接雇用，而不再是政府雇员。

第二，原住民享有与其他民族同等的免费接受公共教育的权利。原住民儿童年满6岁就必须入校接受正式的中小学教育。加拿大联邦政府在原住民教育中的主要责任是负责向原住民教育提供财政资助。1997—1998学年，联邦政府对印第安民族拨款60亿加元，其中通过印第安人和北方事务部拨款43亿加元，款项主要用于印第安人学校建设，以及各项教育补助等。

第三，明确了加拿大联邦政府在保护原住民的语言和平等的文化权利上

① K. I. Riley, Abu-Saad and M. Hermes. Big Change Question Should Indigenous Minorities Have the Right to Their Own Education Systems, Without Reference to National Standards? [J]. Journal of Educational Change, 2005, (6): 178.

的责任，主要措施如下：

①在办学目标、教学方法和教学效果方面均体现出原住民文化的影响和要求自治的特点。印第安语和因纽特语具有合法地位，被定为学校的正式课程。在印第安人学校里，一律使用印第安语教学。各原住民学校开设克里语、苏语、奥杰布韦语等语言课程。学校还安排第一民族文化传统教育项目，以尊重第一民族的传统文化。当然，原住民保留地的原住民子女也可以到其他社区学校就读。

②学区教育质量保障办公室要定期对原住民保留地的教育质量进行评估，主要途径是考核课程设置，听取学生和家长的反映，督促学校改进课程和教学工作。

③学校和社会团体注重第一民族师资培养，并开展教学研讨会以提高原住民教师的水平。

④联邦政府拨款加强原住民保留地的英语与法语的学习。此举旨在提高原住民学生的官方语言水平，以促进原住民年轻一代与当代加拿大主流社会的融合。

加拿大各省级政府也制定了相关措施。例如，安大略省规定，省教育厅必须安排专门的官员负责协助当地原住民发展教育事业；有原住民学生的学校的董事会必须有原住民成员；有关原住民的教科书和辅助材料必须由原住民专家来编写。在公立学校，印第安学生和白人学生在相同的教室里接受教育。一些第一民族教师走进了非第一民族学校，通过他们把第一民族教育的内容介绍给更多的非第一民族学生。在印第安学校，学校董事会成员、教师以及管理人员中第一民族的比例逐渐增大。原住民社区控制的学校数目不断完善，学校入学人数不断攀升。

在一些西部省份，由原住民社区管理的学校已占大多数。这类学校师资力量不断增强，教学设备不断充实。至1998年，由印第安社区管理的学校多达466所，而由印第安人和北方事务部管理的学校仅有8所；社区管理的学校接收原住民学生的比例也有大幅提升，1990—1991学年仅有44%，到

2000—2001学年，则增至近61%；原住民学生上高中的数量也在增加。[①]从下表（表6-1）看，绝大多数的第一民族学生是在由印第安人管理的学校里学习的。原住民学生在校率和毕业率的逐年提高，反映了他们所接受的教育形式和内容逐渐适应其民族习惯和特点。

表6-1　2001—2002学年第一民族学生入校情况统计

学校类型	人数	比例
原住民学校	72457	60.6%
联邦政府学校	1655	1.4%
省属学校	43420	36.3%
私立学校	2041	7.17%

资料来源：Indian and Northern Affairs Canada.Treaty First Nations Educational Review [M]. Edmonton，AB: Author，2002. Indian and Northern Affairs Canada，2003，p.36）

长期以来，联邦政府对原住民推行同化与镇压相结合的民族政策，极力压制和否认原住民的自治权。在原住民教育方面，原住民的文化更是无法得到应有的尊重。而实现民族自治以后，经过多年的努力，加拿大原住民已经争取到教育的自治权，尤其是其自身的教育传统与理念越来越得到加拿大主流社会的尊重与认同。这在加拿大原住民教育治理史上无疑是一个巨大的进步。在教育自治政策下，尽管原住民教育状况得以不断好转，并取得了不小的进步，然而，原住民教育仍然面临着诸多问题与挑战。

“印第安人管理印第安人教育”的教育改革，名义上由印第安人自己管理自己的学校。原住民教育自治首先遭遇的困境，就是原住民教育管理能力的缺乏。在1972年《印第安人管理印第安人教育》付诸实施之前，第一民

① Reva Joshee, Lauri Johnson. Multi-cultural Education Policies in Canada and the United States [M]. Toronto: UBC Press, 2007: 61.

族社区几乎没有机会获得设计、管理相关教育计划的知识、技能和经验。而政府在教育管理权发生转变之后，并没有及时对第一民族人进行相关管理知识和技能的培训，使第一民族学校官员欠缺学校管理方面的基本知识。[①]由于各种不同的原住民团体处在加拿大不同的经济和社会地位，特别是居住在保留地的原住民和居住在都市地区的原住民，面临的教育问题和诉求各不相同，所以文化适应和整合的时间将有很大的不同。加之受第一民族的教育及管理经验缺乏和能力不足的限制，以及传统习惯的沿袭，第一民族语言与宗教的日渐消失，教学仍然不使用第一民族语言，评估学校与教师时采用的非第一民族标准，特别是第一民族与白人之间长期的文化冲突等，这些都对建立完全由第一民族控制的学校形成了巨大的障碍，原住民学生入读学校的绝大部分教学内容、日常教学方法、对教师的招聘与管理以及教育经费，仍由非第一民族控制。学校教育仍然以同化教育为目标。因此，这一改革最终也将被证明其象征意义大于实际的政策执行价值。即便后期教育管理权发生了转变，实行地方控制，理论上从联邦和省立学校有更多的责任和权力向地方转换，但地方管理人员因普遍素质较低，缺乏足够的能力制定相关政策，也无法开发出本民族本社区的校本课程。由于缺乏财政管理的专门知识，导致学校财政支出决策欠科学，资金的管理和使用不当，造成部分社区教育项目削减，影响了学校的正常运转。总之，第一民族社区教育管理者并没有为第一民族学生提供完全适合他们自身特点并能满足不同社区学生需要的教育。

此外，对于原住民社区和家庭而言，对子女教育的责任意识和能力的普遍缺乏，也导致了原住民教育产生诸多问题。由于在教育同化、融合时期的政策，实质上是削弱甚至排除了前几代原住民家庭、社区在子女教育上的权利和责任，致使原住民社区和家庭发展其教育孩子的能力低下甚至丧失。原住民要重获这种能力，从教育局外人的状态到自主担当教育发展的责任，也需要同他们的先辈丧失这种能力一样，经过几代人的努力。因此，原住民学生辍学现象仍然大量存在，上完高中的原住民学生仍是极少数。

---

① Seth A. Agbo. Decentralization of First Nation Education in Canada: Perspective of Ideals and Realities of Indian Control of Indian Education [J]. Interchange, 2002, 33 (3): 281-302.

总之，赋权自治政策的实施，并没有使加拿大原住民教育境况得到彻底改善。原住民教育家威尔纳·克尔克尼斯（Verna Kirkness）指出，阻碍第一民族管理第一民族教育政策实施的一个因素是："我们自己对教育的自治缺乏信心，不能设计出基于我们文化的教育，不能设计出基于我们生活方式的教育，尤其是不能设计出基于我们世界观的教育。对于许多社区来说，即便是设计出一个独特的和有意义的教育，也已经失去同联邦或公立学校体系竞争的机会。这正是克服殖民主义统治的困难所在。"①2002年12月，加拿大"部长级国家教育工作小组"（Minister's National Working Group on Education）提交的教育期终报告明确指出："原住民教育正处于危机之中。"如何改善这一政策困境？首先要动员原住民群体以及所有加拿大人行动起来，把已经确定的原住民教育变革的决策付诸实施，开发和实施一套基于原住民教育需要、符合教育理论的后续政策策略。该报告提交给了加拿大印第安人和北方事务部，并对后续加拿大原住民教育政策的制定和实施产生了积极的导向作用。

三、从赋权自治到能力构建（1996年以后）

1995年，加拿大联邦政府公布了《原住民自治联邦政策指导》（Aboriginal Self-government Federal Policy Guidance），正式承认原住民已有的自治权。1998年，第一民族议会发布《传统与教育：通向未来的视野》（Tradition and Education：Toward A Vision of the Future），这是关于第一民族教育管辖权的声明。该声明提出，应该鼓励社区拥有自由裁量权，这才是适应当地需求的决策方案。②教育是原住民追求自治的过程中最重要的议题之一，它应该成为自治的目标。第一民族政府必须能够主导原住民教育机构，否则真正意义上的原住民教育就不会存在。每一个第一民族政府都有权根据自身的价值与标准行使教育决策，而非来自外在的控制。原住民教育背

① Kirkness, V. Our Peoples' Education: Cut the Shackles; Cut the Crap; Cut the Mustard [J]. Canadian Journal of Native Education, 1998, 22 (1): 10-15.

② 蔡志伟. 加拿大原住民族自治权的法制架构与发展 [J]. 台湾国际研究季刊, 2011, 7 (1): 19.

景下的权力下放被认为是不平等的，但也被认为是必要和适当的。

随着教育自治政策的实施，对原住民的教育管理权转移到原住民手中。但由于原住民社区、组织机构以及原住民家庭教育治理能力欠缺和经验不足，致使原住民教育并没有得到彻底的改善，“原住民教育正处于危机之中”。因此，提升原住民社区和组织机构领导、组织和发展其教育的能力就显得极为紧迫。这一问题首先引起了原住民社团的广泛关注和忧虑。在一些原住民社团的报告中都涉及了这一问题。1996年加拿大皇家原住民委员会（Royal Commission on Aboriginal People）提出的《原住民报告书》中，强调原住民教育实际上是一种以自治为目的的教育。政府应当与家长、社区一起积极参与到原住民教育活动中来，并提出要培养和提升原住民在基础设施建设、原住民教师培训、家长及社区成员参与教育、课程设计和创新上的能力。同时，还对于原住民父母、家庭、社区成员获得教育治理能力，提出了诸多建议。

这一问题同样引起了加拿大联邦政府的关注。印第安人和北方事务部发布了系列文件，对原住民教育自治能力的发展提出了诸多具体的建议。在《汇聚力量：加拿大原住民行动方案》中，提出将提升原住民管理能力和支持建立强有力的小区、民族与经济等作为行动目标。[①]在《我们的孩子——神圣知识的守护者：印第安人和北方事务部教育期终报告》中提出，政府应提供资源，提升家长、社区参与学校事务的能力；原住民长者应参与学校教育的规划与实务过程，提供咨询。同时建议，扩增教师培育课程，增加中等学校的原住民教师，增设社区中的教师培育课程，提供教师资格证取得途径，在所有教师培育课程中加入原住民文化内容。报告还对各个组织在推动原住民教育中的角色进行了定位。[②]《教育计划报告书》提出了印第安人和北方事务部发展原住民教育的6项规划。其中，“汇聚力量教育革新/新途

---

① Nancy A. Morgan. “If not now, then when?” First Nations Jurisdiction over Education: A Literature Review [R]. Ottawa: Minister's of Indian and Northern Affairs, 2002: 13-14.

② Minister's National Working Group on Education. Our Children-Keepers of the Sacred Knowledge: Final Report of the Minister's National Working Group on Education [EB/OL]. http://dsp-psd.pwgsc.gc.ca/Collection/R41-9-2002E.

径计划”，提出了提升原住民学校的经营管理能力、增进教师教学效能、支持家长与社区参与学校活动、协助原住民学生顺利由学校进入职场，并强调计划成效的追踪。[①]毋庸置疑，这些政策对提升加拿大原住民教育的自治能力，是一个良好的开端，然而，要实现这些目标，还有许多的工作要做。

1998年，政府财政对原住民社区组织进行支持，让其着手处理由于寄宿学校带来的家庭破裂、暴力等遗留问题。在20世纪90年代初，这些寄宿制学校的学生，往往通过诉讼来获得对他们痛苦遭遇的补偿。在2005年，联邦政府为这些遭受寄宿制学校虐待的幸存者，建立了金额高达19亿加元的补偿方案，并且在2007年加拿大政府和负责管理寄宿制学校的教会同意《第一民族寄宿制学校和解协议》——加拿大历史上最大的集体诉讼案的和解方案——开始执行。其中补偿方案包括：每个学生可以收到第一年10000加元、随后每年增加3000加元的补偿。在2012年12月底，在大约8万名符合条件的学生中，有98%的人收到了补偿款，总额超过16亿加元。另外，协议决定成立加拿大真相与和解委员会，来帮助学生、学生的家庭、社区和加拿大人之间进行和解。[②]2008年6月11日，加拿大总理史蒂芬·哈珀（Stephen Harper）代表加拿大政府对所有曾在寄宿制学校的学生公开道歉，公开承认在寄宿制学校阶段执行的同化政策是“错误的，导致了极大的危害，在我们国家不容存在的”，同时承认寄宿制学校对原住民文化、遗产、语言造成了深远的破坏性和持续的影响，并指出政府要与原住民建立一种新的关系。

在2007—2015年，加拿大政府共提供了7200万加元用来支持加拿大真相与和解委员会的工作。加拿大真相与和解委员会历时6年，走遍加拿大，拜访6500多个证人。加拿大真相与和解委员会还在加拿大各地举办了7次全国性的大型活动，吸引加拿大公众参与，让广大人民了解寄宿制学校系统这段历史并帮助解决这些历史遗留问题。同时加拿大真相与和解委员会在加拿大政府的帮助下（提供了500万条记录），创建了寄宿制学校系统的历史记

① Ministers of INAC. Education Programs Reports [EB/OL]. http://www.socialunion.gc.ca/ecd/2004/english/page09.html.

② Residential Schools in Canada [EB/OL]. https://www.thecanadianencyclopedia.ca/en/article/residential-schools.

录数据库。在2015年加拿大真相与和解委员会完成了历时6年的使命，递交了最终的调查报告。这份报告是每一位分享他们故事的幸存者和其家庭成员勇气的证明，作为《第一民族寄宿制学校和解协议》的一部分，加拿大总理贾斯汀·特鲁多（Justin Trudeau）代表加拿大接受了这份最终报告。加拿大政府还表示，要继续在尊重、合作的基础上与原住民建立好关系，与各区、各个原住民团体、教会密切合作，落实加拿大真相与和解委员会在报告中的建议，进一步实现民族和解，让所有加拿大人受益。同时，作为重建加拿大原住民关系的重要的一步，2015年12月，加拿大总理贾斯汀·特鲁多在渥太华会见了全国原住民组织领导人。在会议上，贾斯汀·特鲁多表示他将每年与其会面，来维持和推进他们所共同关注的事情的进展。①

第二节　原住民教育治理体系改革

根据加拿大宪法和联邦政府与原住民签订的条约，对加拿大原住民教育事务的治理由联邦政府与省政府分工负责，其中，联邦政府印第安人和北方事务部提供并管理原住民的教育资金和行政辅助，各省政府负责原住民教育硬件设施的提供、教育系统的更新等常规事务。此外，由于原住民教育事务的常规管理权在各省政府手中，而各省政府主导原住民教育的部门各不相同，加上各原住民团体对该地区原住民教育的影响力度不同，造成各原住民教育资源分布不均，各省民族教育就出现了多元化状态。

根据规定，各省教育厅厅长负责第一民族教育事务，并最终负责议会公共资金的支出。印第安教育官方表示他们代表社区、家长对教育政策的制定，方案的实施和质量负责。该部门主张增强第一民族的责任和在省教育辖区的参与力度。根据协议，第一民族教育当局为负责公共资金支出的厅长负责。但“印第安管理”没有被定义。由于没有足够的准备，控制权经常

① Truth and Reconciliation Commission of Canada［EB/OL］. https://www. rcaanc-cirnac. gc. ca/eng/1450124405592/1529106060525#chp1.

变换。在将控制权移交给第一民族组织之前，联邦学校系统的缺陷并没有完全消除。事实上，政府决定下放控制权给第一民族群体，并不增加额外的费用。因此，除了继承学校和教育计划外，其他方面与省级规范相比，显然是不合格的。如过去的对“第一民族学校”的管理权已由加拿大印第安人和北方事务部提前下放，这些学校在没有计划、没有任何行政基础设施的情况下就被推向社会，也没有资源创造所需的基础设施。这些社区发现自己完全孤立并丧失了管理学校的能力，更不用说去适应省级课程来确保文化的延续和发展。因此，第一民族教育的“管理框架”有很多问题，这些问题在每一个领域都重复出现。大多数情况下，由地区来控制学校。因此，必须对原住民的教育治理体制进行改革。

一、第一民族可能选择下放权力给政治实体

许多地区的第一民族人口规模小，他们通过自治来管理服务和财务资源是很困难的。因此，第一民族可能选择下放权力给政治实体。这些政治实体必须具备相应的专业知识和技能，能提供功能整合的服务，并要创造和培育一个持续发展的体制。当然，选择这些实体应遵循社区成员的意愿，注重身份认同感。同时，教育自治要求发展广泛的学校实体，这些学校实体应该吸纳学校董事会最适宜最有用的功能，同时添加支持第一民族教育独特需求所需的元素。因此，他们不应该是省学校董事会的复制，也不应该全部采纳公立学校董事会的宗旨和目标。

二、促进原住民教育治理能力与权力的匹配

原住民在收回教育自治权力的同时，也面临了自治能力与拥有权力不匹配的挑战。首先，促进各种原住民力量与各省政府、联邦政府的合作，提升原住民解决问题的能力。因为，提升自我发展能力，使权力与能力相匹配，是原住民获得更大的社会成就和社会权利的必要条件。第一民族教育需要发展自己的系统，包括发展许多不同的部门和机构去支持第一民族的教育议程，确定这些二级服务的性质和责任范围，保证基础设施建设，支持第一民族学生教育工作。这需要由广泛的第一民族机构组成的社区代表进行精心

策划。否则，第一民族教育社区将无法具备相应的教学能力和支持能力，永远被排除在专业的学习型社区之外。

总体上看，随着移民政策的开放，加拿大联邦政府对少数族裔的重要性有越来越多的关注。鉴于此，加拿大确立了多元文化的国家政策。这种多元文化政策的核心要义之一就是“平等”。只有在国民教育中实现“平等”，才能够真正使文化多元理念深入人心，得到推广和传承。对于原住民，加拿大确立了民族自治政策，以保持各少数民族文化的差异性和独特性。利用教育治理政策推动对原住民文化的认同，不仅使原住民文化在国民教育中受到平等的尊重与认同，更为原住民在教育中获得平等的对待提供有力的政策保障。

历史经验表明，在多民族、多元文化的国家，只有各个族群的文化身份与权利都受到平等对待的时候，少数族群才能真正地融入社会，少数族群的独特的文化底蕴才能得到充分的挖掘。加拿大联邦政府提出的多元文化政策和寻求独立自治的原住民文化存在明显的差异与冲突，主要表现为加拿大多元文化教育的平等性与原住民教育的特殊性所产生的冲突。因此，一方面，要利用教育治理推动对原住民文化的认同，让国民认识到原住民文化是推动整个社会发展的助力，扫清各个族群之间沟通的误解与障碍，从而让原住民受到同等的对待；另一方面，还要注重在保持原住民文化教育的独特性与各民族文化教育的平等性之间找到平衡，实行差异扶持与补偿政策，提升原住民教育文化的自我发展与传承能力，以推动“多元统一”的和谐社会的形成与发展。

第三节　原住民教育质量保障新举措

在加拿大原住民教育自治政策实施以后，尽管加拿大原住民教育发展取得了很大的进步，但不得不正视的现实是，原住民学生在学业与阶层竞争中与非原住民学生之间的鸿沟越来越大，原住民学生在学校教育系统和社会阶层的竞争中仍处于劣势。

一、原住民与非原住民教育成就的鸿沟

在1971年第一民族提交给国会的报告中，成就差距就被列为第一民族教育面临的最大困难之一，如原住民学生辍学率是全国平均水平的4倍，原住民成年女性的失业率平均达到50%。统计数据表明，原住民与非原住民的教育成就差距呈扩大的趋势。据2006年加拿大人口统计，在45岁以上人口中无高中学历的比例，原住民与非原住民差距为15%（25%/40%）；而在25—34岁人口中，该项数据提高至20%（10%/30%）；在获得大专及本科以上学历层面，45岁以上原住民与非原住民之间的差距为12%左右，而这种差距在35—44岁人口中扩大为20%左右，在24—34岁人口中这种差距则进一步超过26%。[①]在获得高中学历、职业专科学历以及最高学历方面，也存在类似的差异。在原住民群体内部和地域之间，类似的差异也仍然存在。2011年，在一项全国住户调查中，约671400名年龄在25—64岁之间的成年人拥有原住居民身份证件，占全国25—64岁总人口的3.7%。在这些原住民中，获得高等教育资格的人数比例为48.4%，其中拥有职业专科学历的人数比例为14.4%，拥有大专文凭的人数比例为20.6%，拥有大学学历或低于学士学位文凭的人数比例为3.5%，拥有大学学位的人数比例为9.8%。相比之下，2011年，25—64岁的非原住民人口中，拥有高等教育资格的人数比例为64.7%。其中拥有职业专科学历的人数比例为12.0%，拥有大专文凭的人数例为21.3%，拥有大学学位的人数比例为26.5%，拥有大学学历或文凭以下的人数比例为4.9%。原住民和非原住民在高等教育学历方面的主要差别在于大学毕业生的比例。[②]这表明，尽管原住民年轻一代已经接受了比他们先辈们更好的教育，但这种进度还远没有跟上其他加拿大人的发展步伐。随着原住民教育在加拿大整个教育体系中所占的份额日渐扩大，这种

---

① Richards, John. Closing the Aboriginal/non-Aboriginal Education Gaps [C]. Backgrounder (No. 116). C. D. Howe Institute. 2008.

② The Educational Attainment of Aboriginal Peoples in Canada [EB/OL]. http://www12.statcan. gc. ca/nhs-enm/2011/as-sa/99-012-x/99-012-x2011003_3-eng. cfm.

学业成就的鸿沟越发引人关注。随之而来的还有就业岗位及住房需求等诸多问题。原住民与非原住民的教育成就的越来越大的差距，已经成为加拿大社会政治制度面临的最大挑战之一。①

在这种背景下，教育何以促进原住民成功？学校教育何以保障社会公平？如何缩小原住民与非原住民之间在教育领域成就的差距？这些问题被提上了加拿大联邦政府层面的议事日程。2004年加拿大教育厅厅长理事会提出，将促进原住民学习作为关键的战略优先事项。此后颁布的《原住民教育行动计划》，将原住民与非原住民之间的教育成就差距问题列为第一挑战，并明确了三个具体的行动领域。在2008年加拿大教育厅厅长理事会颁布的《学习型加拿大2020》中，将原住民教育，特别是缩小原住民与非原住民的教育成就差距列为重点领域。2009年2月24—25日，在萨斯卡通市举行了题为"促进原住民成功"的原住民教育峰会，将消除原住民与非原住民之间的教育成就差距列为会议讨论的首要议题。总之，促进教育公平，缩小原住民与非原住民之间的教育成就差距，逐渐成为加拿大原住民教育和加拿大教育发展的主题。在解决原住民与非原住民的教育成就差距的问题中，原住民团体内部的教育成就差距也不容忽视，处于更为弱势地位的原住民女性应得到特殊的关注。②

二、原住民教育质量保障的新举措

（一）进一步完善原住民教育资金政策，缓解经费不足的困境

对于大部分原住民自治政府来说，自治所面临的首要问题就是资金筹措。很多原住民自治政府把教育问题当作改善政府的重要议题。在1973年政策实施的基础上，印第安和联邦学校的资金仍达不到省级筹资水平。由于资金匮乏和管辖权缺乏独立性，使他们只能极度依赖联邦政府的扶持，这样就形成了一种恶性循环。另外，加拿大印第安人和北方事务部和省级政府在资金分配中存在差异，这种差异表明，某些地区和学校可能是教育经费不足，

①② 张越，常永才．缩小差距：新近加拿大联邦政府原住民教育政策的主题［J］.全球教育展望，2013（3）：122-123.

但在另一些地区和学校可能投资过度。省级资助政策并不一定适用于资助第一民族学校。原住民学生处于落后的位置，如何合理使用有限的公共资源，发挥其最大的效益，是帮助处境不利的原住民学生赶上主流教育中的同龄人的关键。而原住民教育缺乏一个连贯的成本和问责制框架，来缩小原住民教育成就与加拿大学校主流学生之间的差距。为此，原住民代表与印第安人和北方事务部的官员密切合作，通过政府得到建立当地社区所需和优先项目有关的资金，来解决第一民族教育资源难题。学费委员会建议，学校的经费水平应根据教育的需求进行评估。需要考虑的因素有原住民语言教学的双语或多语情况、高发病率的特别需要、高危学生、职业课程的需求以及文化建设能力。印第安人和北方事务部实施一套特殊教育提供资金的国家计划指导方针，逐步地、先间接后直接地为学生提供特殊教育服务，以满足他们的特殊需求，并根据这些准则，试图确保资金分配的问责制正常发挥作用。[①]

（二）提高原住民教师的素质，成为增强原住民教育活力的重要选择

2004 年加拿大教育厅厅长理事会出台的原住民教育行动计划，将提升教师专业能力列为三大目标之一，主要措施包括帮助新教师理解原住民学生的需要及其面对的挑战；建立有效机制招募和培训更多的原住民教师；为教师提供持续的在职培训机会，提供最新信息，并使他们能提高专业技能。加拿大教育学院院长协会声明，将致力于提供高质量的原住民教师教育和教师培训项目以满足原住民学习者的需求。教师的行动研究以及教师和辅导员的培训被列为 2009 年各省教育厅厅长理事会案例讨论的重点问题。在培养合格的原住民教师和管理人员方面，一些中学后教育机构的原住民教师教育计划项目值得关注。如不列颠哥伦比亚大学教育学院早在1974年就创立了为不列颠哥伦比亚省原住民提供的原住民师资教育课程，这些师资教育课程有效且更符合原住民需求。[②]金鹰计划项目，是专为具有两种文化背景的硕士及博士研究生开设的跨学院、跨学科的研究课程。该计划为与原住民教学尤其是

① Verna J Kirkness. Aboriginal Educational in Canada: A Retrospective and a Prospective [J]. Journal of American Indian Education, 1999 (3): 39.

② Reva Joshee, Lauri Johnson. Multi-cultural Education Policies in Canada and the United States [M]. Toronto: UBC Press, 2007: 65.

行政的相关问题提供研究资助，研究生完成的课题必须与原住民直接相关，以帮助原住民教育者成为其社区的教育组织者、管理者和政府的领导者。[①]当然，要消除原住民学生与主流加拿大青年之间学业成就差距的鸿沟，还有很长的路要走。

（三）促进原住民教育治理经验与成果共享，加强教育合作，促进共同提高

随着时间的推移，第一民族开始认识到经费规模严重限制了他们在教育政策和规划上的行动能力。第一民族的各个群体逐渐认识到，若他们的各种政策和方案能在行政服务上取得进步，唯一的希望就在于合作。在消除原住民学生与其他民族学业成就差距的实践中，课程开发、教师的专业发展、学校监督、特殊教育项目等方面，经验交流与成果的共享，往往能起到事半功倍的效果。从20世纪80年代初开始，全国各地的原住民社区通过各种合作开始一起工作，如教育委员会、部落理事会和文化中心等。因此，精心策划的合作是第一民族管理自己教育的必要条件，已在原住民及各级政府中逐步成为共识。这些合作中，原住民教育数据的合作收集与共享值得关注。

数据对于理解原住民与非原住民的教育成就差距非常重要。此前，各省区在原住民的教育数据收集和利用上各自为政，缺乏合作，因此，想要通过教育数据弄清哪些政策和措施对原住民学生的学习是有效的，就非常困难。而缺乏精确的数据监测，原住民教育政策决策的科学性和教育项目的针对性必将大受影响。鉴于此，《原住民教育行动计划》将“基于实证的决策”，即强调协调公共数据和指标定义、启动并行的数据收集程序，以增强基于实证的决策能力，列为第二个目标。2009年，加拿大教育统计委员会发布联邦层面的原住民教育统计相关数据。[②]

在2009年加拿大教育厅厅长理事会原住民教育峰会上，与会者建议，收集、分析和分享信息的一致的方法对于决策是十分重要的。因此，加强原住民人口、组织和机构的基础建设和科技能力数据的收集和测量的合作也是

---

① Reva Joshee, Lauri Johnson. Multi-cultural Education Policies in Canada and the United States [M]. Toronto: UBC Press, 2007: 66.

② 张越，常永才．缩小差距：新近加拿大联邦政府原住民教育政策的主题［J］. 全球教育展望，2013（3）：126-127.

十分重要的。决策实施的效果则要考虑到成果的共享。《原住民教育行动计划》的第一个目标就是要为原住民学生分享各个省区和联邦在包括学生早期在内的各个时期的最优教育实践。2009年，一个最优教育实践的数据库建成并开始对公众开放。

结　语

加拿大教育治理的特色

加拿大高度发达的教育体系，主要得益于欧洲传统文化教育的基因、对近邻美国先进的现代教育思潮的借鉴、成功的移民政策，使之能有效吸收世界各国教育传统中的有用成分。历史上，加拿大曾经是法英两国的殖民地，又与美国为邻，使加拿大教育能够具备欧洲传统教育优势，又能吸收美国现代教育之长。同时，加拿大还是全球接收移民数量最多、最为成功的移民国家。加拿大虽然只有3600万人口，但每年接收来自世界各地20万—30万的移民，移民数量是比较大的。加拿大成功的移民政策，使其成为世界文化最多元的国家之一，进而使加拿大文化，特别是教育具有包容性和多元化的特质。毋庸置疑，多元文化在给加拿大教育带来机遇的同时，也带来了一系列的挑战：教育要满足不同文化背景的移民的多元化的需求，必须不断进行改革和调适。从最初起步，到位居世界先进行列，加拿大教育治理抓住了多元文化带来的机遇，成功应对了多元文化带来的诸多挑战，逐步形成了独具加拿大特色的、卓有成效的教育治理体系。加拿大的教育发展更得益于其立足自身的文化和国情而进行的有效探索，坚持走适合自身特色的发展道路。加拿大的教育并没有完全继承以法英为主的欧洲教育传统，也没有完全照搬美国现代教育治理体系，而是融英国教育的严谨和美国教育的灵活于一体，并结合自身多元文化和多国移民的实际国情，按照其教育发展的现实需求，因地制宜地走出了一条独具加拿大特色的教育创新发展之路。加拿大教育治理特色主要体现在以下一些方面：

1. 教育在加拿大各省区的政治中一直发挥着核心作用

自19世纪初以来，学校教育问题始终引起家长、社区领袖、教育工作者和政界人士的浓厚兴趣。省和其他地方政府都认为教育与社会进步的潜力密切相关。加拿大的公共教育制度既关系到个人成功，又关系到各个省区在国家和国际舞台上的未来。因此，促进公共教育发展是加拿大成为一个福利国家的重要先决条件。教育在加拿大各个省区的政治中发挥了核心作用。到20世纪晚期，学校与医院、监狱、福利机构等机构一起成为加拿大社会制度体系的重要组成部分。不同省区的不同社会团体对这种发展变化的体验是不同的，有些省区的教育体系是由官方设计，有些省区的教育体系则由代表性的社会团队自己选择。因此，加拿大各省的教育历史发展变迁形态众多，在总体发展趋势一致中有许多重要的差别。

2. 加拿大教育发展历程充斥着不同利益主体的博弈和调和

从加拿大教育的发展历程来看，其教育史不能简单地归为教育发展的记录，而是一个充满着排斥、包容、回归与进步的相互博弈、交织和融合的极为复杂的演变历程。因此，加拿大公共教育体系的有效性是对种族、性别、语言和阶级等诸多因素博弈和调和的结果。19世纪、20世纪的加拿大公共教育的发展特点不是持续地进步，而是反复在教学法、课程和政治领域进行博弈。诸如教育逐步中央集权化与地方分权、教育政策辩论和教育的公益性与市场化的争论等主题，跨越了不同的历史时段。与其他西方国家一样，加拿大教育治理发展也经历了由国家税收资助到监督正规教育发展的演变历程。这种发展是源于对文化、道德和政治的关注，（工资性）劳工经济的出现，对儿童和家庭观念的转变以及社会重组后的机构变化。

3. 加拿大不设联邦教育部，教育事务都交由各省级政府负责

与一些西方国家的教育治理体制不同，加拿大不设联邦教育部。加拿大10个省和3个地区的教育制度受其历史、地理、人口和自然资源等因素的影响，其教育事业归为地方事业，完全由各省区政府负责。因此，各省区在教育治理上各自为政，使得各省区的教育发展具有一定的自身特色，呈现出一些明显的地区差异。但从整体上看，加拿大各省区的教育发展和教育治理情况又具有极大的相似性。一方面，加拿大没有设立国家教育部，但联邦政府并非对教育撒手不管，而是主管和资助原住民的教育、军人教育、监狱教育等，并通过设置教育项目、提供专项经费间接对各省教育施加影响。另一方面，加拿大各省区教育立法权在各省区议会，在各省区的教育立法中，有一个鲜明的特点：先行省份制定的教育法规，其他省份仅仅需要对这些法规进行必要的修改和调整后就可以批准使用。这样既节约了漫长的立法进程所带来的资源耗费，同时，也使得加拿大教育行政体系从整体上看比较相近。

4. 加拿大教育治理实行分权制的同时，也注重教育决策平衡性

加拿大的教育治理体现出高度民主与高度集中相统一的特性。高度民主要求照顾到民众基本的教育需求，要求家长及学生参与教育治理过程，特别是参与学校的治理决策，这充分体现了全民参与的教育治理理念。强有力的高度集中的教育治理的特征主要体现是：纵向看，教育治理的上层主体由政府管控，中层由非政府组织学区董事会实行，基层由各个学校具体实施。学区董事会基本上都是由专业人士组成，他们在教育治理体系中起着承上启下的作用。加拿大的这种平衡教育治理体制，成功地处理了加拿大教育中传统与现代、政治与宗教、政府与民间、集中与民主、法制与自由、继承与发展、稳定与创新等对立统一的关系。另外，加拿大制定了完善的教育法律、规章和制度等，保持各教育治理主体在教育决策中的权利与义务的平衡。

5. 加拿大的教育法规体系极其完善，注重依法治教

加拿大的教育以严谨著称，教育水平位居世界前列，这与其完善的法律体系是分不开的。加拿大的教育法规体系涉及了教育发展的方方面面，诸如教师休假、学区董事的人数、薪金等，形成了对各项教育事业进行全方位的依法治理的格局。由于教育立法完善，各项教育系统都能依法规范运作，各职能部门、各工作岗位权责分明，职能界限清楚，互不重叠，执行起来有章可循，人治的因素较少，从而避免了教育政策上的大起大落，防止了出现大的决策失误和政策执行过程中相互推诿现象的发生，确保了教育治理的系统性、规范性、民主性、科学性和连续性,从而保持了教育治理的持续良性发展。

6. 安大略省在加拿大教育治理中具有先行者的地位

在加拿大，安大略省是最早成立的行政省份，是人口最多的省份（安大略省人口约占加拿大全国人口总数的三分之一），也是加拿大诸省份中最早建立系统的国民教育体系的省份。安大略省在加拿大教育体系形成、教育法规的制定、教育改革的推进等方面，往往具有先行者的地位。其教育雏形、教育法规、教育行政体系及教育内容和方法，都在加拿大教育发展中具有先行者的地位。因此，本书对加拿大教育治理体系的论述多次以安大略省为例。

7. 宗教学校仍然存在于部分省份的公共教育体系之中

天主教和新教等宗教力量在早期加拿大教育发展中起到了重要的推动作用，即使在当代，其影响力也特别强大。在加拿大一些省份如安大略省公立教育系统中仍有宗教学校及管理学校教育事务的天主教学区董事会。加拿大有3个省（安大略省、萨斯喀彻温省、艾伯塔省）和3个地区（育空地区、西北地区、努纳武特地区）仍有公共资金资助的分离性学校（Separate Schools）。大部分分离性学校都是天主教性质。如在安大略省现有的72个学区董事会里有4大类：31个英语公共学区董事会、29个英语天主教学区董事会、4个法语公共学区董事会、8个法语天主教学区董事会。[①]魁北克省有新教徒和天主教徒双重教派的教育系统，纽芬兰-拉布拉多省包含多个宗教团体的学校系统。在其余的5个省份（不列颠哥伦比亚省、马尼托巴省、新不伦瑞克省、爱德华王子岛省和新斯科舍省）的公立学校系统都是非宗教性的。[②]然而，教学语言和宗教信仰在该国许多地方成为公共教育发展的障碍。这个问题在19世纪成为加拿大各民族冲突的中心点。在联邦成立之后的几十年中，加拿大是有两种主要语言和信仰体系的国家的现实并未被许多人所接受。一些英裔加拿大人将公共教育看作是让法国天主教徒采用英语新教徒的生活方式的手段。对被同化的恐惧减少了法裔加拿大人对新不伦瑞克省公立教育的支持，使法语学校没有得到政府的支持。在魁北克省，大多数农村人反对由市政府税收资助的国家办学。他们倾向于建立没有促进主导英语价值观的宗教教育制度和教育体系。直到20世纪20年代，魁北克省才开始实施义务教育，入学率一直远低于大多数其他省份。在马尼托巴省，政府根据1870年马尼托巴省的法律，承担提供法语教学的责任。然而，到了1890年，

① Who's Responsible for Your Child's Education? School Boards [EB/OL]. http: //www. edu. gov. on. ca/eng/document/brochure/whosresp. html.

② School Systems [EB/OL]. http: //www. thecanadianencyclopedia. ca/en/article/school-systems/.

政府通过了《马尼托巴学校法》，取消了单独（即天主教）学校，这加剧了英语居民和法语居民之间的紧张关系。

8. 历史上加拿大男女生受教育权有明显的差别

加拿大教育发展史展示了男女学生受教育权的明显区别。如19世纪中期，理想的公立学校有男生和女生分开的入口、教室和休息区。女生应该接受家庭责任的教育，而男孩则应该被培养成为养家糊口者。19世纪后期，女孩上家政课程，学习烹饪和清洁技能，而男孩（特别是来自工薪阶层家庭的男孩）学习与工厂生产相关的手工技艺。虽然加拿大的公立学校系统一直以男女同校为主，男女享有平等的教育权利，但这主要是出于方便和节约成本的考虑。女生往往比男生在校的时间更长，学业成绩也更好。直到1950年，15—19岁年龄段的男生在校人数才开始超过女生。但高中毕业的女生人数仍超过男生人数。在社区学院中，女性获得的文凭超过半数。在大学里，女性在1920年仅占本科生招生的16%，1930年到1960年间约为20%，1970年为35%，1986年为50%，20世纪90年代超过50%。女大学生兼职数占兼职（如半日制）学生总数的60%（此比例一直在增大）。可见，相比在中小学，女生在大学水平上获得的收益最大。[①] 从历史上看，妇女相对缺乏其他的就业机会，促成了小学教师队伍的女性化，而且年轻的单身女性被认为最有可能成为理想的小学老师，儿童可以从这些女性所固有的养育特质中受益。但女教师工资低，并受到自认为是真正的教育工作者的男性官员的监督。即使在20世纪后期，这种状况也没有改变。

9. 教育中的民族歧视仍然存在

正规教育对于非欧洲裔的加拿大人也有不同的含义。新法兰西时代之后，教育家鼓励同化原住民的观念仍然没变。在19世纪和20世纪，寄宿制学校成为将原住民儿童与其家庭分开的一个主要策略，这种做法不仅在文化上令其产生了困惑，并严重地伤害了原住民儿童的身心健康。原住民遭受了最严重的损失。寄宿制学校的明确目标是将原住民儿童带入主流加拿大社

① Women and Education.［EB/OL］. https: //www. thecanadianencyclopedia. ca/en/article/womenand-education/.

会，虽然课程与普通公立学校系统相同，但教师培训不足，资源匮乏，教学时间减少（通常为了参加实践培训）形成了不平等的教育制度。在20世纪之前，亚洲裔儿童在加拿大不是很多，但他们获得公共教育的权利受到学校和教师的歧视与限制。在加拿大中部和东部，非裔加拿大儿童在被隔离的学校接受按种族划分的教育，他们被排除在白人公立学校之外。直到20世纪60年代，这种歧视在一些地区仍然存在。[①]

加拿大教育种族歧视情况还包括19世纪在安大略省和新斯科舍省建立的黑人学校，以及在不列颠哥伦比亚省对亚洲人的教育的特殊规定。这些教育种族歧视虽然现在已经不再是加拿大的官方政策，但在一些教育项目和教科书中仍然存在。

10. 重视教育质量监测与评估

现代意义的教育质量保障是一个系统工程。加拿大重视发展教育，更注重对教育质量的监测与评估，并构建了严密的各级各类教育质量保障体系，以保持加拿大教育的全球影响力。对于基础教育，加拿大构建了国际、国家、省级、校级四级质量监测评估体系，保障了基础教育质量。对于职业教育，则由省教育厅确立课程设置标准，省教育厅委托独立调查公司收集数据，采取关键绩效指数（KPI）法对各职业学院进行排名，以及通过非政府组织或其他教育服务机构对职业教育开展教育质量评估和职业教育质量认证等途径，对职业教育进行外部质量保障。各学院则通过设置专业咨询委员会等形式建立了严密的内部质量保障体系，使专业建设能够始终保持与行业企业的紧密联系，保证了人才培养质量。对于高等教育，则主要通过质量评审、绩效考核、会员资格、大学排名、专业认证以及学位质量评估等途径对高等教育质量进行外部保障。通过完善大学内部的学校、学院和系三级教学质量管理体制，实行定期的学位点评估，设立教学质量保障咨询服务机构，形成了完善的大学内部教学质量保障机制。对于教师教育，加拿大逐步形成了以教师教育专业认证体系为中心，由各省政府、政府授权的认证机构、中

---

① Compulsory Schooling in Ontario: 1871 [EB/OL]. http: //marcialalonde. weebly. com/uploads/9/3/8/2/9382401/ontario_schooling. pdf.

介组织以及新闻媒体、学院委员会、教师协会等共同构成了特色鲜明的加拿大教师教育质量保障体系，对保障和提高教师教育质量，起到了积极的推动作用。对于原住民的教育，则通过数据统计，正视原住民与非原住民的教育成就的越来越大的鸿沟，并将之列为加拿大社会政治制度面临的最大挑战之一。相关各方对教育质量评价结果都相当重视。根据评价结果，及时在各自工作领域中对自身的教育行为进行相应的调整和改进，以实现促进学生发展、提高教育质量的目标。因此，重视教育质量保障体系建设，是加拿大教育保持全球影响力的一个重要因素。

概括地讲，加拿大的教育治理充分体现了“引领、控制、调节、整合”等多项功能，较好地处理了教育与政治、经济、社会及文化等的关系，在众多利益集团和群体中发挥了至关重要的协调作用，促进了社会大众对教育发展理念的认同，保证了教育体系发展的良性运转。特别是进入20世纪90年代后，随着志愿团体、慈善组织、社区组织、民间互助组织等社会自治组织力量的不断壮大，他们对加拿大公共社会生活的影响日益重要，理论界开始重新反思政府与市场、社会的关系问题。为了应对加拿大教育治理中的纵向集权和横向分权管理模式下的无序和不确定性，加拿大各省相继推出教育治理改革的新举措，力图使教育治理自上而下与自下而上相互制衡，相互支持和影响，以弥补地方分权的教育治理体制的不足。在改革过程中，按照政府、市场与公民社会对教育的不同价值判断与诉求，重新界定政府、市场与社会在公共教育治理中的职责边界，再次设置这三种力量在公共教育治理中的功能作用，寻求三者之间的力量平衡，竭力构建专业人员、学生家长和社区成员之间的平衡控制的教育治理模式，通过改革重塑政府、市场和社会共同治理教育的制度体系。

当前，教育治理已经主导加拿大教育改革。作为一种更有效的、具有创新性的制度安排，教育治理通过推进治理协商合作机制的建立，既能使加拿大教育保有一定的市场竞争因素，又能在一定程度上抑制市场竞争负效应的产生，特别是抑制由于过度竞争造成偏差情况的出现；既能弥补政府在教育领域的某些不足，满足多样化的需求，又能在一定程度上避免政府因分权可能产生的教育调控能力的弱化。

实践表明，教育治理作为一种多元平衡共治的教育管理模式，有效地协调了加拿大政府、学校及社会之间的公共教育决策与执行权力的配置，形成了政府、市场与公民社会三者之间的良性互动，推进了教育利益相关方的协商合作，提升了教育治理的效率，促进了加拿大各级各类教育的良性发展。

参考文献

一、中文文献

[1] 胡军，刘万岑 . 加拿大基础教育［M］. 上海：同济大学出版社，2015.

[2] 肖新生 . 走近加拿大高等教育［M］. 开封：河南大学出版社，2007.

[3] 吴明海 . 中外民族教育政策史纲［M］. 北京：中央民族大学出版社，2006.

[4] 中国大百科全书・民族［M］. 北京：中国大百科全书出版社，1986.

[5] 格兰・琼斯 . 加拿大高等教育——不同体系与不同视角［M］. 扩展版 . 林荣日，译 . 福州：福建教育出版社，2007.

[6] Maurice Gibbons.自我指导学习——挑战卓越［M］.池春燕，季丹丹，任智霞，译.北京：中国轻工业出版社，2005.

[7] 许江媛 . 加拿大公共教育发展史研究［D]. 华东师范大学 2007 年博士学位论文 .

[8] 杨琴 . 加拿大安大略省高职教育的特征及启示［J]. 职业教育，2015（12 下）.

[9] 王辉 . 加拿大行业协会参与职业教育机制研究与启示[J]. 职业教育研究，2015（11）.

[10] 赵振江 . 中加职业教育质量保障体系比较研究——以加拿大德恒学院为例[J]. 职业教育研究，2015（11）.

[11] 张胜利 . 加拿大 BC 省高等教育机构外部质量保障制度简介——以西三一大学实践为例[J]. 教育与教学研究，2015（8）.

[12] 黄正平 . 加拿大安大略省的教师教育及其启示［J]. 教育评论，2015（1）.

[13] 王明娣 . 加拿大民族教育政策演进及其新趋势［J]. 当代教育与文化，2015（1）.

[14] 李兴洲，肖珊，朱明 . 加拿大职业教育管理体制的特色探析［J]. 教育研究，2014（9）.

[15] 皮国萃 . 加拿大社区学院行政管理体制研究［J]. 重庆高教研究，2014（3）.

[16] 孙伦轩，陈・巴特尔 . 加拿大大学治理：传统与变革［J]. 高教探索，2013（4）.

[17] 张越，常永才 . 缩小差距：新近加拿大联邦政府原住民教育政策的主题［J]. 全球教育

展望，2013（3）.

[18] 李中国，皮国萃 . 加拿大高等教育质量保障体系及其改革走向 [J]. 黑龙江高教研究，2013（2）.

[19] 彭雪芳 . 加拿大土著同化教育的兴衰——以布鲁奎尔斯印第安寄宿制学校为例 [J]. 民族学刊，2012（1）.

[20] 党继农 . 加拿大社区学院的管理模式与启示——以安大略省学院和百年理工学院为例[J]. 乌鲁木齐职业大学学报，2012（1）.

[21] 柏檀.让高等教育质量迈向新高度——加拿大安大略省《高等教育质量回顾与研究报告》解读[J]. 江苏高教，2011（5）.

[22] 蔡志伟 . 加拿大原住民族自治权的法制架构与发展[J] 台湾国际研究季刊，2011，7（1）.

[23] 蒋园园 . 加拿大基础教育管理深度变革取得的突破和未来的走势 [J]. 当代教育科学，2011（1）.

[24] 蒋园园 . 跨世纪加拿大基础教育管理改革走势评述 [J]. 教育科学研究，2011（5）.

[25] 王红艳，徐丹 . 试论当代加拿大土著人的教育改革及其意义 [J]. 历史教学，2011（2）.

[26] 吴言荪，刘晳玲 . 加拿大大学教学质量保障机制浅析 [J].高等工程教育研究，2011（1）.

[27] 黄蓉，鲁军 . 加拿大大学治理结构变迁中的权力博弈 [J]. 高校教育管理，2010（4）.

[28] 马广利，傅俊 . 后殖民批评视角下的加拿大《印第安人法》[J]. 上饶师范学院学报，2010（1）.

[29] 黄蓉，鲁军 . 加拿大大学法人治理结构的分析 [J]. 理工高教研究，2009（6）.

[30] 蒋园园 . 加拿大公共基础教育管理市场化改革面临的新挑战 [J]. 湖南师范大学教育科学学报，2009（3）.

[31] 王鹏飞，李桃 . 加拿大职业教育的管理机制及与政府间关系[J]. 成人教育，2008（11）.

[32] 周光礼. 加拿大的高等教育政策：历史与现状 [J]. 世界教育信息，2008（7）.

[33] 颜桂花 . 加拿大中小学教师教育与资格制度 [J]. 教师教育研究，2008（4）.

[34] 周光礼 . 大学治理模式变迁的制度逻辑——基于多伦多大学的个案研究 [J]. 高等工程教育研究，2008（3）.

[35] 刘昌明 . 加拿大合作教育模式评介 [J]. 煤炭高等教育，2008（5）.

[36] 吴言荪，王鹏飞 . 加拿大创新战略研究 [J]. 重庆大学学报：社会科学版，2007（1）.

[37] 吴建设. 加拿大高等职业教育的多元学制课程分析及其启示 [J]. 高等教育研究，

2006（12）.

[38] 戴者华，王鹏飞．加拿大联邦政府及各省各尽其力兴教育［J］.世界教育信息，2005（9）.

[39] 吴雪萍，王艳玲．加拿大高等职业教育发达原因探析［J］.高等工程教育研究，2005（1）.

[40] 黄红霞，王建梁．多元文化教育：加拿大的经验及启示［J］.民族教育研究，2004（5）.

[41] 唐纳德·威尔斯．加拿大的高等教育管理［J］.大学教育科学，2003（1）.

[42] 洪成文．加拿大教育质量保障的实践探索［J］.比较教育研究，2001（9）.

[43] 威廉·戴依．加拿大的职业技术教育［J］.中国职业技术教育，1994（2）.

[44] 林志鹏．加拿大印第安人民族教育的历史发展概况［J］.中南民族学院学报，1991（6）.

[45] 何平．加拿大的师范教育［J］. 教育科学，1991（1）.

二、外文文献

[1] Burke，S. Z.，& Milewski，P. （Eds）. Schooling in Transition：Readings in Canadian History of Education. Toronto，Canada：University of Toronto Press.2012.

[2] Magnuson，R. （1992）. Education in New France. McGill–Queen's University Press：Montreal，Québec，Canada.

[3] Ontario College of Teachers. Foundations of Professional Practice[M]. Toronto：Ontario College of Teachers.2010.

[4] Richards，J. Closing the Aboriginal/non–Aboriginal Education Gaps. Backgrounder（No. 116）. C. D. Howe Institute. 2008.

[5] Di Mascio，Anthony. The Idea of Popular Schooling in Upper Canada：Print Culture，Public Discourse，and the Demand for Education. Montreal & Kingston，Canada：McGill–Queen's University Press.2012.

[6] University of Toronto：Guidelines for Reviews of Academic Programs and Units，June

23，2008.

[7] Barman，J.，Hébert，Y.，& McCaskill，D. Indian Education in Canada V. I. [M]. Vancouver：University of British Columbia Press，1987.

[8] Reva Joshee，Lauri Johnson. Multi–cultural Education Policies in Canada and the United States[M]. Toronto：UBC Press，2007.

[9] Clarke，L. Vocational Education：International Per–spectives and Development. Routledge，2007.

[10] Dennison，J.，Gallagher，P. Canada's Community Colleges：A Critical Ananlysis of University of British [M]. Columbia Press，2004.

[11] Feintuck，M. The Public Interest in Regulation[M]. N. Y：Oxford University Press，2004.

[12] Amaral，A，Jones，G.，Karseth，B. Governing Higher Education：National Perspectives on Institutional Governance [M]. The Netherland：Kluwer Academic Publishers，2002.

[13] Friesen，J. &Friesen，V. Aboriginal Education in Canada：A Plea for integration. Brush Education InC. 2002.

[14] Morgan，N. "If Not Now，then When?" First Nations Jurisdiction over Education：A Literature Review.Ottawa：Minister's of Indian and Northern Affairs，2002.

[15] Binda，K. &Calliou，S. Aboriginal Education in Canada：A Study in Decolonialization [M]. Canadian Educators'.Press，2001.

[16] Friedland，M. The University of Toronto：A History [M]. Toronto：University of Toronto Press. 1999.

[17] Leslie，J. F. Assimilation，Integration or Termination? The Development of Canadian Indian Policy，1943—1963.Department of History，Carleton University，1999.

[18] Cameron，D.M.（1995）Shifting the Buren：Liberal Policy for post–secondary Education. In S.Philips（ed.），How Ottawa Spends 1995–96：Mid–life Crisis [M].Ottawa：Carleton University Press.

[19] Churukian，G. A.（1993） Development of A Teacher Education Program. In Galip Karagozoglu（Ed.）The Polities and Models of Teacher Training in the Council of Europe Countries. Doluz Elul University，Buca Faculty of Education，Turkey. Eli Mandel，

David Taras. A Passion for Identity. Methuen Co. Ltd.

[20] Houwing，J. F. & Kristjanson，A. M. Composition of Governing Bodies of Canadian Universities and Colleges. Ottawa：Association of Universities and Colleges of Canada. National Indian Brotherhood，Indian Control of Indian Education. Ottawa，ON：Author. 1975.

[21] Royal Commission in Ontario，Report of the Royal Commission in Ontario，Toronto King's Printer，1950.

[22] The Minister of Education.（1915）Ontario Teachers' Manuals：History of Education. Press of the Hunter Rose Co. Limited：Toronto，Canada.

[23] Brenda MacKay，Michael W. Firmin.The Historical Development of Private Education in Canada[J]. Education Research and Perspectives，2008，35（2）.

[24] Chalmels，J. W. Development of Alberta's First Faculty of Education[J]. Alberta History. 2006（10）.

[25] Riley，K.，Abu-Saad，I.，&Hermes，M. Big Change Question Should Indigenous Minorities Have the Right to Their Own Education Systems，Without Reference to National Standards [J]. Journal of Educational Change，2005（6）.

[26] Dave Marshall. Degree Accreditation in Canada [J]. International Consortium for Education and Economic Development 2004 Annual Conference，2004（24）.

[27] Seth A. Agbo. Decentralization of First Nation Education in Canada：Perspective of Ideals and Realities of Indian Control of Indian Education[J]. Interchange，2002，33（3）.

[28] Glen A. Jones，Theresa Shanahan，Paul Goyan. University Governance in Canadian Higher Education[J]. Tertiary Education and Management，2001（7）.

[29] Arai，A. B. Reasons for Home Schooling in Canada[J].Canadian Journal of Education / Revue canadienne de l'éducation，Vol. 25，No. 3（2000）.

[30] Kirkness，V. J. Aboriginal Education in Canada：A Retrospective and a Prospective[J]. Journal of American Indian Education，1999（3）.

[31] Xiaobin Li. Preparedness to Teach：A Comparison Between Consecutive and Concurrent Education Students[J]. The Alberta Journal of Educational Research，1999（2）.

[32] Kirkness，V. J.Our Peoples' Education：Cut the Shackles；Cut the Crap；Cut the Mustard[J].

Canadian Journal of Native Education，1998，22（1）.

[33] Sarah V. Wayland.Immigration，Multiculturalism and National Identity in Canada[J]. International Journal of Group Rights 5，no. 1 （1997）.

[34] E. Hampton.Toward a Redefinition of American Indian Education[J]. Canadian Journal of Native Education，1993（2）.

[35] Economic Council of Canada. Canadian Vocational Journal Vol. 27，Iss. 4，（Spring 1992）. Boulianne，R. G. The correspondence of the Royal Institution for the Advancement of Learning in the McGill University Archives. Fontanus V，55−72.

[36] Woods，D. S. History of Education in Canada[J]. Review of Educational Research，1936，6（4）.

三、网站

[1] http://www.thecanadianencyclopedia.ca/en/article/history−of−education/.

[2] https://www.ache−chea.ca/resources/.

[3] https://www.thecanadianencyclopedia.ca/en/article/children−education−and−the−law/e46dev−ca.en.pdf.

[4] https://en.wikipedia.org/wiki/History_of_education_in_Canada.

[5] https://archive.org/details/cihm_77240.

[6] https://www.amazon.ca/Schooling−Transition−Readings−Canadian−Education/dp/0802095771#reader_0802095771.

[7] http://fontanus.mcgill.ca/article/viewFile/62/70.

[8] http://marcialalonde.weebly.com/uploads/9/3/8/2/9382401/ontario_schooling.pdf.

[9] https://www.cmec.ca/Publications/Lists/Publications/Attachments/34/ic.

[10] http://globalnews.ca/news/3293192/canada−2nd−best−country−2017−world−rankings−survey/.

[11] http://www.statcan.gc.ca/tables−tableaux/sum−som/l01/cst01/demo02a−eng.htm.

[12] http://www.statcan.gc.ca/tables−tableaux/sum−som/l01/cst01/phys01−eng.htm.

[13] https://www.canada.ca/en/canadian-heritage/services/origin-name-canada.html.

[14] http://www.thecanadianencyclopedia.ca/en/article/history-of-education/ .

[15] https://www.bac-lac.gc.ca/eng/discover/politics-government/canadian-confederation/Pages/lower-canada.aspx.

[16] https://www.thecanadianencyclopedia.ca/en/article/constitutional-act-1791/.

[17] http://www.thecanadianencyclopedia.ca/en/article/crown/.

[18] http://fontanus.mcgill.ca/article/viewFile/62/70.

[19] http://legisquébec.gouv.qc.ca/en/ShowDoc/cs/F-1.

[20] https://www.mcgill.ca/about/history/meet-james-mcgill.

[21] http://fontanus.mcgill.ca/article/viewFile/62/70.

[22] http://www.thecanadianencyclopedia.ca/en/article/war-of-1812/.

[23] http://www.thecanadianencyclopedia.ca/en/article/school-systems/.

[24] http://www.legislation.gov.uk/ukpga/1931/4/pdfs/ukpga_19310004_en.pdf.

[25] http://www.thecanadianencyclopedia.ca/en/article/family-allowance/.

[26] http://www.thecanadianencyclopedia.ca/en/article/egerton-ryerson/.

[27] http://collections.musee-mccord.qc.ca/scripts/explore.php?Lang=1&tableid=11&elementid=107__true&contentlong.

[28] http://www.thecanadianencyclopedia.ca/en/article/bill-davis/.

[29] http://archives.gnb.ca/Exhibits/archivalportfolio/TextViewer.aspx?culture=en-CA&myFile=Education-1.

[30] https://www2.viu.ca/homeroom/content/topics/People/maxcam.htm#cam.

[31] http://www.heritage.nf.ca/articles/society/royal-commission-education-1968.php.

[32] http://www.thecanadianencyclopedia.ca/en/article/children-education-and-the-law/.

[33] https://www.newswire.ca/news/council-of-ministers-of-education-canada.

[34] http://laws-lois.justice.gc.ca/eng/acts/F-8.2/page-1.html.

[35] http://publications.gc.ca/collections/Collection/GomeryII/ResearchStudies1/CISPAA_Vol1_7.pdf.

[36] http://www.edu.gov.on.ca/eng/about/whoweare.html.

[37] https://www.cmec.ca/Publications/Lists/Publications/Attachments/381/PCAP-2016-

Public-Report-EN.pdf.
[38] http://www.tdsb.on.ca/Leadership/Boardroom.
[39] http://www.tdsb.on.ca/Leadership.
[40] http://www.tdsb.on.ca/About-Us/Policies-Procedures-Forms.
[41] https://www150.statcan.gc.ca/n1/pub/81-004-x/2006002/9249-eng.htm.
[42] https://www.principals.ca/Display.aspx?cid=4581&pid=445.
[43] http://www.ontarioparentcouncil.org/.
[44] https://www.gssd.ca/About/AdministrativeProcedures/Documents/Superintendent%20of%20Schools.pdf.
[45] http://www.thecanadianencyclopedia.ca/en/article/curriculum-development/.
[46] http://www.dreambox.com/personalized-learning.
[47] http://infed.org/mobi/self-directed-learning/.
[48] http://edu.gov.on.ca/eng/cst/.
[49] http://www.edu.gov.on.ca/eng/literacynumeracy/combined.pdf.
[50] https://files.eric.ed.gov/fulltext/ED284331.pdf.
[51] http://www.thecanadianencyclopedia.ca/en/article/charter-schools/.
[52] https://search.proquest.com/docview/205250436/E5E62840DA434442PQ/2?accountid=9744.
[53] http://cva-acfp.org/training-and-workshops/cva-dacum-model-presentation/.
[54] http://www.tdsb.on.ca/_site/ViewItem.asp?siteid=88&menuid=417&pageid= 325.2012-12-21/2013-03-04.
[55] http://www.algonquincollege.com/program-development/files/2016/03/CurriculumModificationGuidelines-2016-03-03.pdf.
[56] http://www.ocqas.org/wp-content/uploads/2015/08/Ontario-Colleges-Moving-to-Accreditation-Information-Paper.pdf.
[57] http://www.colleges Ontario.org/outcomes/key-performance-indicators.html.
[58] http://nacc.ca/?.
[59] https://en.wikipedia.org/wiki/Community_college.
[60] http://www.acce.ca/xp/index.php/en/about/vision-mission.2013-01-05/2013-04-23.

[61] https://en.wikipedia.org/wiki/King%27s-Edgehill_School.

[62] http://www.sgs.utoronto.ca/about/Pages/Historical-Timeline.aspx.

[63] https://www.thecanadianencyclopedia.ca/en/article/veterans-and-the-second-world-war/ .

[64] https://en.wikipedia.org/wiki/Dominion-Provincial_Student_Loan_Program.

[65] https://books.google.ca/books?id.

[66] https://www.innovation.ca/our-history.

[67] http://laws-lois.justice.gc.ca/eng/const/page-15.html.

[68] https://tspace.library.utoronto.ca/bitstream/1807/65526/1/Boggs_Andrew_M_2007_MA_thesis.pdf.

[69] http://journals.sfu.ca/cjhe/index.php/cjhe/article/viewFile/183456/183409.

[70] https://www.cmec.ca/299/Education-in-Canada-An-Overview/index.html.

[71] http: //www.Edu.gov.on.ca.

[72] http://news.ontario.ca/opo/en/2005/05/reaching.

[73] http://www.cmec.ca.

[74] https://en.wikipedia.org/wiki/Nova_Scotia_Teachers_College.

[75] https://en.wikipedia.org/wiki/Toronto_Normal_School.

[76] http://www.mun.ca/memorial_history/70s/Morgan.html.

[77] https://www.mcgill.ca/education/about/history.

[78] http://www.mala.ca/Educational Planning/SignPosts/.

[79] PlansEDUC/AbodginalEd2005.pdf.5-8.

[80] http://www.See-educoop.net/education_ in/pdf/initial_teacher educ_ Canada-oth-enl-t03.pdf.2006-3-11.

[81] http://edu.yorku.ca/academic-programs/bachelor-of-education/concurrent-bed/--.

[82] http://www.see-educoop.set/education_in/pdf/initial.

[83] http://www.oise.utoronto.ca/preservice/elementary/program_overview.php.

[84] https://www.ontario.ca/laws/regulation/020098.

[85] https://www.oct.ca/about-the-college/governance--committeesof council.

[86] https://www.oct.ca/about-the-college/what-we-do--.

[87] https://www.oct.ca/public/professional-standards/standards-of-practice.

[88] https://www.oct.ca/public/accreditation/decisions/brock−2012#introduction.

[89] http://www.oct.ca/publications/pdf/accreditation_e.Pdf.2003−4−13.

[90] http://www.education.gov.ab.Ca/news/1996nr/june96/qt frame.pdL2005−5.

[91] http://www.uofaweb.Ualbcrta.ca/gfcpolicymanual/index.cfm.

[92] https://www.thecanadianencyclopedia.ca/en/article/aboriginal−people/.

[93] https://www.cbc.ca/news/canada/background−the−indian−act−1.1056988

[94] http://www.revparl.ca/english/issue.asp?art=255&param=83.

[95] http://dsp−psd.pwgsc.gc.ca/Collection/R41−9−2002E.

[96] http://www.socialunion.gc.ca/ecd/2004/english/page09.html.

[97] http://www.worldometers.info/world−population/canada−population/.

[98] http://www.biographi.ca/en/bio/robertson_james_wilson_15E.html.

[99] http://www.1845rr1945.ca/timeline/themes/educational_reform/technical_education_act.

[100] http: // www.cmec.ca 2001−9/2003−7.

[101] http://www.schoolsincanada.com/Community−Colleges−In−Canada.cfm.

[102] https://www.thecanadianencyclopedia.ca/en/article/community−college/.

[103] https://www150.statcan.gc.ca/n1/pub/11−621−m/11−621−m2006036−eng.htm.

[104] https://www.georgebrown.ca/t121−2018−2019/.

[105] http://www.schoolsincanada..com/Preparing−for−Community−College−in−Canada.cfm.

[106] https://carleton.ca/coris/funding−sources/externalfunding/.

[107] https://en.wikipedia.org/wiki/Ministry_of_Advanced_.

后　记

“治理”（Governance）理论属于舶来品，在中国教育界尚属较新的概念。在发达国家，由于社会层级体系和合作形式逐步向复杂化方向发展，该理论在近几十年迅速流行起来，并广泛应用于政治、经济、社会等诸多领域。由于其在解决国际问题上的突出表现，治理理论从20世纪90年代起受到教育界研究者与管理者的青睐。

任何一个国家的教育发展理念、形式、内容、路径等都深受其历史、文化、环境等多方面因素制约和影响。在我们对加拿大的教育治理系统研究的过程当中，一方面，有感于加拿大民族文化中的“和而不同”理念（多元文化、各国移民）与中国传统文化不谋而合；另一方面，我们更是被加拿大教育不断创新的精神所感动，他们没有照搬欧美诸国的教育传统与教育体系，而是根据自身的文化和国情，走出了一条符合其自身发展需求、独具特色的教育治理之路。这也正是中国教育事业复兴与发展的必经之路。

借助我们“中加”（中国—加拿大）学者团队合作研究的优势，本书在研究层面具有“三点连一线”的特点：我们不仅对有关加拿大教育治理的中文文献进行了尽可能全面地梳理，也对相关英文原始资料进行了最大限度的查询和利用，并与中文文献进行了对比研究，而且利用我们在加拿大学习和工作的亲身经历，深入调研和体验加拿大自基础教育到高等教育的治理体系的现状和发展历程，力图尽量提升研究的可靠性及准确性。在行文中，我们从加拿大教育治理的源起谈起，涵盖五个层面（基础教育、职业教育、高等教育、教师教育、原住民教育），并力图从四个维度（各个层面的发展历程、现状、问题、趋势）进行讨论。又因加拿大国家教育治理体制的特殊性，其10省、3区的教育制度既相似相融，又各具特色，我们选取了最具代表性，或者在某个方面最有特色的省份展开介绍。

本书力图展示加拿大教育治理发展的全貌。用“加拿大教育治理的源起与形成”作为本书的开篇，试图勾勒出加拿大教育治理的来龙去脉，并从加拿大教育治理体系发展的历史进程中，了解其治理体系从无到有、从弱到强发展的必然性，体会加拿大教育从长期民主与集中之间的协调统一和谐发展的脉络，以期能为中国教育治理体系的现代化建设提供借鉴。

我们关注加拿大的教育治理是如何处理传统与现代、政治与宗教、政府与民间、集中与民主、法制与自由、继承与发展、稳定与创新等对立统一的关系，这对中国教育治理有着极为重要的借鉴意义。这也是我们选择研究该领域的初衷。希望通过本书，可以较为全面地介绍加拿大教育治理的历程，为学者开展教育治理研究、加拿大教育研究提供帮助。

然而，理想的实现过程总是充满荆棘与挑战的。到目前为止，不论是在中国还是在加拿大，据笔者所查，还没有一本全面介绍加拿大教育治理的专著。因此，完成本著作是一项相当复杂的系统工程。资料的收集、整理、阅读、理解、对照、使用等任务极其繁重。由于资料极其繁杂（大部分资料为外文资料），笔者的专业知识和时间有限，在写作中难免出现一些失误，期待各位学术界同仁批评指正。

我们真诚感谢国内外学者的许多研究成果，因为这些成果是开展本书写作研究的基础。在写作过程中，由于加拿大学者的参与，我们获得了很多第一手的资料，提高了本书内容的可靠性。通过对材料的对比、核实，我们纠正了学术界在本领域的一些不当之处，因此本书的一些内容可能与学界的传统说法有所不同。例如，在“school board”一词的翻译上，经过本书作者之间的反复讨论、研读相关资料，并与加拿大专家商议，我们最终决定采用“学区董事会”的说法代替以往中文文献中“地区教育局”的说法。我们认为“学区董事会”的说法能更好地体现“school board”是一个加拿大教育治理体系中分权化的实体，是一个具备行使法律所赋于权力的法人团体、相对独立的非政府机构。我们希望这些校正，能为学者开展加拿大教育研究提供一些帮助。

本书写作的源起，最早始于2014—2015年汪丞教授在加拿大布鲁克大学（Brock University）做博士后期间，汪丞教授当时就有撰写一本系统介绍加拿大教育著作的想法。回国后，适逢华中师范大学周洪宇教授、王建梁教授在策划《全球教育治理研究系列》的编撰工作，在他们盛情邀约下，汪丞教授具体负责《加拿大教育治理研究》一书的写作任务。为了提升本书的严谨性和可信度，在写作过程中，汪丞教授力邀加拿大布鲁克大学路春雷教授参与本书的撰写和指导。同时，还邀请布鲁克大学教育学院荣文婷博士参与本书的写作、审校和修订工作。路春雷教授有多年在中国、加拿大及美国大学工作的经历，汪丞教授和荣文婷博士都有在加拿大访学的经历，因此，本书也是“中加合作研究”的结晶。

本书的撰写，还得到了加拿大布鲁克大学教育学院的大力支持，特别是布鲁克大学教育学院院长Michael Owen教授、副院长Michael O’Sullivan教授、李晓斌教授、叶敏芬老师等，他们都以不同的方式为本书的写作提供了帮助，在此我们一并表示感谢！写作初期，笔者还曾得到华中师范大学王建梁教授的大力协助，在初稿完成后，王建梁教授进行了细致的审阅，并提出了很多有见地的修改意见，使本书得以全新的面貌呈现在读者面前。在此，我们对王建梁教授的真诚帮助特别致谢。

本书写作的分工如下：汪丞负责全书的写作框架设计和统稿工作，第一章由路春雷和汪丞合作完成，第四章由汪丞和荣文婷合作完成，结语、后记由汪丞、路春雷和荣文婷合作完成，其余章节均由汪丞撰写，荣文婷参与全书资料的审校、修订工作。

我们希望本书可以为加拿大教育治理研究“抛砖引玉”，为中国教育治理研究和改革提供一点点助力，为各位教育界同仁提供一些研究资料。同时，我们今后也会以本书为基础，选取对中国教育更具参考性、借鉴性的研究课题，更广泛地利用第一手（英语）资料，展开更有针对性的研究，为中国和世界各国教育治理的研究和实践做贡献。

汪丞　路春雷　荣文婷

2018年12月20日